HEYNE BIOGRAPHIEN

In der Reihe »Heyne Biographien« sind bereits erschienen:

Wilfried Blunt

LUDWIG II.
König von Bayern

Wilhelm Heyne Verlag
München

À Louis II de Bavière

Roi, le seul vrai roi de ce siècle, salut, Sire,
Qui voulûtes mourir vengeant votre raison
Des choses de la politique, et du délire
De cette Science intruse dans la maison,

De cette Science, assassin de l'Oraison
Et du Chant et de l'Art et de toute la Lyre,
Et simplement, et plein d'orgueil en floraison,
Tuâtes en mourant, salut, Roi! bravo, Sire!

Vous fûtes un poète, un soldat, le seul Roi
De ce siècle oùles rois se font si peu de chose,
Et le Martyr de la Raison selon la Foi.

Salut à votre très unique apothéose,
Et que votre âme ait son fier cortège, or et fer,
Sur un air magnifique et joyeux de Wagner.

Paul Verlaine

Sire, einziger König, würdig des Jahrhunderts Achtung,
Ihr starbt, ein Recht auf Herrschaft, das versagt Euch blieb,
Zu rächen, aber auch des Geists Umnachtung,
Darin Euch solche bittere Erkenntnis trieb.

Erkenntnis mörderisch für Poesie, Gesang,
Die Künste allesamt, Gebete schier,
Und so, in hochgemutem Überschwang
Habt sterbend Ihr getötet. Gruß Euch, Sire!

Ihr wart ein Dichter, ein Kämpfer, ein königliches Blut
In einer Zeit, wo Könige nichts bedeuten als Entehrung,
Ein Märtyrer jenes Rechts, das im Glauben ruht.

Gruß Euch in dieser einzigartigen Verklärung!
Mög Eure Seele wahren ihren strahlend stolzen Flug,
Zu dem Wagners Musik empor sie trug.

Übertragen von Helmut Domke

6. Auflage

Titel der englischen Originalausgabe:
THE DREAM KING
Deutsche Übersetzung von Ursula von Wiese
Genehmigte, ungekürzte und erweiterte Taschenbuchausgabe
Copyright © 1970 by George Rainbird Ltd., London
Copyright © der deutschsprachigen Ausgabe 1970 by
Prestel-Verlag, München
Die Erweiterung der Zeittafel und der Bibliografie wurde erarbeitet von
Dr. Joyce Schober
Bildnachweis: Werner Neumeister, München (11 Farb-, 22 Schwarzweiß-Fotos);
Bayerische Verwaltung der Staatlichen Schlösser, Gärten und Seen
(14 Schwarzweiß-Fotos)
Umschlagfoto: COSMOPRESS, Genf
Umschlaggestaltung: Atelier Heinrichs, München
Gesamtherstellung: Ebner Ulm

ISBN 3-453-55006-4

Inhalt

Wappen König Ludwig II. an einer Kutsche

Vorwort

Mein Interesse an Ludwig II. erwachte, als ich vor über vierzig Jahren nach München ging, um Gesang zu studieren und Deutsch zu lernen. 1949 begann ich dann Material für eine Biographie des Königs zu sammeln, wobei mir durch den hervorragenden, inzwischen verstorbenen Gelehrten Dr. Ernest Newman viel Hilfe und Ermunterung zuteil geworden ist. Dann aber kamen andere Verpflichtungen dazwischen, so daß es mir an der Zeit mangelte, das Buch in der Form, wie sie mir ursprünglich vorschwebte, zu verwirklichen, zumal es ja noch keine ausführliche Lebensbeschreibung Ludwigs II. in englischer Sprache gibt.

Selbstverständlich hat sich Deutschland als Ludwigs Heimatland ausgiebig mit dem Schicksal des Königs beschäftigt. Die meisten dieser Darstellungen sind freilich bereits vor Jahrzehnten erschienen und heute nur mehr in Bibliotheken zu finden. Aus diesem Grunde mag auch die deutsche Ausgabe einer englischen Biographie nicht unangebracht erscheinen.

Ich habe vielen Freunden zu danken, die mir mit Rat und Tat beigestanden haben. An erster Stelle sei Dr. Michael Petzet von Herzen gedankt, dessen Ausstellungskatalog ›König Ludwig II. und die Kunst‹ mir eine wertvolle Hilfe war. Als führende Autorität auf diesem Gebiet hat er mir viele Anregungen gegeben, außerdem stellte er mir eine große Sammlung von Dokumentarphotos zur Verfügung, aus der die hier wiedergegebenen Bilder ausgewählt wurden. Schließlich habe ich ihm noch dafür zu danken, daß er mich im Winter nach Hohenschwangau, Neuschwanstein und Linderhof fuhr, so daß ich die Schlösser zum erstenmal tief verschneit sehen konnte.

Wieviel ich Werner Neumeisters Kunst verdanke, wird jeder Leser selbst erkennen: wenn ich Architektur und Ausstattung der Schlösser nur flüchtig gestreift habe, so einfach aus dem Grunde, weil seine glänzenden Aufnahmen viel mehr auszudrücken vermögen als Worte.

Für vielseitige Hilfe bin ich weiterhin Philippine Schick verbunden, die das Manuskript durchgesehen hat, dann Frau Arthur Harrison, Hugh Haworth und Francis Thompson sowie meinem Bruder Anthony.

Mein letzter, tief empfundener Dank gilt Frederica MacIver-Reitsma. Ihre Begeisterung für mein Buch trug viel dazu bei, mich aufzumuntern, wenn ich den Mut zu verlieren drohte, und ihr materieller Ansporn, wenn sie mir immer wieder Wagnerbiographien schenkte oder körbeweise Wein anschleppte, war mir kaum weniger nützlich. Leider hat sie das fertige Buch, das wohl ihre Zustimmung gefunden hätte, nicht mehr erlebt.

W.J.W.B.
The Watts Gallery, Compton

Der Prinz

»Ein ewiges Rätsel will ich bleiben mir und anderen«
Ludwig II.

Schloß Nymphenburg, die Sommerresidenz der bayerischen Kurfürsten und Könige, in der Ludwig II. 1845 das Licht der Welt erblickte und die sich heute mitsamt ihren weitläufigen Parkanlagen inmitten des Stadtbereichs von München findet, lag um die Mitte des vorigen Jahrhunderts noch weit vor den Toren der Haupt- und Residenzstadt. Das Schloß, eigentlich eine Folge locker aneinander gereihter Pavillons und Flügelbauten, geht auf eine italienische Villa zurück, die Agostino Barelli im 17. Jahrhundert errichtet hatte und die dann immer mehr zu der jetzt so ausgedehnten Anlage erweitert worden ist. Den größten Glanz entfaltet es im ›Steinernen Saal‹, der durch drei Geschosse des Mitteltraktes reicht und seine unvergleichliche Ausstattung im Rokoko erhalten hat, darunter vor allem die phantasievolle Stuckzier und das fulminante Deckenfresko, in dem Johann Baptist Zimmermann, der Bruder des Wies-Baumeisters, den antiken Götterhimmel über der lichten Anmut arkadischer Landschaften beschwört.

Doch seit jenen mythologieseligen Zeiten waren beinahe hundert Jahre vergangen und die feudalen Vorstellungen des Absolutismus waren den sehr viel nüchterner wirkenden Anschauungen des bürgerlichen Zeitalters gewichen, als in einem gegenüber dem Prunk des Festsaals geradezu bescheidenen Raum eines der südlichen Pavillons, in einem kleinen Zimmer mit moosgrüner Wandbespannung und Empiremöbeln, Kronprinzessin Marie in der ersten Morgenstunde des 25. August 1845 ihr erstes Kind zur Welt bringt, den Knaben, der eines Tages als Ludwig II. König von Bayern werden soll.

Marie, eine Tochter des Prinzen Wilhelm von Preußen, hat die Ereignisse jenes Morgens in der Familienchronik vermerkt:

Ludwig Friedrich Wilhelm wurde am Montag, den 25. August, früh $12\frac{1}{2}$ Uhr zu Nymphenburg geboren, über dem Schlafzimmer, in welchem Max Josef I. starb. König Ludwig I., der dabei war, war hocherfreut, den Enkel an seinem Geburtstage und in derselben Stunde, in welcher er einst geboren ward, geboren werden zu sehen. Außer Max und seinen Eltern waren Tante von Leuchtenberg, Onkel und Tante Eduard im Zimmer. König Ludwig I. umarmte einige Personen des Hofes vor Freude. 101 Kanonenschuß verkündeten in München die Geburt; der Ort Nymphenburg wurde geziert und beleuchtet. Dienstag, den 26. August, war im großen Saal die feierliche Taufe durch den Erzbischof Gebsattel. König Friedrich Wilhelm IV. von Preußen und Königin Elisabeth waren schon am 25. mittags von Tegernsee mit Onkel Karl hereingekommen. Adalbert, Maxens jüngster Bruder, hielt die Taufkerze. König Ludwig I. hielt das Kind. Der König von Preußen [Großonkel des Kindes] und König Otto von Griechenland [Onkel des Kindes] waren Paten, letzterer abwesend, wie auch Papa. Das Kind hieß einige Tage lang Otto. Dann bat der Großvater, daß es Ludwig genannt werde, da es am Ludwigstag, an seinem Geburtstag, geboren ward; nun hieß es Ludwig*.

Alle freuten sich über die Geburt des Kindes gerade deswegen besonders, weil zwei Jahre zuvor die Prinzessin eine Fehlgeburt erlitten hatte. Kronprinz Max war geradezu überwältigt; er nahm die Feder zur Hand und schrieb seinem Schwager, dem Prinzen Adalbert von Preußen: »Es ist doch ein prächtiges Gefühl, Vater zu sein.«

Als der Knabe zweieinhalb Jahre alt war, mußte Ludwig I. abdanken, und Max wurde im Alter von siebenunddreißig Jahren als Maximilian II. zum König von Bayern ausgerufen; Ludwig war damit Kronprinz.

Die sonderbare Laufbahn des entthronten Königs ist zwar bekannt, sei aber hier nochmals kurz gestreift, weil Ludwig mit seinem gefühlvollen, kunstliebenden Großvater vieles gemeinsam hatte. Von Ludwig I., dem Philhellenen und Klassizisten, der das München des 19. Jahrhunderts schuf, erbte der Enkel die Leidenschaft fürs Bauen und auch die Neigung zum Romantischen. Im Jahr 1846 erzwang sich die ›spanische‹ Tänzerin und Abenteurerin Lola Montez – alias Eliza Gilbert – den Zutritt zum sechzigjährigen König und bezauberte ihn. Schon immer war er etwas leichtsinnig, jetzt kam die Verliebtheit hinzu, und so gab er ihren unersättlichen Forderungen nach, bis er schließlich 1848, im Revolutionsjahr, durch den Druck der Minister gezwungen wurde, sie in die Verbannung zu schicken. Sie tröstete sich in den Armen des einundzwanzigjährigen Gardeleutnants Heald, den sie dann auch heiratete, oder genauer gesagt, mit dem sie in Bigamie lebte. Ludwig aber dankte am 20. März 1848 zugunsten seines Sohnes ab.

Königin Marie berichtet in ihrer Chronik von den Anlagen und der Entwicklung ihres Sohnes. Als er sechs Jahre zählte, schrieb sie: »Frühzeitig entwickelte sich bei Ludwig Freude an der Kunst; er baute gern, besonders Kirchen, Klöster und dergleichen«, und im folgenden Jahre schenkte sie ihm zu Weihnachten das aus Bauklötzen zusammensetzbare Modell des Siegestors, das der König nach dem Vorbild des Konstantinsbogens in Rom soeben in München hatte errichten lassen. Ludwig I. schreibt seinem Sohn Otto, dem König von Griechenland, er habe dem Kind zugeschaut: »Überraschend, mit gutem Geschmack, sah ich Gebäude von ihm aufgeführt. Ich erkenne auffallende Ähnlichkeit im künftigen Ludwig mit dem politisch toten Ludwig dem Ersten.«

»Ludwig hörte mit Freuden zu, wenn ich ihm biblische Geschichte erzählte und Bilder dazu zeigte«, vermerkt die Königin. »Er hatte eine Vorliebe für die Frauenkirche in München, kostümierte sich gern als Klosterfrau und zeigte Freude am Theaterspielen. Er schenkte von Kindheit an gern anderen von seinem Eigentum, Geld und Sachen.«

Er hatte jetzt einen Bruder – den drei Jahre jüngeren, zu früh geborenen Prinzen Otto –, mit dem er spielen konnte; ab und zu wurden auch andere Kinder ins Schloß eingeladen. Sie durften die Prinzen wie ihresgleichen behandeln; die höfischen Schranken fielen auch in der Anrede. Dennoch waren der Vertraulichkeit Grenzen gesetzt, und als der kleine Graf Tony Arco dabei erwischt wurde, wie er Ludwig eine Ohrfeige versetzte, fanden diese Kindergesellschaften ein Ende. Ludwig und Otto waren beide schüchtern und verkrampft, aber in vielem ganz verschieden. Ludwig war dunkel, Otto blond; während Ludwig mit seinen Bausteinen spielte, drillte Otto seine Bleisoldaten. Ludwig ließ Otto, den Liebling der Mutter, nie vergessen, daß *er* der Kronprinz war, und das führte oft zu Streitigkeiten. Einmal fesselte Ludwig seinen jüngeren Bruder und drohte, ihn zu enthaupten, vor welchem Schicksal ihn dann das rechtzeitige Auftreten eines Kämmerers bewahrte. Im allgemeinen kamen die Brüder recht gut miteinander aus, und wenn man die beiden schönen Knaben in den Straßen Münchens am Arm ihrer Mutter sah, dachten die Leute, für die Zukunft ihres Landes und der fast siebenhundertjährigen Wittelsbacher Dynastie sei anscheinend alles zum besten bestellt.

Als Ludwig neun und Otto sechs Jahre alt waren, trat an die Stelle der Erzieherin Sibylle Meilhaus der erste Lehrer, Generalmajor Theodor de la Rosée – ein Snob, der mehr Zeit damit verbrachte, seine Schützlinge zu ermahnen, stets gebührenden Abstand von Untergebenen zu wahren, als ihnen den Stoff der Lehrbücher beizubringen. Ludwig lernte langsamer als sein Bruder; er brachte es zwar dazu, Französisch beinahe fließend zu sprechen, erwarb sich aber im Lateinischen nur geringe Kenntnisse und im Griechischen noch weniger. Er hing sehr an Fräulein Meilhaus – der späteren Freifrau von Leonrod – und blieb bis zu ihrem Tod im Jahre 1881 mit ihr in Fühlung.

Im Sommer zog die königliche Familie oft nach Hohenschwangau, einem kleinen Schloß in den Allgäuer Bergen, das Max 1832 in verfallenem Zustand erworben hatte und in romantischer Neugotik restaurieren ließ. Verschiedene Künstler hatten die Räume, größtenteils nach Entwürfen Moritz von Schwinds, mit den Gestalten der Gralssage, des Tannhäuser und des Schwanenritters Lohengrin geschmückt. Hier erwuchs Ludwig – nach dem Vorbild seines Vaters – die Liebe zu den deutschen Sagen und auch seine lebenslange Leidenschaft für die Bergeinsamkeit, bot sich ihm von hier doch der Blick über das blaugrüne Wasser des Alpsees auf die majestätischen Gipfel der Allgäuer Alpen. Hohenschwangau thronte im Land der Schwäne. Schwäne gab es allenthalben: lebende Schwäne auf dem See, die von der Königin und ihren Kindern gefüttert wurden, gemalte Schwäne an den Wänden der königlichen Gemächer und auf den Vasen, nachgebildete Schwäne in unzähligen Nippsachen. Sie bezauberten sowohl Max als auch seinen ältesten Sohn, der sie oft zeichnete und seine kindlichen Briefe mit einem Schwan und einem Kreuz siegelte. Schon war er ein unheilbarer Romantiker.

Max war ein verhinderter Intellektueller; er pflegte zu sagen, wäre er nicht in der Königswiege geboren, so wäre er Universitätsprofessor geworden. Wenn er sich in München aufhielt, veranstaltete er in seinem Arbeitszimmer in der Residenz allwöchentlich ein Symposium, an dem die Münchner Intellektuellen bei Bier und Zigarren ihre Gelehrsamkeit kundtaten und Gedanken austauschten. (Ob sich denn aus seiner Wissenschaft nicht mit Sicherheit ein Gesetz herleiten lasse, fragte Max bei einem dieser Anlässe den Physiker Jolly, das den Herrschern auch im Jenseits eine Ausnahmestellung einräume?)

Die Königin erschien selten bei diesen Zusammenkünften, obwohl von ihr zwar berichtet wird, sie habe einmal vorgeschlagen, das Wort ›Liebe‹ in der Dichtung durch ›Freundschaft‹ zu ersetzen. Sie war eine ungeistige Natur und sprach dies einer Freundin gegenüber auch offen aus: »Ich lese nie ein Buch und begreife nicht, wie man unaufhörlich lesen kann.«

Ludwig hatte schon in jungen Jahren keine Beziehung mehr zu ihr. Es war ihm klar geworden, daß sie keinerlei Berührungspunkte hatten, und später erklärte er, ihr prosaisches Wesen verderbe ihm die Poesie von Hohenschwangau. Sie vermochte seine Traumwelt nicht zu verstehen, und er gewährte ihr auch keinen Zutritt dazu. Sie liebte Hohenschwangau, weil sie – bis es ihr die zunehmende Korpulenz verbot – gern die Berge bestieg; die Söhne und ihr jeweiliger Lehrer hatten es manchmal schwer, mit der wanderfrohen Königin an mühsamen Steilhängen mitzuhalten. Bei diesen Ausflügen trugen sie alle Bauerntracht, die durch das Beispiel der Königin allgemein wieder gepflegt wurde. Max, der eine spartanische Erziehung der Söhne befürwortete, war durchaus für diese Bergtouren; aber sie sagten nicht allen zu. Ein unglückseliger Lehrer, der epileptische Baron Wulffen, der vergeblich darum ersucht hatte, zurückbleiben zu dürfen, weil ihm in der Höhe leicht schwindlig werde, erkletterte einen steilen Felsen, um einige Edelweiß zu pflücken, die die Königin bewundert hatte; er stürzte dabei ab und erlitt schwere Verletzungen. Der Vorfall machte auf die jungen Prinzen, die das ganze miterlebt hatten, tiefen Eindruck.

Kurz danach fiel es auf, daß der jetzt vierzehnjährige Ludwig an leichten Halluzinationen litt; das heißt, er hörte Stimmen und wendete sich den vermeintlichen Sprechern zu. Auch Otto, obwohl heiteren Gemütes, hatte von klein auf Zwangsvorstellungen gehabt. Die Königin machte sich Sorgen, aber der Leibarzt versicherte ihr, es liege kein Grund zur Beunruhigung vor, mit zunehmendem Alter würde sich das geben, und die Knaben würden diesen kleinen Beschwerden schon entwachsen. Sie hatte jedoch Ursache, sich zu sorgen: mochte sie selbst auch ganz normal sein, so kannte sie doch die großen Gefahren erblicher Belastung durch Inzucht (heute weiß man, daß in ihrer Familie Porphyrie vorlag). Auch Max war durchaus gesund, aber er hatte eine absonderliche Schwester, die hochbegabte Prinzessin Alexandra, deren ganzes Leben von dem Wahn überschattet war, sie hätte einstmals ein gläsernes Klavier verschluckt. Wie sich zeigen sollte, waren die Sorgen der Königin gerechtfertigt, obwohl sich bei Ludwig eine Zeitlang keinerlei Symptome des Abnormen bemerkbar machten, höchstens Menschenscheu, Überempfindlichkeit und romantische Verträumtheit.

König Max war ein strenger und nicht sehr verständnisvoller Vater, meistens auch so stark von offiziellen Verpflichtungen in Anspruch genommen, daß ihm für seine Söhne nicht viel Zeit blieb.

Franz von Pfistermeister, der Kabinettssekretär, berichtet davon, daß der König seine beiden Söhne nur selten außerhalb der Mahlzeiten sah und sich nur mit größter Mühe bewegen ließ, Ludwig auf den Morgenspaziergang im Englischen Garten mitzunehmen. »Was soll ich mit dem jungen Herrn sprechen?« äußerte er sich zu Pfistermeister. »Es interessiert ihn nichts, was ich anrege.« Zweifellos konnte die gemeinsame Liebe zur Mythologie nicht Tag für Tag neuen Gesprächsstoff abgeben.

Die Knaben wurden aus Erziehungsgründen knapp gehalten, und Max prügelte sie selbst, wenn ein Lehrer Ungünstiges über sie aussagte. Sie mußten sehr früh aufstehen. Ihr Essen war einfach und so kärglich, daß ihnen eine mitleidige Hofdame manchmal ein paar Bissen zusteckte, die sie von der königlichen Tafel heimlich mitgenommen hatte. Als man fand, Ludwig hänge all zu sehr an seiner Schildkröte, nahm man sie ihm weg. Wenig fürstlich war auch das Taschengeld der Prinzen; es wird erzählt, daß Otto, der sich gern etwas für ihn Unerschwingliches gekauft hätte, auf eigene Faust zu einem Münchner Zahnarzt ging und ihn vergeblich zu überreden suchte, ihm zwei Backenzähne zu ziehen, weil er gehört hatte, gesunde Zähne erzielten einen guten Preis.

Das Ausgabenbuch Ludwigs zeigt, wofür er sein Taschengeld verwendete – viel davon für andere. Es ist interessant, daß sich unter den Dingen, die er sich selbst kaufte, 1860 eine Statuette Wilhelm Tells findet und drei Jahre später die ›Sage von Tell‹. Er las auch Scotts ›Quentin Durward‹ und andere romantische Bücher. Zu Weihnachten ging es mitunter hoch her, und wie alle Kinder, schrieb er einen Wunschzettel: eine Eisenbahn; ein Messer mit vielen Klingen; ein Gebetbuch ›Blüten der Andacht‹, aber in Elfenbein gebunden mit blausamtenem Rücken und einem Kreuz von Lapislazuli auf dem Deckel; ein Bild von Jesus auf dem Ölberg; ein Bild vom Wettkampf der Schwanenritter; eine Uhr und so weiter.

Bevor er dreizehn wurde, hatte er schon durch seine Erzieherin von der

Münchner Aufführung des ›Lohengrin‹ gehört, und zu Weihnachten 1858 schenkte ihm ein Lehrer, zweifellos seinem Wunsch entsprechend, ›Oper und Drama‹ von Richard Wagner. Bald versenkte sich Ludwig in die Prosawerke des Komponisten: ›Das Kunstwerk der Zukunft‹ und ›Zukunftsmusik‹ und in die Libretti zu ›Lohengrin‹ und ›Tannhäuser‹, die im Herzog-Karl-Theodor-Palais auf dem Klavier lagen. Dieses Palais bewohnte sein Großonkel, wenn er sich in München aufhielt, Herzog Max in Bayern , ein fröhlicher Bohemien, der von dem sehr konventionellen Königspaar scheel angesehen wurde.

Aber erst im Februar 1861 hörte Ludwig zum erstenmal eine Wagneroper, den ›Lohengrin‹. Er war von diesem Erlebnis überwältigt und ließ seinem Vater keine Ruhe, bis er ihm das Versprechen abrang, die Aufführung eigens für ihn zu wiederholen. Die Sondervorstellung fand im folgenden Juni statt; diesmal wurde die Titelrolle von dem jungen, aber bereits korpulenten Ludwig Schnorr von Carolsfeld gesungen, der 1865 der erste Tristan werden sollte. Im Dezember 1861 hörte Ludwig ›Tannhäuser‹, der ihm sogar noch stärkeren Eindruck machte als ›Lohengrin‹. Leinfelder, der mit dem Kronprinzen in der Loge saß, spricht von »einer wahrhaft dämonischen Wirkung« auf Ludwig, dessen Reaktionen sich während der Vorstellung geradezu ins Krankhafte gesteigert hätten. »So geriet zum Beispiel sein Körper bei der Stelle, wo Tannhäuser wieder in den Venusberg tritt, in förmliche Zuckungen. Das war so arg, daß ich einen epileptischen Anfall befürchtete.«

1863 fiel Ludwig ein Exemplar der kürzlich veröffentlichten Ring-Dichtung in die Hände. Im Vorwort schilderte Wagner die hoffnungslosen Zustände an den deutschen Opernhäusern und schlug eine Aufführungspraxis vor, wie sie ihm vorschwebte. Doch derartige Aufführungen, so meinte er, würden viel Geld kosten, und es bestünde wenig Aussicht, daß die deutschen Musikliebhaber dazu gebracht werden könnten, die notwendigen Mittel beizusteuern. Eher wäre es an einem Hoftheater möglich. Zum Schluß stand da die Frage: »Wird der Fürst sich finden, der die Aufführung meines Bühnenfestspiels ermöglicht?« Diese Worte las Ludwig, und er sann darüber nach; wenn es jemals in seiner Macht läge, wollte *er* dieser Fürst sein.

Mitte August 1863 weilte Bismarck zu Besuch in Nymphenburg. In seinen ›Gedanken und Erinnerungen‹ berichtet er, daß er bei den Mahlzeiten seinen Platz neben Ludwig hatte, der seiner Mutter gegenübersaß. Bismarck nahm seinen Tischnachbarn scharf aufs Korn. Er hatte den Eindruck, daß Ludwig mit seinen Gedanken ganz woanders war und sich nur mühsam zu höflicher Konversation zwang; doch wenn er sich äußerte, war Bismarck beeindruckt. Der Prinz leerte ein Champagnerglas nach dem andern. Anscheinend hatte die Königin Anweisung gegeben, sein Glas nicht so oft nachzufüllen; aber Ludwig schlug ihr ein Schnippchen, indem er sein Glas rückwärts über die Schulter hielt. Offenbar stieg ihm der Champagner keineswegs zu Kopf; die Umgebung schien ihn zu langweilen, und er trank, um seine Phantasie anzuregen. »Der Eindruck, den er mir machte, war ein sympathischer«, schreibt Bismarck weiter, »obschon ich mir mit einiger Verdrießlichkeit sagen mußte, daß mein Bestreben, ihn als Tischnachbar angenehm zu unterhalten, unfruchtbar blieb.«

Sobald Bismarck nach Preußen zurückgekehrt war, begab sich die königliche Familie nach Hohenschwangau, um die Mündigkeitserklärung des Kronprinzen zu feiern. Ludwig war hochgemut; am Morgen seines achtzehnten Geburtstags stand er vor Tagesanbruch auf und ging angeln. Zum Frühstück erschien er frohlockend mit einer neuneinhalbpfündigen Forelle. Abends gab es bengalische Beleuchtung und Gesang.

In München besuchte er dann Vorlesungen über Chemie, und am 21. Februar erlebte er eine Aufführung des ›Lohengrin‹ mit dem Hannoverschen Tenor Albert Niemann in der Titelrolle. Zum erstenmal sah Ludwig einen Wagnerhelden, der nicht nur ein prachtvoller Sänger war, sondern auch im Aussehen der Rolle entsprach. Er war begeistert, und weitere Vorstellungen wurden angesetzt. Niemann wurde zur Audienz gerufen, und am 7. März schrieb der Kronprinz seiner Lieblingskusine, Prinzessin Anna von Hessen-Darmstadt: »Neulich veranlaßte ich jemand, ihm [Niemann] eine Menge Blumen zuzuwerfen, und ich sandte ihm ein Paar Manschettenknöpfe mit Schwänen und Brillanten; ebenso ein Kreuz, was ihm große Freude machte.«

Im November 1863 trat ein Ereignis ein, das eigentlich keinen Einfluß auf den Lauf der bayerischen Geschichte zu haben brauchte: König Friedrich VII. von Dänemark starb unerwartet, und mit ihm erlosch die männliche Linie des dänischen Herrscherhauses. Dadurch spitzte sich die sogenannte ›schleswig-holsteinische Frage‹ zu – der langwährende Streit zwischen dem Deutschen Bund und Dänemark, ob die beiden ›Elbe‹-Herzogtümer Schleswig und Holstein der dänischen Krone unterständen oder nicht. Im Februar 1864 überquerten die vereinten Truppen von Österreich und Preußen die Eider, und im Oktober wurde Dänemark im Frieden von Wien gezwungen, alle seine Rechte auf die Herzogtümer abzutreten. Von da an verschmolz die schleswig-holsteinische Frage, die immer noch schwelte, mit der weitaus größeren Frage, die durch Bismarcks zunehmenden Ehrgeiz für eine Vorherrschaft Preußens entstand, ein Ehrgeiz, der 1866 zum Preußisch-Deutschen Krieg und 1870 zum Deutsch-Französischen Krieg führte, im weiteren Verlauf dann zur Feindschaft zwischen Frankreich und Deutschland, die schließlich in den beiden Weltkriegen gipfelte.

Max, der sich seiner Pflichten als König stets bewußt war, machte sich wegen der politischen Lage Sorgen, die Ludwig hingegen nur langweilig fand – er habe dieses ewige schleswig-holsteinische Geschäft satt, schrieb er der Prinzessin Anna, allerdings mit der Ermahnung, diesen Brief keiner Menschenseele zu zeigen. Der König trat für die Unabhängigkeit Schleswig-Holsteins ein, womit er Preußen gegen sich aufbrachte. Er litt seit einiger Zeit an Gelenkrheumatismus, und nur mit größtem Widerstreben befolgte er den Rat seines Arztes und ging nach Italien, um der Härte des bayerischen Winters zu entrinnen. Doch als die Spannung wegen der schleswig-holsteinischen Frage immer mehr zunahm, hielt er es für seine Pflicht, nach München zurückzukehren. Dieses Verhalten erscheint zwar tapfer, vielleicht aber auch töricht: sein Befinden verschlechterte sich rasch, und am 10. März 1864 starb er. Er war erst dreiundfünfzig Jahre alt und der neue König noch nicht neunzehn.

Der junge König

»Max starb zu früh.« Dies schrieb die Königinmutter in ihre Familienchronik. Sie meinte damit nicht nur ihren persönlichen Verlust, sondern die Worte bezogen sich auch darauf, daß ihr Sohn noch nicht die Reife zum Regieren hatte.

Der Jüngling war eine sonderbare Mischung. Er war groß, sportlich und körperlich sehr kräftig, ein guter Reiter und eifriger Schwimmer; doch das Feminine in ihm zeigte sich in seiner Vorliebe für Wohlgerüche und Süßweine und in seiner äußerlichen Eitelkeit. Sein an sich glattes Haar ließ er täglich kräuseln; sonst, meinte er, schmecke ihm das Essen nicht.

Für sein Alter war er noch recht naiv und unschuldig. Was ein ›natürlicher Sohn‹ sei, fragte er einmal einen Hofbeamten, und auch das Wort ›Notzucht‹ mußte ihm erklärt werden. Man fragt sich, wie sich dieser ›königliche Shelley‹ – wie er genannt worden ist – wohl entwickelt hätte, wenn er wie andere deutsche Fürstensöhne zur Zeit der Königin Victoria nach Eton geschickt worden wäre; hätte er den Unterricht dort durchgestanden, so wäre er bei der Thronbesteigung wenigstens einigermaßen aufgeklärt und insgesamt lebenstüchtiger gewesen.

Sein Gedächtnis war bemerkenswert. Er konnte die meisten Libretti Wagners auswendig, und manchmal deklamierte er lange Stellen aus Schillers Dramen, von denen er einige im Hoftheater gesehen hatte. »Sein Organ war wohlklingend und seine Diktion gut«, schreibt Graf Lerchenfeld, der bayerische Gesandte in Berlin, »nur reichlich feierlich und gänzlich humorlos.« Er war ein guter Menschenkenner – eine wertvolle Eigenschaft für einen Monarchen. Er war von jeher fromm gewesen, von jeher auch großzügig – allzu großzügig, sagten manche. Obwohl er nie vergaß, daß er König war, konnte er mitunter doch zwanglos sein, wozu Max nie imstande gewesen war, nicht einmal bei seinen wöchentlichen Symposien in der Residenz. Der Kabinettsbeamte Franz von Leinfelder, der Ludwig von Kindheit an kannte und jetzt eine Art Privatsekretär geworden war, erzählt, daß Ludwig ihm eigenhändig einen Stuhl herbeigetragen, ihm Wein eingeschenkt und Orangen aufgeschnitten habe.

Die Wittelsbacher hatten es mit dem Regieren eigentlich immer schon sehr ernst genommen, und Ludwig trat sein neues Amt ähnlich an, wie ein an sich widerstrebender Sohn dann doch pflichtbewußt in die väterliche Firma eintritt. Anfangs arbeitete er gewissenhaft und fleißig, so daß jene Minister, die sich vorgestellt hatten, er werde sich mit der Rolle einer Marionette begnügen, sehr bald enttäuscht wurden. Ihre Bemühungen, ihn zu beherrschen, schlugen fehl, und bald nahm er in seinem Kabinett Umbesetzungen vor. Jeden Morgen saß er, nachdem er seine Mutter begrüßt hatte, um neun Uhr am Schreibtisch und nahm den Vortrag des Kabinettssekretärs von Pfistermeister entgegen. Wenn eine schwierige Entscheidung getroffen werden mußte, fragte er bescheiden: »Wie hat dies mein Vater gemacht?« Aber der König konnte auch eigensinnig sein, konnte in Wut geraten, und diejenigen, die ihn die Beherrschung verlieren sahen, berichteten, sein Gesicht hätte sich dann plötzlich so verändert, daß er kaum wiederzuerkennen gewesen sei.

Der Bevölkerung aber, die von diesen dunklen Stimmungen noch nichts wußte, erschien er als Märchenprinz, als ein Apoll, ein Adonis, ein zweiter Lohengrin. Zu Lebzeiten des Vaters hatte man Ludwig und Otto nur selten in der Hauptstadt gesehen; aber als sie im Trauerzug schritten und aller Augen auf ihnen ruhten, machte Ludwigs romantisches Aussehen auf alle tiefen Eindruck. In Clara Tschudis Buch sagt ein Österreicher:

Er war der schönste Jüngling, den ich je gesehen habe. Seine hohe, schlanke Gestalt war vollkommen symmetrisch. Sein reiches, leicht gelocktes Haar und der leichte Anflug eines Bartes verliehen seinem Kopfe Ähnlichkeit mit jenen großartigen antiken Kunstwerken, durch welche wir die ersten Vorstellungen von dem Begriffe gewonnen haben, den die Hellenen von männlicher Kraft hatten. Selbst wenn er ein Bettler gewesen wäre, hätte er sich meiner Aufmerksamkeit nicht entziehen können. Kein Mensch, alt oder jung, reich oder arm, konnte von dem Zauber unberührt bleiben, der von seinem Wesen ausging.

Diese Begeisterung entsprach jedoch nicht ganz der Wirklichkeit. Freilich, mit seinen großen, glänzenden Augen, den feingeschnittenen Zügen und dem künstlich gekräuselten Haar war Ludwig zweifellos eine blenden Erscheinung; gewiß war er hochgewachsen und elegant, aber die übergroßen Ohren ließen sich kaum übersehen. Außerdem hatte er abfallende Schultern und seine Kleider und Schuhe schienen ihm immer einige Nummern zu groß zu sein. Den Münchnern aber, die ja an Maxens biedere Erscheinung gewöhnt waren, ist es wohl zu verzeihen, wenn sie die Schönheit ihres neuen Königs übertrieben und sich in ihn verliebten. Fraglos konnte er bezaubern.

Während sich Ludwig pflichtgetreu mit Staatsgeschäften und ähnlichen Dingen befaßte, für die er wenig Neigung und schon gar keine Ausbildung hatte, gingen seine Gedanken immer wieder zu Wagner, dem er jetzt endlich zu helfen vermochte; aber er ahnte auch nicht, wie verzweifelt Wagner gerade in diesem Augenblick Hilfe benötigte.

Verfolgt von seinen Gläubigern, hielt sich Wagner versteckt; er wußte nicht mehr weiter: ›Der Ring des Nibelungen‹ und ›Die Meistersinger von Nürnberg‹ waren unvollendet, ›Tristan und Isolde‹ konnte kein Opernhaus aufführen. Seinem Freund, dem Komponisten Peter Cornelius, hatte er kürz-

Krönungsmantel König Ludwig II.

lich geschrieben: »Mein Zustand ist sehr unheimlich; er schwankt auf einer schmalen Zunge: ein einziger Stoß und es hat ein Ende, so daß nichts mehr aus mir herauszubringen ist, nichts, nichts mehr! – Ein Licht muß sich jetzt zeigen: Ein Mensch muß mir erstehen, der mir jetzt energisch hilft ...« Seltsamerweise vermutete Cornelius richtig, von wem diese Hilfe kommen sollte. Er machte nämlich einen sehr merkwürdigen, beinahe unheimlichen Witz: »Der Ludwig [der Erste] hatte es mit den Malern, der Max mit den Gelehrten und Dichtern, wie wär's denn, wenn der jetzige sich plötzlich einmal für Musik interessierte, einen Narren an Wagner fräße?«

Indessen wußte Ludwig nicht, wo Wagner zu suchen war. Es hieß, er sei letzthin in München gesehen worden; doch vergeblich durchforschte der König die Fremdenlisten Münchens nach dem Namen des Komponisten, und schließlich fragte er Pfistermeister, warum denn Wagner nicht in der Liste stehe. Der Kabinettssekretär erwiderte, es gebe viele Wagner auf der Welt, worauf der junge König erklärte, für ihn nur einen: Richard Wagner. Er trug Pfistermeister auf, diesen einen zu suchen und ihn sogleich nach München zu bringen.

So begann am 14. April 1864, knapp fünf Wochen nach Ludwigs Thronbesteigung, die Suche nach Richard Wagner. Als erstes begab sich Pfistermeister nach Penzing bei Wien, wo Wagner vor kurzem eine Wohnung gemietet hatte; doch vergeblich: der Gesuchte war vor vierzehn Tagen abgereist, niemand wußte, wohin, oder aber man wollte es nicht verraten. Pfistermeister setzte den König telegraphisch in Kenntnis und erhielt die Antwort: »Wie entsetzte mich der Inhalt des Telegramms! – Mein Entschluß ist schnell gefaßt: Reisen Sie möglichst rasch R. Wagner nach, wenn es irgend ohne Aufsehen geschehen kann ... Mir liegt alles daran, diesen meinen längst gehegten Wunsch bald erfüllt zu sehen.«

Die Suche wurde fortgesetzt; die Spur führte den armen Pfistermeister über die Schweiz nach Stuttgart, wo er endlich sein Wild stellen konnte. Wagner befand sich im Hause des Kapellmeisters Karl Eckert, als die für ihn bestimmte Karte eines Herrn abgegeben wurde, der sich ›Sekretär des Königs von Bayern‹ nannte. Da er einen Kniff seiner Gläubiger argwöhnte, ließ er bestellen, er sei nicht anwesend. Aber als er in seinen Gasthof zurückkehrte, erfuhr er, daß sein Verfolger ihn auch hier aufgespürt hatte und daß eine Zusammenkunft am nächsten Morgen nicht vermieden werden konnte. In dieser Nacht schlief er schlecht und befürchtete das Schlimmste.

Es war jedoch keine Falle. Der Besucher erwies sich tatsächlich als Abgesandter des Königs und überbrachte ihm am 3. Mai die Botschaft, daß der junge Monarch große Zuneigung für seine Musik hege, seine Schriften auswendig könne, den festen Willen habe, ihm in München alles zu bieten, was er brauche, und seinen ›Ring‹ dort aufführen wolle. Er schickte Wagner

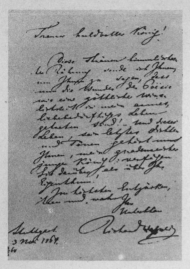

*Richard Wagners erster Brief
an Ludwig II.*

sein Porträt sowie einen Ring und ersuchte ihn, sofort mit Pfistermeister nach München zurückzukehren.

Nun hatte Wagner seinen Fürsten gefunden. Am gleichen Abend noch schrieb er dem König den ersten seiner vielen Briefe, in denen er die Dankbarkeit seinem Gönner gegenüber in höchst gefühlvoller und schwülstiger Sprache ausdrücken sollte:

Teurer huldvoller König!
Diese Tränen himmlischester Rührung sende ich Ihnen, um Ihnen zu sagen, daß nun die Wunder der Poesie wie eine göttliche Wirklichkeit in mein armes, liebebedürftiges Leben getreten sind! – Und dieses Leben, sein letztes Dichten und Tönen gehört nun Ihnen, mein gnadenreicher junger König: verfügen Sie darüber als über Ihr Eigenthum!
Im höchsten Entzücken, treu und wahr

Ihr Untertan
Richard Wagner

Dann borgte er sich von einem Freund das Geld für die Bahnkarte – natürlich erster Klasse – und reiste nach München.

Die erste Begegnung fand am folgenden Nachmittag im Audienzsaal der Residenz statt und dauerte anderthalb Stunden. Es war ein unvergeßlicher Augenblick im Leben der beiden Männer: des schüchternen jungen Monarchen aus uralter Dynastie ebenso wie des verbitterten einundfünfzigjährigen revolutionären Komponisten. »Er beugte sich tief auf meine Hand«, schrieb der König später seiner Kusine und nachmaligen Braut, Herzogin Sophie Charlotte in Bayern, »und schien gerührt von dem, was so natürlich war, denn er verblieb längere Zeit in dieser Stellung, ohne ein Wort zu sagen. Ich hatte die Empfindung, als hätten wir die Rollen getauscht. Ich bückte mich zu ihm nieder« – der König war einen Kopf größer als Wagner – »und zog ihn mit dem Gefühl ans Herz, als spräche ich für mich die Eidesformel: ihm in Treue allzeit verbunden zu bleiben.«

Wagner schrieb noch abends an seine Freundin Eliza Wille:

Sie wissen, daß mich der junge König von Bayern aufsuchen ließ . . . Er ist leider so schön und geistvoll, seelenvoll und herrlich, daß ich fürchte, sein Leben müsse wie ein flüchtiger Göttertraum in dieser gemeinen Welt zerrinnen. Er liebt mich mit der Innigkeit und Glut der ersten Liebe: er kennt und weiß alles von mir, und versteht mich wie meine Seele. Er will, ich soll immerdar bei ihm bleiben, arbeiten, ausruhen, meine Werke aufführen; er will mir alles geben, was ich dazu brauche . . . Wenn er nur leben bleibt, es ist ein zu unerhörtes Wunder.

Und tags darauf schrieb Ludwig an Wagner:

Seien Sie überzeugt, ich will Alles thun, was irgend in meinen Kräften steht, um Sie für vergangene Leiden zu entschädigen. – Die niedern Sorgen des Alltagslebens will ich von Ihrem Haupte auf immer verscheuchen, die ersehnte Ruhe will ich Ihnen bereiten, damit Sie im reinen Äther Ihrer wonnevollen Kunst die mächtigen Schwingen Ihres Genius ungestört entfalten können!

Unbewußt waren Sie der einzige Quell meiner Freuden von meinem zarten Jünglingsalter an, mein Freund, der mir wie keiner zum Herzen sprach, mein bester Lehrer und Erzieher.

Ich will Ihnen Alles nach Kräften vergelten! – O, wie habe ich mich auf die Zeit gefreut, dies tun zu können! – Ich wagte kaum die Hoffnung zu nähren, schon bald im Stande sein zu können, Ihnen meine Liebe zu beweisen.

Der Gesanglehrer Julius Hey, den der König einige Tage später in Audienz empfing, erlebte die Begeisterung, die Ludwig über die Anwesenheit Wagners und die Möglichkeit, seine Opern in Zukunft aufgeführt zu sehen, empfand. Der König sagte zu ihm:

Haben die anderen auch so süße, überirdische Melodien? Ich finde die Tannhäuser-Dichtung und das Tristan-Drama wunderbar – unvergleichlich stimmungsvoll. Wie muß die Musik [von Tristan] erst ergreifend sein! Ich denke sie mir überwiegend düster, besonders im dritten Akt . . . Wagner meint, unsere Sänger verständen nicht, was er wolle; sie würden ihn sonst singen können. Er behauptet, nirgends wäre ein Tristan aufzufinden – bei uns schon gar nicht! Aber ließen sich auswärts nicht doch vielleicht Sänger ermitteln, die mit seinen Opern sich besser zurechtfinden als unsere? Ich möchte ihm so gerne die Freude einer Aufführung seines Werkes, das er sein Schmerzenskind nennt, gönnen, ich darf ihn aber gar nicht merken lassen, wie ungeduldig ich selbst einer Aufführung entgegensehe, weil er meinen

Wunsch so gerne erfüllen möchte, aber kaum die rechten Sänger für seine früheren Opern, viel weniger für den Tristan findet. O, wie schön wäre das, wenn man alle, alle seine Opern unter seiner persönlichen Leitung von unserer Bühne herab zu hören bekäme!

Hey fügt hinzu, der König erschien ihm da »wie ein Kind, das an der Schwelle des Zimmers steht, in dem die Weihnachtsbescherung vorbereitet wird, und das durchs Schlüsselloch den angezündeten Christbaum zu erspähen sucht«.

»Glauben Sie wirklich«, fragte ihn Ludwig, »daß der Komponist des ›Lohengrin‹ noch Feinde hat? Ich halte das für unmöglich! Wer könnte von dieser zauberhaften Märchendichtung, von dieser himmlischen Musik ungerührt bleiben?«

Ludwigs Minister ihrerseits waren es zufrieden, daß der König dieses neue Interesse gefunden hatte. Es ist sogar behauptet worden – obwohl es kaum glaubhaft scheint –, Ludwig hätte »sozusagen die Karten gezogen, die ihm nach ihrem Wunsch durch den Magier ›aufgezwungen‹ wurden«. Aber es ist wohl nicht zu bezweifeln, daß sie annahmen, Wagner könnte so manipuliert werden, daß er Ludwig davon abhielt, sich in die Politik einzumischen. Alle Könige brauchten Zerstreuung – vorausgesetzt, bestimmte Grenzen wurden nicht überschritten: sie hatten den ersten Ludwig und seine Tänzerin nicht vergessen. Wahrscheinlich kam es ihnen überhaupt nicht in den Sinn, daß der Tag kommen könnte, an dem Wagner, wenn er erst einmal bestimmenden Einfluß auf den König gewonnen hatte, selbst versuchen würde, sich in die Regierung des Landes zu mischen.

Der österreichische Gesandte in München berichtete am 12. Mai nach Wien, zweifellos werde Wagner den König viel Geld kosten, aber es wäre doch traurig bestellt, wenn Ludwig in seinem Alter nicht etwas wilden Weizen säen dürfte. Weitaus ernster scheine es ihm, daß seine Umgebung ihm sagte, wie schön er sei, und wie schön die Frauen ihn fänden.

Offenbar sollte es mit ›Frauen‹ versucht werden, wenn Wagner Mißerfolg hatte. Und wenn die Frauen keinen Erfolg hatten – denn der König bekundete wenig Interesse für sie – ... Aber Wagner hatte keinen Mißerfolg. Der erste Ludwig war mit seiner Lola zu weit gegangen; binnen weniger Monate stellten die Politiker fest, daß des zweiten Ludwigs ›Lolus‹, wie der Volksmund Wagner nannte, sie kaum weniger in Verlegenheit brachte.

Am Starnberger See, knapp dreißig Kilometer südwestlich von München, liegt Schloß Berg, damals ein Königsschlößchen wie aus der Spielzeugschachtel, das König Max ebenso wie Hohenschwangau vollständig restauriert hatte, heute aber, seiner romantischen Türmchen und Zinnen beraubt, wieder den Eindruck eines einfachen, schmucklosen Landsitzes macht. Ludwig war von jeher gern hier gewesen, denn am andern Ufer des Sees stand

König Ludwig II. in Generaluniform mit Krönungsmantel. Ölgemälde von Ferdinand Piloty aus dem Jahre 1865

Schloß Possenhofen, das dem Herzog Max in Bayern gehörte, und zwei seiner Töchter waren die einzigen Frauen, die in Ludwigs Leben eine wichtigere Rolle spielen sollten: Elisabeth, Kaiserin von Österreich, und ihre jüngere Schwester Sophie. Schloß Berg hatte außerdem den Vorteil, ländliche Abgeschiedenheit zu bieten und doch von München aus leicht erreichbar zu sein.

Im ersten Begeisterungstaumel über die Freundschaft mit Wagner siedelte Ludwig nach Schloß Berg über und mietete für den Komponisten das Landhaus Pellet bei Kempfenhausen, knapp fünf Kilometer vom Schloß entfernt. Hier richtete sich Wagner ein, sobald er seine drängendsten Gläubiger in Wien abgefunden hatte. Jeden Vormittag, manchmal auch nachmittags, schickte ihm der König einen Wagen, der ihn abholte. »Ich fliege dann immer wie zur Geliebten«, schrieb Wagner an Eliza Wille. »Es ist ein hinreißender Umgang. Dieser Drang nach Belehrung, dies Erfassen, dies Erheben und Erglühen ist mir nie so rückhaltlos schön zuteil geworden. Und dann diese liebliche Sorge um mich, diese reizende Keuschheit des Herzens, jeder Miene, wenn er mir sein Glück versichert, mich zu besitzen: so sitzen wir oft stumm da, eines in den Anblick des andren verloren.« Und an Mathilde Maier schrieb er: »Er ist göttlich! Bin ich ein Wotan, so ist er mein Siegfried.«

Täglich arbeiteten die beiden an ihrem Programm zur Verwirklichung von Wagners Zukunftsträumen, nämlich seine Opern in München in angemessenem Rahmen aufzuführen: 1865 sollte ›Tristan‹ und ›Meistersinger‹ bringen, 1867/68 den gesamten ›Ring‹, 1869/70 ›Die Sieger‹, 1871/72 ›Parsifal‹, 1873 ›Mein glücklicher Tod‹. Nur ›Tristan‹ wurde beizeiten fertig, und die Oper ›Die Sieger‹ entstand überhaupt nie.

Es gibt in der Geschichte viele Künstler, die königliche Gunst genossen haben: einen zu Boden gefallenen Pinsel aufzuheben oder eine goldgefüllte Börse auf den Tisch zu werfen, das ist kaum unter der Würde eines Monarchen und erfordert kein besonderes finanzielles Opfer. Aber Ludwigs Beziehung zu Wagner hatte nichts mit jener Gönnerschaft zu tun, die etwa einem Mozart zuteil wurde. Die beiden Männer sahen sich als gemeinsame Schöpfer großer Kunstwerke: »Und wenn wir beide längst nicht mehr sind«, schrieb Ludwig an Wagner, »wird doch unser Werk noch der spätern Nachwelt als leuchtendes Vorbild dienen ...«

Unser Werk! Das war keine eitle Anmaßung; denn wäre Ludwig dem Komponisten nicht zu Hilfe gekommen, so wären der Welt niemals der vollständige ›Ring‹ und ›Parsifal‹ geschenkt worden, vielleicht wäre nicht einmal ›Tristan‹, den das Wiener Opernhaus nach unzähligen Proben als unaufführbar abgesetzt hatte, jemals auf die Bühne gelangt. Andrerseits nährte Wagner Ludwigs Traumvorstellung vom Idealen; wie Ernest Newman sagt: »Indem er Wagners Ziele begünstigte, förderte er in Wirklichkeit seine eigenen.« Was Geld anbelangt, so scheute sich Wagner nie, den König von seinen Bedürfnissen in Kenntnis zu setzen; Ludwig seinerseits bedachte den Komponisten mit höchster Großzügigkeit. Gleich zu Anfang wurde es Wagner durch ein Geldgeschenk ermöglicht, seine alten Schulden zu bezahlen und sich mit dem Luxus zu umgeben, den er für notwendig erachtete; sodann erhielt er ein Haus in München und einen jährlichen Ehrensold von viertausend Gulden – ein höheres Gehalt als ein Ministerialrat nach achtzehnjähriger Dienstzeit.

Später im Jahr wurde ein Vertrag aufgesetzt, nach dem der Komponist außer dem Ehrensold für die Vollendung des ›Ring‹ in drei Jahren dreißigtausend Gulden erhalten sollte; die Aufführungsrechte wurden dem König abgetreten. Wagner faßte dies als kluge Kapitalanlage seitens des Königs auf; niemand, am wenigsten Wagner, konnte damals voraussehen, daß acht Jahre bis zum Abschluß des großen Werkes vergehen sollten.

Da Ludwig in seinen letzten Lebensabschnitten homosexuelle Neigungen zeigte, ist es durchaus verständlich, wenn man Genaueres über seine Beziehung zu Wagner wissen möchte.

In erster Linie müssen wir von dem schwülstigen Ton ihrer Briefe absehen; die ewige ›Liebe‹, die sie einander immerzu beteuerten, muß, wie Newman betont, »im Licht der damaligen Zeit, der Klasse und ihrer Sprache sowie der besonderen Lebensumstände des Königs und des Komponisten betrachtet werden; möglich, daß auch wir späteren Generationen mit unseren Umgangsformen Rätsel aufgeben werden«. Bedeutsam sind Wagners Worte, die er 1873 ins ›Braune Buch‹ eintrug: »Was wir am Wesen der Griechen nie und in keiner Sprache verstehen können, ist, was uns gänzlich von ihnen trennt: z. B. ihre Liebe – Päderastie!« Er sah in dem jungen König einen bezaubernden, wißbegierigen, intelligenten Jüngling, der Wagners Träume, seine Zielsetzung verstand – was damals sehr wenigen Menschen gegeben war – und der überdies in der Lage war, ihm bei der Verwirklichung beizustehen. Freilich, das war für ihn ein Glück, aber es hatte nichts mit schlauer Berechnung zu tun. Wagner empfand für Ludwig ähnliche Gefühle wie ein älterer, verheirateter, sensibler Lehrer für einen gewinnenden, einsamen, liebebedürftigen Schüler aus guter Familie, der zu Hause nicht verstanden wird und zufällig die Interessen und Vorlieben des Lehrers teilt. Es wäre wahrhaftig seltsam gewesen, wenn Ludwigs Liebenswürdigkeit und Schwärmerei Wagner kalt gelassen hätten.

Der König fühlte sich zu Wagner sicher nicht körperlich hingezogen – zu einem Manne, der mehr als doppelt so alt war. In diesem Sinne liebte er ihn nicht, sondern er verehrte ihn, und zwar verehrte er eher den Künstler als den Menschen, für dessen Fehler er selbst auf der Höhe der Schwärmerei nicht blind war.

Im Gegensatz zur üblichen Vorstellung liebte Ludwig auch Wagners Musik nicht wirklich; denn es ist erwiesen, daß er nicht das hatte, was man gemeinhin ›Musikgehör‹ nennt, ja, sein Klavierlehrer gab zu, der Knabe könne einen Straußwalzer nicht von einer Beethovensonate unterscheiden und es sei ein »Glückstag« für ihn gewesen, als er dem Kronprinzen die letzte Stunde gegeben habe; denn sein Schüler sei ganz und gar unbegabt.

Obwohl es den Anwesenden schien, als ob Ludwig einem Beethoven-Mozart-Bach-Konzert, das Hans von Bülow im folgenden Winter im Odeon dirigierte, hingerissen und aufmerksam lauschte, sagt Bülow selbst von ihm – in einem Brief an seine Mutter –, der König scheine »noch wenig Lust zu haben, gründlich musikalisch zu werden. Die Wagnersche Musik – darauf konzentriert sich vorläufig seine Tonempfänglichkeit«. Tatsächlich gehörte Ludwig zu jenen Konzert- und Opernbesuchern, die von den Berufsmusikern verachtet werden: ein Zuhörer, der sich damit zufriedengibt, die Musik gleich einer Woge über sich hereinbrechen zu lassen, und vom Technischen, von wesentlichen Unterscheidungsmerkmalen keine Ahnung hat. Die Phantasiewelt, die Wagners Opern heraufbeschworen, die Traumwelt, in der allein er sich voll ausleben konnte, sie nahmen den König gefangen; und vielleicht war er gerade deswegen der ideale Gönner, denn die Gegner der Wagnerschen Musik entstammten hauptsächlich den Reihen der Berufsmusiker, die sich der revolutionären Technik des Komponisten widersetzten.

Gewiß, Wagner sagte, der König sei einer der sehr wenigen Menschen, die ihn wirklich verstünden; er sagte aber auch, Ludwig sei »vollständig unmusikalisch«. Was Ludwig verstand, das war Wagners Ehrgeiz, die Welt durch seine Operndramen zu erlösen. Auch heute gibt es unter uns noch viele unmusikalische Wagnerianer.

Das Idyll auf Schloß Berg wurde im Juni unterbrochen, weil Ludwig aus politischen Gründen nach Bad Kissingen reisen mußte. Kissingen war damals ein beliebter Treffpunkt der europäischen Fürsten, und als Ludwig dort eintraf, hatten sich das österreichische Kaiserpaar, der Zar und die Zarin sowie der württembergische Kronprinz mit Gemahlin bereits versammelt.

Kaiserin Elisabeth von Österreich, älteste Tochter des Herzogs Maximilian in Bayern und Ludwigs Kusine zweiten Grades, war acht Jahre älter als er und seit 1854 mit Kaiser Franz Joseph vermählt. Ludwig kannte und verehrte sie von klein auf, obwohl er sie seit ihrer Heirat nur noch gelegentlich sah, wenn sie ihre Eltern in Possenhofen besuchte. In diesem Frühjahr hatte sie von Possenhofen aus ihrer neunjährigen Tochter Gisela nach Wien geschrieben: »Gestern hat mir der König eine lange Visite gemacht, und wäre nicht endlich Großmama dazugekommen, so wäre er noch da ... Er hat mir die Hand so viel geküßt, daß Tante Sophie, die durch die Türe schaute, mich nachher fragte, ob ich sie noch habe.«

Als junges Mädchen keine auffallende Schönheit, war Elisabeth mit achtundzwanzig Jahren eine der anmutigsten Frauen ihrer Zeit geworden, und Ludwig, der eigentlich nur zwei bis drei Tage in Kissingen hatte bleiben wollen, verlängerte ihretwegen seinen Aufenthalt um einen halben Monat. Die Zusammengehörigkeit der beiden – während dieses Monats waren Vetter und Base beinahe unzertrennlich – beruhte sowohl auf seelischer wie auf leiblicher Verwandtschaft; sie erschienen eher wie Geschwister. Beide haßten die Etikette des Hoflebens; beide waren einsam und im Grunde ihres Herzens unglücklich. Beide ritten gern, und wenn sie den eintönigen gesellschaftlichen Pflichten, mit denen sie ihre Tage ausfüllen mußten, entrinnen konnten, unternahmen sie gemeinsame Reitausflüge, er auf seinem irischen Hunter, sie auf ihrem ungarischen Schimmel. Sie nannte ihn ›Adler‹, und er nannte sie ›Taube‹.

Inzwischen wurde die Frage einer zukünftigen Frau für den jungen König in vielen Kreisen besprochen; aber die Fürstlichkeiten in Kissingen hatten in diesem Sommer nichts Geeigneteres zu bieten als die zehnjährige Tochter des Zarenpaares. Ob es damals wohl einem Menschen in den Sinn kam, daß Elisabeth, die Ludwigs unerreichbares Ideal zu sein schien, ein jüngere Schwester hatte, die siebzehnjährige Sophie, die dieses Problem lösen könnte? Wir wissen es nicht; aber was Ludwig anbelangte, so waren seine Gedanken damals von einer Eheschließung weit entfernt. Zwar hatte er Sophies Gesellschaft immer sehr genossen; doch weitaus mehr Neigung brachte er ihrem Bruder Karl Theodor entgegen, der von den Verwandten ›Gackl‹ genannt wurde; und einmal gab er wegwerfend seine Meinung ab: »Ach, die Weiber! Auch die gescheiteste diskutiert ohne Logik!« Aber ehrgeizige Mütter mit hübschen Töchtern meinten, der Platz neben dem König müsse besetzt werden, und mehr als ein Versuch wurde gemacht, den jungen Monarchen im Sturm zu erobern; man sagte, manch ein liebeskrankes Mädchen trug »in einem goldenen Medaillon Haare eines Pferdes, das er geritten hatte, oder Blätter einer Blüte, über die sein Fuß geschritten war«.

Vor seiner Abreise nach Kissingen schrieb Ludwig an Wagner Worte überschwenglichen Dankes: »Wenn ich mir denken darf, durch Dich ist er glücklich geworden, so bin ich so ... erhoben durch wonnige Gefühle, daß ich den Himmel auf Erden wähne. Oft sagen Sie mir, daß Sie mir viel verdanken, aber das ist alles ein leeres Nichts gegen das, was ich Ihnen zu verdanken habe.« Doch erhielt der Freund aus Kissingen, wo Ludwig von der wieder aufgefrischten Freundschaft mit Elisabeth ganz in Anspruch genommen war, keine einzige Zeile. Wagner, zwar nicht unzufrieden über die kurze Atempause, die ihm der feurige junge König ließ, brauchte aber Gesellschaft, wenn auch einen weniger anspruchsvollen Umgang. Eliza Wille gegenüber beklagte er sich über seine Einsamkeit und fügte hinzu: »Nur wie auf höchster Bergesspitze kann ich mich mit diesem jungen König

Prinzessin Elisabeth, spätere Kaiserin von Österreich, zu Pferd in Possenhofen.
Stich von August Fleischmann nach Carl Piloty und F. Adam, 1853

unterhalten.« Seine Freunde aber – und er wandte sich an mehrere – hatten ihr eigenes Leben zu führen; sie wußten aus Erfahrung, daß Wagner sie vollständig mit Beschlag belegte, und wie auf geheime Absprache hin verzichteten sie alle auf die Ehre, ihm Gesellschaft zu leisten. Doch endlich wurde beschlossen, daß Hans von Bülow und seine Frau Cosima, die Tochter von Franz Liszt, Richard Wagner besuchen und dazu nach Bayern reisen sollten.

Cosima und ihre beiden Kinder trafen am 29. Juni ein, Hans von Bülow erst am 7. Juli. Wahrscheinlich war Cosima schon im vorhergehenden November Wagners Geliebte geworden, doch erst in dieser Sommerwoche sollte sich beider Schicksal entscheiden. Die Tochter Isolde, die Cosima neun Monate später zur Welt brachte, war Wagners Kind.

Richard Wagner

Im Sommer 1864 komponierte Wagner den ›Huldigungsmarsch‹, der am 25. August, Ludwigs Geburtstag, in Hohenschwangau zum erstenmal erklingen sollte. Im letzten Augenblick aber, als die achtzig Militärmusiker bereits bis Füssen gelangt waren, mußte die Aufführung abgesagt werden, weil die Königinmutter, angeblich leidend, unerwarteterweise nach Hohenschwangau kam. Statt dessen wurde der Marsch am 5. Oktober anläßlich eines Wagnerkonzerts im Hof der Residenz uraufgeführt.

Zwischen dem König und seinem Abgott herrschte vollkommene Harmonie. Im September hatte Wagner ein Dankesgedicht ›Dem königlichen Freunde‹ an den König gerichtet, worauf Ludwig mit dem Poem ›An Meinen Freund‹ antwortete, in dem er seinen Glauben an Wagner und sein Vertrauen in das letztliche Gelingen der gemeinsamen Sache beteuerte. Am Tage nach dem Konzert in der Residenz schrieb Wagner dem König, er sei nun imstande, sich ganz der großen Aufgabe der ›Ring‹-Vollendung zu widmen – diese Komposition hatte er sieben Jahre zuvor am Ende des zweiten Aktes von ›Siegfried‹ abgebrochen – und ersuche deswegen um eine Audienz, bei der gewisse Einzelheiten zu regeln wären, wobei er natürlich an die finanzielle Seite dachte. Bei dieser Audienz, die am folgenden Tage stattfand, wurde die bereits erwähnte Übereinkunft getroffen.

Mitte Oktober 1864 bezog Wagner das Haus Brienner-Straße 21, das der König für ihn gemietet hatte und ihm ein paar Monate später sogar schenkte. Damals glaubten beide noch, daß Wagner dauernd in München bleiben werde. Es war ein palaisartiges Gebäude mit schönem Garten und Pavillon im teuersten Wohnviertel der Stadt, und Wagner stattete die Räume sehr bald mit den kostbaren Seidenstoffen und üppigen Teppichen aus, die er nicht als Luxus betrachtete, sondern als notwendig für die Atmosphäre, in der allein er zu arbeiten vermochte; er konnte nicht einmal ohne zwei Pfauen auskommen. Sebastian Röckl erzählt, daß in einem großen Raum im ersten Stock Wagners Klavier stand. Daneben lag das sogenannte Gralszimmer, dessen Wände mit prachtvollem gelben Satin und Quervolants aus demselben Stoff ausgekleidet waren. Überall Satin, Seidentüll und Spitze. Die weißen Satinvorhänge zierten kunstvolle Rosen; die Rahmen der Spiegel und Bilder umrauschte rosa Seide mit Schleifen; sogar mitten in der Decke war eine Satinrosette.

Teils belustigten, teils entsetzten sich die Besucher über Wagners sybaritischen Lebensstil. Ministerialrat Baron Völderndorff berichtete spöttisch, er habe den Meister in violetter Stimmung angetroffen: ein schwerer Vorhang aus violettem Samt habe das Fenster bedeckt. Wagner selbst saß in einem violetten Sessel, auf dem Kopf eine violette Mütze, die er beim Eintritt des Besuchers ein klein wenig lüftete. Zu den Schockierten gehörten namentlich die Minister, die den Komponisten ab und zu im Auftrag des Königs aufsuchen mußten. All die kostbaren Stoffe im Hause hatte Wagner aus Wien kommen lassen, zweifellos in der vergeblichen Hoffnung, seine Extravaganzen vor der Münchner Bevölkerung geheimhalten zu können. Jedenfalls war es nicht möglich, den Ministern Sand in die Augen zu streuen, und besonders Pfistermeister erkannte richtig, daß durch derartiges Gepränge Unheil heraufbeschworen würde. Er warnte den Komponisten, der jedoch lächelnd konterte, er sei keine Lola Montez. Genau das aber war er in wenigen Monaten für die Münchner geworden!

Neben der großen Aufgabe, den ›Ring‹ zu beenden, sah sich Wagner vor die Frage gestellt, geeignete Hauptdarsteller für seine Opern heranzubilden und eine Bühne mit all den Neuerungen zu errichten, die er für die Aufführung seiner Werke unerläßich fand.

Um Wagnersänger heranzubilden, überredete der Komponist den König, als vorläufige Maßnahme den in Leipzig anerkannten Gesanglehrer Friedrich Schmitt nach München zu berufen und ihm zu Versuchszwecken ein paar vielversprechende Schüler anzuvertrauen. Das sollte allerdings nur ein Anfang sein; Wagner hoffte, mit der Zeit eine Musikschule gründen zu können, ja, er hoffte, binnen kurzem das ganze Musikleben der Stadt in die Hand zu bekommen. Mit der Berufung Schmitts verärgerte er jedoch die Münchner Musiker, unter denen es durchaus befähigte und auch einige hervorragende Leute gab.

Im November 1864 entschloß sich nun der König, für Wagner ein Opernhaus zu bauen, ein Mustertheater mit versenkbarem Orchester, einem Zuschauerraum nach Art eines Amphitheaters, neuer Beleuchtungsanlage und all jenen damals revolutionären Errungenschaften, die wir heute von Bayreuth her kennen. Newman widmet der langen, unglückseligen Geschichte des Festspielhauses ein ganzes Kapitel; hier sei sie nur kurz skizziert.

Am 26. November schrieb Ludwig an Wagner: »Ich habe den Entschluß gefaßt, ein großes, steinernes Theater erbauen zu lassen, damit die Aufführung des ›Ringes des Nibelungen‹ eine vollkommene werde; dieses unvergleichliche Werk muß einen würdigen Raum für seine Darstellung erhalten.«

Als Architekten schlug Wagner sofort seinen alten Dresdner Freund Gottfried Semper vor, der damals gerade Professor für Baukunst am Polytechnikum in Zürich war und einen Monat später in München eintraf. Bei einer Audienz, die der König am 29. Dezember gewährte, erhielt Semper den offiziellen Auftrag, das Theater zu bauen; es sollte im Sommer 1867 für die Uraufführung des ›Ringes‹ fertig sein.

Sogleich aber ergaben sich Schwierigkeiten. Das Kabinett wandte die

Verzögerungs- und Ausweichtaktik an, die das Werkzeug der Politiker überall in der Welt bildet. Daraufhin meinte der feinfühlige Wagner, es sei wohl klüger, zuerst im Glaspalast ein vorläufiges Theater zu erstellen, um die Durchführbarkeit seiner Neuerungen zu erproben. Mit jugendlichem Ungestüm wollte der König sein festes Theater durchsetzen; da er nicht die Fähigkeit hatte, nach Plänen und Aufrissen ein Gebäude vor sich zu sehen, verlangte er, eingedenk der Bauklötze seiner Kindheit, Modelle.

Mittlerweile verstrichen die Monate, und noch immer konnte Semper keinen unterzeichneten Vertrag erhalten; des Königs Wort genüge, versicherte ihm Wagner, es wäre unklug, ihn in dieser Angelegenheit zu bedrängen. Die Politiker wurden besorgt. Stichelnde und unrichtige Artikel erschienen in den Zeitungen; man erfand neue Vorwände für Verzögerungen. Als Semper im September 1865 nach München gerufen wurde, um einen geeigneten Standort für das Festspielhaus zu bestimmen, erfuhr er bei seiner Ankunft durch Pfistermeister, Seine Majestät sei unpäßlich und könne ihn nicht empfangen; es ließ sich unschwer erraten, daß die Indisposition des Königs rein diplomatischer Natur war. Wagner leistete wenig Hilfe, da er zu jener Zeit sehr viel mehr davon in Anspruch genommen war, der königlichen Schatulle weitere große Summen für seine eigene Zukunft zu entlocken.

Im Dezember 1865 wurde Wagner infolge seiner zunehmenden Unbeliebtheit aus München vertrieben, wohin er später nur noch zu kurzen Besuchen zurückkehrte. Nachdem er den Staub der Stadt von den Füßen geschüttelt hatte, verlor er natürlich das Interesse an einem dortigen Theater, und letzten Endes war er es – nicht die Politiker –, der dem Plan den Garaus machte. Auch Ludwig mußte allmählich zugeben, daß das Theater ohne den Meister nicht viel Sinn hatte. Da Wagner nicht zur Stelle war, konnte Lorenz von Düfflipp, Pfistermeisters Nachfolger, den König ungestört gegen Semper aufhetzen. Die fatale Angelegenheit zog sich bis zum Sommer 1868 hin; dann unternahm Semper schließlich rechtliche Schritte zu seiner Entschädigung, und ein halbes Jahr später wurden seine Ansprüche abgegolten. Er hatte vier Jahre seines Lebens vergeudet.

Obwohl Semper durchaus ein Opfer von Intrigen war, ließ sich sogar Ludwig zu der Meinung überreden, den Architekten treffe die Schuld. An Wagner schrieb der König am 14. September 1868: »Bitte, bieten Sie Ihren Einfluß bei Semper auf, um ihn, der von seiner Halsstarrigkeit nicht lassen will, zu besänftigen; ich bedaure den Armen; durch sein Verhalten hat er sehr von meiner Achtung eingebüßt.« Auch die Zeit führte bei Ludwig keine Sinnesänderung herbei: Als er fünf Jahre später Wagner und fünf andere verdienstvolle Männer mit dem Maximiliansorden für Kunst und Wissenschaft auszeichnete, wurde Sempers Name ebenfalls genannt, aber Ludwig strich ihn von der Liste.

Kehren wir zum Herbst 1864 zurück.

Als der König im November mit den Plänen für Wagners Theater beschäftigt war, widmete er sich noch einer anderen Idee, die beide ebenso wichtig fanden: das Münchner Publikum sollte dazu erzogen werden, im Theater eine ernste Kulturstätte zu sehen, nicht nur ein Mittel zu leichter Unterhaltung nach dem Alltag. So schrieb Ludwig Anfang November an Wagner:

Meine Absicht ist, das Münchener Publikum durch Vorführung ernster, bedeutender Werke, wie die des Shakespeare, Calderón, Goethe, Schiller, Beethoven, Mozart, Gluck, Weber in eine gehobenere, gesammeltere Stimmung zu versetzen, nach und nach dasselbe jenen gemeinen, frivolen Tendenzstücken entwöhnen zu helfen und es so vorzubereiten auf die Wunder Ihrer Werke und ihm das Verständnis derselben zu erleichtern, indem ich ihm zuerst die Werke anderer bedeutender Männer vorführe; denn von dem Ernste der Kunst muß alles erfüllt werden.

Aber natürlich hatte Ludwig keine Lust, auf ein erleuchteteres Publikum und ein besseres Theater zu warten, ehe er sich selbst die große Freude gönnen konnte, Wagner eine seiner Opern dirigieren zu sehen, und auch Wagner, der an seinen ›Tristan‹ dachte, war erpicht darauf, seine Vorstellungen in München zu verwirklichen. Darum wurde beschlossen, den ›Fliegenden Holländer‹, der in München bisher noch nicht aufgeführt worden war, auf die Bühne zu bringen. Um die einheimischen Kräfte zu beschwichtigen, wurden die Proben dem Münchner Dirigenten Franz Lachner anvertraut, einem tüchtigen Musiker, der das Werk jedoch nicht sehr liebte und sich bitter beklagte über den unaufhörlichen Wind, der einem entgegenblase, wo immer man die Noten zufällig aufschlage.

Ludwig verkündete unvermittelt, er wolle der Premiere nicht beiwohnen, weil sich bei der ersten Aufführung leicht Mängel einschlichen; aber Wagner, der befürchtete, daß die Abwesenheit des Königs falsch gedeutet werden könnte, überredete ihn, von seinem Vorsatz abzusehen, und bei der Premiere am 4. Dezember saß Ludwig in der Königsloge. Nach dem ersten Akt verhielt sich das Publikum, das die reiferen Werke ›Tannhäuser‹ und ›Lohengrin‹ schon kannte, ziemlich kühl, aber beim letzten Vorhang gab es begeisterten Beifall. Ludwig geriet in Ekstase, und vier Tage später wohnte er auch der zweiten Aufführung bei. Dann befahl er, am 11. Dezember statt des angekündigten Stückes ein Wagnerkonzert anzusetzen; mit dieser Programmänderung in letzter Minute verärgerte er die regelmäßigen Theaterbesucher, die geflissentlich wegblieben. Das Konzert begann mit der ›Faust‹-Ouvertüre, danach folgten Vorspiel und Liebestod aus ›Tristan‹, Bruchstücke aus den ›Meistersingern‹, der ›Walküre‹ und aus ›Siegfried‹, lauter Teile aus Opern, die noch nie aufgeführt worden und teilweise sogar noch unvollendet waren.

Ludwig, der tags zuvor die Generalprobe gehört hatte, schrieb vor dem Konzert an Wagner:

Geliebter, einziger Freund!

Erschüttert, begeistert durch den herrlichen gestrigen Abend muß ich dem Drange meines Innern folgen, Ihnen zu sagen, daß unnennbar die Seligkeit ist, von welcher ich durch Sie erfüllt wurde. – In überirdische Sphären ward ich entrückt, unermeßliche Wonnen habe ich geatmet. – Doch, was versuche ich, Ihnen diese Seligkeit zu schildern, hiezu reicht das arme, tonlose Wort nicht aus; ich kann nichts tun als Sie anbeten, die Macht preisen, die Sie zu mir geführt.

Wagner, der Sorge hatte, den König könnte das Konzert wegen der noch nicht vollendeten Qualität der Darbietung enttäuscht haben, wollte sich deswegen entschuldigen, und er hielt schon die Feder in der Hand, als ihm Ludwigs Brief gebracht wurde. Er ließ das bereits Geschriebene stehen und brach in eine Lobes- und Dankeshymne aus:

Ach, mein Himmel! Da kommt soeben der Brief.
O! Ich Kleinmütiger!!!
Also selbst in meiner Liebe zu Ihm, dem Einzigen, muß Er mich immer wieder mit Mut erfüllen! – Ich bin nichts mehr, ohne Ihn! Selbst zu lieben lehrt Er mich erst . . .
O, mein König! Du bist göttlich!

So geht es weiter. An die sechshundert Briefe und Telegramme, die König und Komponist gewechselt haben, sind veröffentlicht worden. Viele Briefe sind sehr lang und so überschwenglich gefühlvoll, daß die Lektüre fast unerträglich ist.

Für Wagner begann das neue Jahr heiter; wenn es eine Wolke am Horizont gab, so war sie sicher so unbedeutend, daß er sie kaum beachtete.

Bisher war er darauf bedacht gewesen, den König lediglich in künstlerischen Fragen zu beeinflussen; die Befürchtungen der Kabinettsmitglieder, er könnte sich in die Politik einmischen, hatten sich nicht erfüllt; darüber brauchten sie sich nicht zu beklagen. Hingegen hatten sie allen Grund, sich wegen der hohen Geldsummen, die Wagner der königlichen Schatulle entlockte, ernste Sorgen zu machen. Das neue Sempersche Theaterprojekt und die geplante Musikschule beunruhigten sie ebenfalls. Pfistermeister schien immer noch mit Wagner im Bunde zu sein, doch in Wirklichkeit trieb er bereits ein Doppelspiel. Aber der seit Ende 1864 amtierende Außenminister Ludwig Freiherr von der Pfordten war Wagners unerbittlicher Feind: er haßte den Komponisten und alle seine Werke. Obwohl ein gebürtiger Bayer, war er eine Zeitlang Minister des Auswärtigen im sächsischen Märzministerium gewesen, so daß er über Wagners Teilnahme an der revolutionären Bewegung in Dresden 1849 genau Bescheid wußte. Im selben Jahr hatte König Max von der Pfordten nach München berufen, wo er dann alles daran gesetzt hatte, die Aufführung des ›Tannhäuser‹ zu hintertreiben. Das wußte Ludwig, und die Tatsache, daß er Wagners Gegner auf einen so wichtigen Posten erhob, läßt sich nur damit erklären, daß es zu jener Zeit keinen anderen Kandidaten gab. ›Pfi‹ und ›Pfo‹, wie Ludwig und Wagner die beiden Diplomaten nannten, bemühten sich bald eifrig, den König von seinem Freund zu trennen.

Eine unmittelbarere Gefahr als die Politiker bedeuteten für Wagner jedoch die Skandaljournalisten, denen er mit seiner Geldgier und seiner nun allgemein bekannten Verschwendungssucht häufig genug Anlaß gegeben hatte, die spitze Feder gegen ihn zu zücken. Man darf nicht vergessen, daß Wagner damals für die Bayern ein Ausländer war, ebenso seine Freunde und Mitarbeiter: Peter Cornelius, der Pianist Karl Klindworth, der Musiker Heinrich Porges, Friedrich Schmitt, Ludwig Nohl und namentlich der Preuße Hans von Bülow, den der König auf Wagners Geheiß nach München eingeladen hatte. Sie wurden eben als ›Zugereiste‹ angesehen, die Posten und Gehälter ergatterten, welche eigentlich ebenso tüchtigen Einheimischen hätten zugute kommen sollen. All dies hätten sie sich klarmachen und vorsichtiger auftreten müssen. Besonders Bülow, der zwar am Weihnachtstag bei seinem Debut vor dem Münchner Publikum einen musikalischen Triumph errungen hatte, benahm sich oft taktlos, und gerade er trug mit seinem unklugen Verhalten zu Wagners Unbeliebtheit bei.

Aber niemand konnte in den ersten Wochen des Jahres 1865 voraussehen, daß sich ein Bruch zwischen Wagner und Ludwig anbahnte. Ende Januar ergab sich ein Mißverständnis – das Pfistermeister geschickt dazu benutzte, Wagner in den Augen des Königs herabzusetzen. Dieses Mißverständnis entstand wegen der Bezahlung eines Ölbildes von Wagner, das er dem König überreicht hatte. Das war wohl die Hauptursache der Verstimmung, die am 6. Februar plötzlich aufflammte, als Wagner zu seiner Verwunderung abgewiesen wurde, obwohl er zu einer vereinbarten Audienz erschienen war. Nicht Unwohlsein seines Königs, schrieb später der entrüstete Komponist an Ludwig, sondern dessen große Verstimmung sei ihm als Ursache dieser Abweisung angegeben worden; er sei in Ungnade gefallen.

Wagner ließ sich noch eine andere Taktlosigkeit zuschulden kommen, die unseligerweise kurz nach dem Vorfall mit dem Ölbild erfolgte. In einem Gespräch mit Pfistermeister nannte Wagner den König unbedacht »meinen Jungen«, und das soll, wenn es auch nicht bewiesen ist, dem König zu Ohren gekommen sein. Viele, die Ludwig II. kannten, haben vermerkt, daß er in Augenblicken größter Liebenswürdigkeit plötzlich zutiefst verstimmt sein konnte, wenn er der geringsten Respektlosigkeit begegnete; es wäre also kaum anzunehmen, daß er eine solche Frechheit geduldet hätte, auch nicht vom Seelenfreund.

Selbstverständlich erfuhren die neugierigen Journalisten sehr bald, daß Wagner in Ungnade gefallen war, und sogleich setzte ein bösartiger Angriff auf den Komponisten und seine Anhänger ein. »Seine Ansprüche an das tägliche Leben und seinen Komfort«, schrieb die ›Allgemeine Zeitung‹ über Wagner, »scheinen so ausgesucht sybaritischer Art, daß wahrlich ein orientalischer Grandseigneur sich nicht scheuen dürfte in seiner Behausung vor den Propyläen dauernd einzukehren und sich mit ihm als Gast zu Tisch zu setzen.« Tausende seien allein für Teppiche ausgegeben worden, alles bezahlt aus der Börse seines großzügigen Wohltäters. Der Hauptangriff aber sollte noch kommen. Wenn Wagner und seine Freunde, hieß es weiter in dem Artikel, »sich aufs neue zwischen Bayerns Volk und seinen geliebten König stellen«, dann wäre es besser, Richard Wagner kehrte samt seinen Freunden München den Rücken.

Wagner antwortete mit einem langen, recht geschickt abgefaßten Artikel, in dem er, wie Newman sagt, das Recht des Menschen, seine Privatangelegenheiten nach eigenem Ermessen zu handhaben, verteidigte und auf diese Weise vom eigentlichen Thema ablenkte, bei dem es ja darum ging, ob ein Privatmann das Recht habe, durch übertriebene Extravaganz Schulden anwachsen zu lassen und dann zu erwarten, daß sie aus öffentlichen oder halböffentlichen Geldern beglichen würden. Auch Bülow äußerte sich dazu und griff den anonymen »ehrlosen Verleumder« an, womit er der Sache noch mehr schadete.

Inzwischen hatte der König, vielleicht ein wenig zerknirscht, ein offizielles Dementi veröffentlichen lassen, in dem es hieß, Arbeitsüberhäufung habe ihm letzthin wenig Zeit für künstlerische Dinge gelassen; überzeugend klang das nicht. In den folgenden Wochen traf der König nur einmal mit Wagner zusammen, aber der glühende Briefwechsel wurde fortgesetzt. Wagner konnte sich jedoch nicht verhehlen, daß eine gewisse Spannung zurückgeblieben und die alte Beziehung nicht wiedererstanden war. Besonders kränkte ihn Ludwigs offensichtliches Widerstreben, ihn zu empfangen. Am 9. März schrieb er in einem langen Brief betrübt an Ludwig, er ertrüge es nicht mehr, »dem angebeteten Freund« fernzubleiben. Ohne Ludwigs volles Vertrauen und Liebe könnte er nicht sein. »Mein König! – ich bringe Dir Unruhe: – laß mich ziehen, dahin, wo mich der Blick des Neides und des Unverstandes nicht verfolgt, in ein fernes Land.«

Der König antwortete umgehend. »Umstände, die ich gegenwärtig nicht besiegen kann« – Wagner wird wohl vermutet haben, daß sich diese Worte auf die ihm feindlich gesinnte Königinmutter Marie bezogen – »die eisern fesselnde Notwendigkeit macht es mir zur heiligen Pflicht, Sie, wenigstens in gegenwärtiger Zeit, nicht zu sprechen.«

Wagner, der in höchst neurotischem Zustand war, gab sich damit nicht zufrieden; er hatte die Möglichkeit, Deutschland zu verlassen, erwähnt, und Ludwig hatte sich dazu nicht geäußert. Er schrieb abermals und verlangte:

Nur ein einziges klares Wort meines himmlischen Freundes, das mir deutlich sagt, was ich zu tun habe!

Soll ich fortgehen? Soll ich bleiben?

Was Sie wollen, das will ich.

Gehe ich fort, so ziehe ich in ein fernes Land und kehre nie wieder nach Deutschland zurück: für meine Werke werde ich sorgen so gut ich kann, nur meine Person gänzlich von der Sache trennen.

Bleibe ich, so hat nun mein herrlicher Freund mich stark gemacht, in Geduld mich fassen, jede Prüfung ertragen zu können: denn mein Glaube ist unerschütterlich.

So hat nur der Freund zu bestimmen: Ein Wort –, und freudig erfasse ich mein Schicksal.

Doch muß sich das entscheiden, und heute noch! Meine Seelenkräfte sind in der äußersten Spannung: ich muß deutlich wissen, durch welchen Entschluß ich dem Geliebten Ruhe geben kann.

Wagner wußte recht gut, daß es darauf nur eine einzige Antwort geben konnte. In dem kürzesten, doch bedeutungsvollsten Brief, den Ludwig jemals dem Komponisten zukommen ließ, schrieb er:

Teurer Freund!

Bleiben Sie, bleiben Sie hier, alles wird herrlich wie zuvor. – Ich bin beschäftigt. – Bis in den Tod

Ihr Ludwig

Freudig ergriff Wagner die Feder und antwortete: »Ich lebe wieder!«

Tristan

Im Januar 1865 hatte Wagner dem König einen neuen Zeitplan für die Aufführungen seiner Opern entworfen. Der einzige Punkt dieses Programms, der mehr oder weniger plangemäß durchgeführt wurde, war die Premiere des ›Tristan‹ im Frühsommer 1865.

›Tristan und Isolde‹ hatte Wagner zwischen 1857 und 1859 komponiert, und schon im Januar 1860 hielt er die ersten Exemplare der gedruckten Partitur in den Händen. Während der folgenden schweren Jahre, bevor Ludwig ihm zu Hilfe kam, ging sein Wunsch, den ›Tristan‹ auf die Bühne zu bringen, nicht in Erfüllung. Er versuchte es in Dresden, Paris, Karlsruhe, Wien, Hannover und Leipzig, doch überall vergeblich. Dann endlich, im Jahr 1862, änderte sich in Wien die Ansicht – das heißt, es besserte sich die Finanzlage –, und die Oper wurde angenommen. Doch nach unzähligen Proben wurde sie als unaufführbar aufgegeben. Sowohl der König als auch der Komponist hegten den glühenden Wunsch, die Oper jetzt in München aufzuführen.

Zum Fehlschlag in Wien hatte unter anderem die Fehlbesetzung des Hauptdarstellers beigetragen. Nun aber hatte Wagner einen nahezu idealen Tenor gefunden – Ludwig Schnorr von Carolsfeld, dessen Frau Malwine er für seine Isolde zu gewinnen hoffte. Man erinnert sich vielleicht, daß Ludwig noch als Kronprinz Schnorr in der Rolle des Lohengrin gehört hatte. Das Künstlerpaar Schnorr, das in Dresden engagiert war, kam Ende Februar zu einer Besprechung mit Wagner und einem Probesingen kurz nach München, worauf für die beiden durch die Kanzlei des Königs, der sich sogar persönlich an den König von Sachsen wandte, ein dreimonatiger Urlaub von April an erwirkt wurde.

Schnorr war neunundzwanzig Jahre alt, korpulent, kräftig, vollbärtig und von sehr männlichem Aussehen, dazu mit mächtigem Heldentenor begabt. Wagner hegte seit jeher eine tiefe Abneigung gegen den – wie er es nannte – Eunuchentenor. Intelligente, eindrucksvolle Tenöre waren immer eine Seltenheit, und Wagner verfluchte einmal das Schicksal, das ihn veranlaßt hatte, seine durchgeistigtsten Partien für Tenöre zu schreiben. Newman spottet über den sogenannten »Amphorentenor, der aussieht und sich bewegt wie ein übergroßer Pfadfinder und auf den Zuschauer den Eindruck eines Mannes macht, dessen geistige Entwicklung im Alter von zwölf Jahren stehengeblieben ist«. »Eine Amphora«, erklärt er, »ist laut Lexikon ›ein großes, zweihenkeliges Tongefäß mit mäßiger Mündung‹.«

Zugegeben, äußerlich war Schnorr ein ›Amphorentenor‹, und Wagner, der ihn 1862 in Karlsruhe erlebt hatte, begab sich ohne große Hoffnung zum Vorsingen. Aber binnen fünf Minuten war der dicke Bauch vergessen, nur der große Künstler und die herrliche Stimme blieben. Denn Schnorr war ungewöhnlich intelligent, hatte als glühender Anhänger Wagners Texte und Musik ernsthaft studiert und setzte den Komponisten mit seinem unbedingten Verständnis für die Absichten des Schöpfers in Erstaunen. Zudem war er ein vortrefflicher Schauspieler. Die persönliche Bekanntschaft mit dem Sänger hatte Wagner auch davon überzeugt, daß dieser Künstler ganz frei war von der üblichen naiven Tenoreneitelkeit. Malwine, fast zehn Jahre älter als ihr Mann und keineswegs eine Sylphide, war eine ebenso großartige und hingebungsvolle Künstlerin.

Nach dem Vorsingen im Februar schrieb Schnorr an seine Mutter, Wagner habe ungeheuren Einfluß auf ihn; zwar habe er die Partie in der Hauptsache verstanden, aber in Einzelheiten, auf die der Komponist ihn aufmerksam gemacht habe, sei sie in der Anlage leicht geändert worden. Er sei Wagner unendlich dankbar und überaus glücklich. Das Künstlerpaar Schnorr kehrte zu seinen Verpflichtungen nach Dresden zurück, trat dann aber am 5. April den Urlaub in München an, und ein paar Tage später begannen die Proben.

Da sich Wagner, jetzt zweiundfünfzig Jahre alt, der Anstrengung des Dirigierens nicht gewachsen fühlte, übergab er den Stab dem viel jüngeren Hans von Bülow, den Ludwig im vergangenen Herbst zum ›Vorspieler des Königs‹ ernannt hatte. Bülow hielt jeden Vormittag im Residenztheater Orchesterproben ab, und Wagner korrepetierte abends bei sich daheim mit den Sängern. Der Zufall wollte es, daß Cosima von Bülow am 10. April, dem ersten Probentag, Wagners Tochter gebar. Sie erhielt den Namen Isolde.

Ludwig wollte ›Tristan und Isolde‹ im Hof- und Nationaltheater aufführen lassen, das zweitausend Zuschauer faßte; aber sowohl Wagner als auch Bülow bevorzugten anfangs das weitaus kleinere und intimere Residenztheater. Deswegen schrieb Wagner dem König am 20. April:

Lassen Sie uns, lieber Erhabener! in dem traulichen Residenz-Theater! Bitte, bitte! Sie glauben nicht, wie glücklich wir uns darin fühlen, wie – als ob wir schon der gemeinen Welt entrückt wären. Der Klang der Musik ist wunderbar schön in diesem Raum, schöner als ich dies je in einem Theater oder Saale vernommen habe. Die Sänger sind entzückt von dem Klange ihrer Stimme, alles wird ihnen leichter, auch das Schwerste gelingt ... Die Vorgänge sind durchaus inniger, zarter Art; hier muß ein Zucken der Miene, ein Blinken des Auges wirken. Nur unter solchen Umständen, in einem solchen Theater war der Tristan – gerade der Tristan möglich!

Ludwig gab natürlich sofort nach. Doch als man zu den Bühnenproben überging, bei denen die Sänger bei voller Orchesterbesetzung die ganze Stimmkraft zu entfalten hatten, mußte selbst Wagner widerwillig einräumen, daß der König recht gehabt hatte: die Aufführung war nur im Hof- und National-theater möglich.

Am 18. April richtete Wagner in einem offenen Brief an Friedrich Uhl, den Herausgeber des Wiener ›Botschafter‹, eine Einladung zur Erstaufführung an alle »Freunde seiner Kunst«; sie war auf den 15. Mai angesetzt worden. Inzwischen schritten die Proben fort obwohl Bülow, der einige Monate zu-vor krank gewesen war und sich nie schonte, die Anstrengung zu fühlen begann und einmal sogar ohnmächtig wurde. Zweifellos lag es an seiner Überarbeitung, daß sich bei der Probe am 2. Mai ein sehr unliebsamer Vor-fall ereignete. Bülow verlangte für das verstärkte Orchester mehr Platz, erhielt jedoch den Bescheid, bei einer Vergrößerung müßten dreißig Sitz-plätze geopfert werden, worauf er den Maschinisten Penkmeyer anschnauz-te: »Nun ja, was liegt daran, ob dreißig Schweinehunde mehr oder weniger hineingehen.«

Diese ruppige Bemerkung, die im dunklen Zuschauerraum fiel und nur für die Ohren des Maschinisten bestimmt waren, wurde unglückseliger-weise auch von anderen gehört und brav den ›Neuesten Nachrichten‹ zuge-tragen. Bülow veröffentlichte eine Entschuldigung; niemals habe er auf das kultivierte Münchner Publikum angespielt, beteuerte er den Lesern, son-dern nur den kleinen Kreis der Wagnergegner gemeint, die den Meister be-kämpften. Überhaupt sei es ein Privatgespräch gewesen, das man unfreund-licherweise an die große Glocke gehängt habe. Die ›Neuesten Nachrichten‹ zeigten sich großmütig und ließen die Entschuldigung gelten, aber andere Zeitungen waren weniger nachsichtig; eine ganze Woche lang hetzte der ›Neue Bayerische Kurier‹ Tag für Tag mit Schmähungen gegen Bülow, und das ›Volksblatt‹ zeigte sich kaum weniger rachsüchtig. Offensichtlich hatte man die Absicht, Bülow aus der Stadt zu vertreiben und die Aufführung des ›Tristan‹ unmöglich zu machen. Wäre Bülow nicht gewesen, so hätte Wag-ner dem Sturm in München länger Widerstand leisten können, als er es wirklich vermochte. Er durfte mit Fug und Recht sagen: »Gott beschütze mich vor meinen Freunden; mit meinen Feinden will ich schon selbst fertig werden.«

Als sich der große Tag näherte, strömten die Wagnerianer aus ganz Europa in München zusammen. Für Ludwig wurde die Spannung beinahe unerträglich. Am 10. Mai schrieb er an Wagner:

Die Wonne meines Herzens läßt mir keine Ruhe; ich muß Ihnen schreiben. – Näher und näher rückt der selige Tag: ›Tristan wird erstehen!‹ . . .

Die Schranken der Gewohnheit müssen wir durchbrechen, die Gesetze der ge-meinen, egoistischen Welt einstürzen, das Ideal wird und muß in das Leben treten! – Siegesbewußt wollen wir voranschreiten; Geliebter, Dich verlasse ich nie! – O,

›Tristan‹, ›Tristan‹ wird mir nahen!–Die Träume meines Knaben- und Jünglings-
alters werden erfüllt!–Mit der Gemeinheit der Welt dürfen Sie nichts zu schaffen
haben, hoch über den Mühen der Erde will ich Sie tragen!–Glückselig sollen Sie
werden!–

Meine Liebe zu Ihnen und Ihrer Kunst wächst mehr und mehr in mir und diese
Flamme der Liebe soll Heil und Erlösung bringend werden.–

O schreiben Sie mir, ich sehne mich darnach!–Bis in den Tod

Ihr getreuer Ludwig

Am folgenden Tage war die Generalprobe, der Ludwig und etwa sechshundert geladene Gäste beiwohnten, so daß sie fast den Charakter einer Premiere
hatte, jedenfalls einer Privatvorstellung. Zur Feier des Ereignisses erließ der
König eine Amnestie aller wegen revolutionärer Betätigung in den Jahren
1848–49 verurteilten Militärs und Nichtbayern, womit er offenbar auch die
Aktivität Wagners in jener Zeit symbolisch auszulöschen gedachte.

Vor der Ouvertüre trat Wagner tief bewegt auf die Bühne und dankte
in einer »vorzüglichen, bescheidenen, schlichten und herzlichen« Rede – so
drückte sich eine Zuhörerin aus – dem Orchester, das ihm mit spontanem
warmen Beifall antwortete. Dann war die Reihe an Bülow, der ein paar
Worte stammelte, aber wenigstens nichts Taktloses sagte.

Nach jedem Akt rief das Publikum den Komponisten, doch anscheinend
wollte Wagner den Bann nicht brechen, denn er zeigte sich nicht. Die Zuhörer waren größtenteils völlig erschlagen, sowohl psychisch wie physisch,
durch die ganz und gar ungewohnte Musik und poetische Diktion, durch
ein Erlebnis, dessen Neuartigkeit für uns heute kaum vorstellbar ist. Josephine von Kaulbach, die Frau des berühmten Malers und selbst Geigerin,
die von Cosima zwei Eintrittskarten erhalten hatte und die man als Prototyp
des intelligenten, aber konservativen Opernbesuchers betrachten kann,
berichtete tags darauf ihrem Mann:

Endlich begann die Ouvertüre, die mit wirklicher Meisterschaft ausgeführt wurde
und unsere herkömmlichen Begriffe von Musik nicht überschreitet . . . Die Steigerung der wütendsten Leidenschaft füllt den ganzen zweiten Akt, der aus einem
Duett besteht, welches dreiviertel Stunden dauert, ohne Melodie die höchst barba-
rischen, ich möchte sagen, die Leidenschaften eines vorsintflutlichen Geschlechts
ausdrückend. Für unsere schwachen Nerven und Ohren ungenießbar. Der Gesang
besteht nur in heulenden, schrillen Tönen; sie brüllen, wüten, toben und werden
dazu von dem Orchester mit den kunstvollsten Dissonanzen begleitet. Pauken,
Trompeten, Zimbeln und noch andere neu erfundene Instrumente steigern sich zu
wahrer Raserei. Das Orchester hat diese schwierige, mühsame Arbeit meisterhaft
durchgeführt; in keiner anderen Stadt wäre dies möglich gewesen. Aber vor allem
gebührt Schnorr und seiner Frau das höchste Lob . . . Nur diesen beiden großen
Künstlern wird Wagner den Erfolg zu danken haben.–Mit diesen drei Aufführungen wird wohl ›Tristan und Isolde‹ sich ins Privatleben zurückziehen müssen.

Ludwig schrieb Wagner nach der Generalprobe nicht; vielleicht vermochte er seine Gefühle mit Worten nicht auszudrücken. Aber in der Frühe des 15. Mai – am ›Tristanstage‹ – schickte er ihm einen überschwenglichen Brief voller Tristanzitate:

Wonnevoller Tag! – Tristan! – Wie freue ich mich auf den Abend! – Käm' er doch bald! Wann weicht der Tag der Nacht? – Wann löscht die Fackel aus, wann wird es Nacht im Haus?

Heute, Heute! wie zu fassen! – Warum mich loben und preisen? *Er* vollbrachte die Tat! – *Er* ist das Wunder der Welt, was bin ich ohne Ihn?! – Warum, ich beschwöre Sie, warum finden Sie keine Ruhe, warum stets von Qualen gepeinigt? . . . Meine Liebe für Sie, o ich brauche es ja nicht zu wiederholen, bleibt Ihnen stets!

Dann aber ergab es sich, daß der ›Tristanstag‹ für Wagner einer der schlimmsten Unglückstage in seinem ganzen Leben wurde, denn im Zeitraum weniger Stunden trafen ihn zwei ebenso unerwartete wie grausame Schläge.

Am Morgen erschien der Gerichtsvollzieher. Vor fünf Jahren hatte eine Französin, die reiche Julie Schwabe, den Komponisten aus einer seiner unzähligen Notlagen befreit und ihm rund fünftausend Francs geliehen. Nachdem sie nun wohl von Wagners glücklichen Lebensumständen gehört hatte, sah die jetzige Frau Salis-Schwabe nicht ein, warum sie nicht auch davon Nutzen haben sollte und beauftragte den Münchner Rechtsanwalt Dr. von Schauß, die Schuld einzutreiben. Als eine höfliche Aufforderung zur Schuldbegleichung von Wagner nicht beachtet wurde, pfändete der Advokat vorsorglich dessen Möbel. Vielleicht war es Zufall, vielleicht auch nicht, daß der Gerichtsvollzieher am Morgen des 15. Mai in der Brienner Straße erschien und die sofortige Bezahlung des Wechsels verlangte. Wagner hatte kein Bargeld zur Hand; doch den Skandal, den der Abtransport seiner Siebensachen vor aller Augen gerade in diesem Augenblick hervorgerufen hätte, war unausdenkbar. Vor dieser ersten Katastrophe des Tages blieb er durch die rasche und großzügige Handlungsweise der Kabinettskasse bewahrt, der Wagner sofort eine Botschaft sandte – wahrscheinlich durch Cosima, die als seine Sekretärin amtete –, in der er den Hofrat von Hofmann beschwor, ihm diese offensichtliche Demütigung zu ersparen.

Kaum war der Gerichtsvollzieher mit dem Geld gegangen, da erschien Schnorr mit Tränen in den Augen: Malwine hatte infolge eines Dampfbades plötzlich die Stimme verloren und die Premiere mußte verschoben werden. Wagner schrieb unverzüglich dem König, setzte ihn von seinen Leiden in Kenntnis und fügte hinzu, über die Wirkung dieses letzten Angriffes auf seinen Geist könne er nur berichten, daß er ihm keinen Eindruck mehr mache. »Ich – tauge nicht mehr in diese Welt«, sagte er düster. »Mein Leben war zu lange dem Los der Gemeinheit preisgegeben ... Untröstlich bin ich aber nur darüber, daß ich auch Ihnen, Teurer, Herrlicher, trübe Stunden machen muß.«

Am späten Nachmittag wurde die Nachricht von der Verschiebung der Uraufführung bekanntgegeben, und sofort gingen wilde Gerüchte durch die Stadt: die einen sagten, Wagners abscheuliche Musik hätte Malwine Schnorrs Stimme ruiniert, die andern, Bülow, dem man die »Schweinehunde« noch nicht verziehen hatte, wage es nicht, sich im Theater zu zeigen, weil er eine Demonstration der Studenten oder gar ein Attentat befürchte. Wegen der »Schweinehunde« konnte man sich tatsächlich nicht beruhigen; Josephine von Kaulbach schildert die damals herrschende Stimmung in einem Brief:

Seit der Lola-Geschichte waren die Münchner nicht mehr so in Wut: sie drohten, sich an dem kleinen Männchen zu rächen, wenn er im Theater bei der ersten Aufführung des ›Tristan‹ am Dirigentenpult erschiene; sie wollten ihn auf alle mögliche Weise insultieren. Doch das Geschick hatte es besser mit ihm vor: es ließ ihm Frau Schnorr krank werden.

Die Feinde Wagners und Bülows weideten sich an dem Pech der beiden Männer, und ein Teil der Münchner Presse ergriff freudig die Gelegenheit, den Unglücklichen auch noch Tritte zu versetzen.

Es dauerte lange, bis Malwine Schnorr genas; erst am 6. Juni konnte das Künstlerpaar nach München zurückkehren, und vier Tage später fand endlich die Uraufführung von ›Tristan und Isolde‹ statt. Der elsässische Schriftsteller Edouard Schuré, der damals in München studierte, schildert das Erscheinen des Königs: »Der so heiß ersehnte Tag brach an. Das Haus war überfüllt. Der zwanzigjährige König erschien allein, bürgerlich gekleidet, in der mit Vergoldungen überladenen großen Königsloge ... In diesem Augenblick erstrahlte er in einer geradezu wunderbaren Schönheit ... Seine ganze Gestalt atmete eine ruhige Erhebung und die reinste Begeisterung. Rauschende Fanfaren, wiederholte Hochrufe begrüßten ihn; aber die Augen in seinen Traum versenkt, schien er die ihm zujubelnde Menge gar nicht zu sehen.«

König Ludwig I. war nach München gekommen, um die Oper zu hören, auch Herzog Max in Bayern und Prinz Leopold, Ludwigs Vetter, waren zugegen; aber der König zog es vor, allein zu bleiben: er befürchtete, banale Konversation könnte seine weihevolle Stimmung verderben. Nach jedem Akt zischten einige Leute, aber die meisten Zuhörer klatschten Beifall; und als Wagner nach dem letzten Vorhang in schwarzem Rock und weißen Beinkleidern zwischen Tristan und Isolde, denen er so viel verdankte, auf der Bühne erschien, war sein Triumph nicht mehr zu bezweifeln: die unaufführbare Oper war doch aufgeführt worden!

Obwohl es elf Uhr geworden war, konnte der König den denkwürdigen Tag nicht zu Ende gehen lassen, ohne ein kurzes Wort der Dankbarkeit an den Freund zu richten. In der Residenz setzte er sich an den Schreibtisch:

Einziger! – Heiliger! –

Wie wonnevoll! – Vollkommen. So angegriffen von Entzücken! … Ertrinken … versinken – unbewußt – höchste Lust.

Göttliches Werk!

Drei Tage später fand die zweite Aufführung statt, der Ludwig wiederum beiwohnte; der dritten blieb er fern, weil er dieses erhabene Erlebnis nicht mit seinem recht banalen Onkel teilen mochte, dem König Otto von Griechenland, der gerade nach München gekommen war. Dann begaben sich die Schnorrs, für die weder Ludwig, Wagner noch Bülow Worte finden konnten, um ihre Dankbarkeit und Bewunderung auszudrücken, zur Erholung nach Tegernsee. Schnorr hatte sich nicht recht wohl gefühlt und sich über die Zugluft aus den Kulissen beklagt; dennoch kehrte er nach München zurück und trat noch mehrmals auf, ehe sein Urlaub von Dresden, dessen Verlängerung Ludwig erwirkt hatte, ablief. Am 1. Juli wurde der ›Tristan‹ abermals aufgeführt, und diese Vorstellung machte dem König so tiefen Eindruck, daß er auf der Rückfahrt nach Schloß Berg plötzlich die Notbremse seines Sonderzugs zog, im dunklen Wald umherwanderte, um seine überreizten Nerven zu beruhigen, und dann die Reise auf der Lokomotive fortsetzte. Schnorr sang auch den Erik im ›Fliegenden Holländer‹, und am 12. Juli wurde in der Residenz ein privates Wagner-Konzert veranstaltet, bei dem er ›Siegmunds Liebeslied‹, Siegfrieds ›Schwert-‹ und ›Schmiedelied‹ und Partien des Stolzing sang; danach kehrte er mit Malwine nach Dresden zurück.

Vier Tage später sollte Schnorr in Dresden in ›Don Giovanni‹ auftreten, und bei der Probe tags zuvor war er gut bei Stimme; am folgenden Morgen aber erkrankte er schwer an Kniegelenkrheumatismus, und am 21. Juli starb er. Seine letzten Worte lauteten: »Leb wohl, Siegfried! Tröste meinen Richard!« Als Wagner ein Telegramm erhielt, in dem stand, Schnorr sei tot, telegraphierte er zurück: »Welcher Schnorr?« Der Sänger hatte in Dresden viele Verwandte, und es dünkte ihm unbegreiflich, daß sein Tristan, der das dreißigste Lebensjahr noch nicht vollendet hatte, gestorben sein könnte.

Wagners Entlassung

Schon vor der Uraufführung von ›Tristan und Isolde‹ erkannten Pfistermeister und von der Pfordten, daß der König und der Komponist durch die
Verwirklichung von Ludwigs langgehegtem Traum näher zusammenge-
führt wurden als vor der Verstimmung, und das war ihrer Ansicht nach
höchst gefährlich.

Am 28. Mai 1865 schrieb ›Pfo‹ an ›Pfi‹, seines Erachtens müsse der König
Bülow entlassen, und wenn man die Verträge zwischen Ludwig und Wagner auch zu achten hätte, so müßte doch den persönlichen Beziehungen
zwischen den beiden ein Ende gemacht werden, damit der Ruf Seiner Majestät in der Heimat und im Ausland keinen Schaden litte. ›Pfi‹ unterbreitete
diese Forderung dem König, der zur Antwort gab, er habe nichts dagegen,
wenn Bülow Bayerns Hauptstadt nach den ›Tristan‹-Aufführungen für eine
Weile verließe, hingegen beabsichtige er, Wagner hier zu behalten. Er verlangte die öffentliche Bekanntmachung, daß er Wagner in den vergangenen
vier Monaten nur einmal zur Audienz vorgelassen habe.

Als von der Pfordten dies durch Pfistermeister erfuhr, bemerkte er, es
erinnere ihn an das alte französische Sprichwort: ›Qui s'excuse, s'accuse‹;
wieso sollten die beiden denn nicht zusammentreffen, wenn Wagner der
Gunst des Königs würdig wäre? Aber war er es? – darum ging die Frage.
Es scheint jedoch, daß sich der König selbst anders besann und beschloß,
die Bekanntmachung zu unterlassen.

Ludwig wußte übrigens recht gut, daß ihn seine Freundschaft mit Wagner unbeliebt machte. Darum beriet er sich mit ›Pfi‹ und ›Pfo‹, die ihrerseits
den Freiherrn Sigmund von Pfeufer, den Polizeidirektor von München, um
Rat angingen. Pfeufer sagte, er sei nicht grundlos beunruhigt, und nannte
drei Hauptgründe für Wagners und Bülows Unbeliebtheit, die sich natürlich auch auf die Popularität des Königs nachteilig auswirkte. An erster
Stelle standen die Kritiker, die Wagner und Bülow mißtrauten, weil sie Ausländer waren, Wagner dazu noch Protestant: das fand er selbst lächerlich.
Dann kamen diejenigen, die sich darüber aufregten, daß der König für seinen Schützling so viel Geld ausgebe: bisher aber hatte er es allerdings aus
der eigenen Tasche genommen. Pfeufer fuhr fort, mit der dritten Gruppe
verhalte es sich jedoch anders – das waren jene, die nachzählten, wie viele
Stunden und Tage der König in der Abgeschiedenheit verbrachte, und sagten: Unser König bleibt fast ganz für sich, kaum jemals kommt er mit Beamten, Militärs oder Gelehrten zusammen. Und daran ist allein Wagner
schuld, der den König dazu gebracht hat, sich bloß in seiner Gesellschaft
wohl zu fühlen, stundenlang mit ihm in Verbindung zu sein – wenn nicht

mündlich, so wenigstens brieflich –, einzig und allein seine Dichtung und seine Musik zu achten und allem übrigen auf der Welt kein Interesse zu bezeigen. Dieser Standpunkt, der in allen Kreisen vertreten würde, beim Adel wie beim Bürgertum, habe die größte Bedeutung.

Kurzum, wenn der König nur bewogen werden könnte, aus seinem Schneckenhaus hervorzukommen und sich seinen Pflichten zu widmen, das heißt, mit anderen Fürstlichkeiten zusammenzutreffen und Gesandte in Audienz zu empfangen – das hatte er immer mehr vernachlässigt – und sich dem Volk häufiger zu zeigen, dann könnte er sich in den wohlverdienten Mußestunden ruhig seinem Freunde widmen, ohne daß Anstoß daran genommen würde.

Wahrscheinlich wurde Pfeufers Rat dem König in abgeschwächter Form übermittelt; aber auch so war es ein Rat, den Ludwig nicht zu befolgen vermochte. Er wollte weg von allem, wollte mit dem geliebten Wagner in seinen geliebten Bergen allein sein. Er entwich aus München, wann immer er konnte, und am 21. Juni schrieb er dem Freund, den er nicht mitzunehmen wagte:

Diesen Brief schreibe ich auf einem Berge, in hoher Alpengegend, entrückt dem Getreibe der Menschenmenge. – Immer und ewig denke ich an Sie, immer schwebt mir Ihr Bild vor dem geistigen Auge. – Sie allein sind die Quelle meiner Seligkeit . . . Längst sank die Tagesleuchte hinab, verschwand hinter den hohen Bergesketten; Friede herrscht in den tiefen Tälern, das Geläute der Herdenglocken, der Gesang eines Hirten drang hinauf zu meiner wonnigen Einsamkeit . . . Wie verlangt, wie dürstet meine Seele nach jenen Werken, die Ihr Geist uns noch erschaffe! – Jeder Vogelsang im Walde mahnt mich an unsren furchtlosen Helden, den selig frohen Siegfried!

Obwohl Wagner sich immer noch bemühte, sich aus der Politik herauszuhalten, wurde er oft dazu benutzt, seinen sattsam bekannten Einfluß auf den König geltend zu machen, und von verschiedenen Seiten bot man ihm sogar Bestechungsgelder an. Das tat auch Max Fürst von Thurn und Taxis – der Vater von Ludwigs Flügeladjutanten Paul von Taxis –, der seinem Sohn gern ein kleines Territorium in Rheinland-Westfalen verschafft hätte. Und manch ein bayerischer Politiker befürchtete, die Stunde könnte kommen, wo seine Stellung vielleicht von einem guten Wort oder einem günstigen Bericht seitens des Komponisten abhing. Besonders Pfistermeister trieb immer noch das Doppelspiel, mit dem er Wagner eine Zeitlang täuschte; während er nach außen hin die ›Tristan‹-Aufführung befürwortete – aus Dankbarkeit, weil sich Wagner nicht in die Taxis-Affäre gemischt hatte –, schrieb er in seinem Tagebuch vom »verfluchten Tristan« und wünschte alle Musiker in die Hölle.

Dann aber bewirkte die allmähliche Erkenntnis, welche Unsummen der Bau des Semperschen Festspieltheaters und die Gründung der Musikschule verschlingen würden, daß die Politiker schließlich zu der Überzeugung gelangten, es gebe nur eine einzige Lösung ihrer Probleme: Wagner mußte gehen. Als sie nach und nach ihre Karten auf den Tisch legten, sah sich Wagner dazu getrieben, seinen Einfluß beim König geltend zu machen, um sich gegen ihre Intrigen und Angriffe zu wehren. Er begriff, daß der spießbürgerliche Pfistermeister, den Ludwig von seinem Vater übernommen hatte, all seinen früheren Sympathiekundgebungen zum Trotz nicht der richtige Verbindungsmann zwischen ihm und Ludwig war; deshalb schlug er dem König vor, einen ›Generalintendanten der Zivilliste‹ zu ernennen, der auf künstlerischem Gebiet Pfistermeisters Pflichten übernehmen sollte. Dieser Mann sollte dem Theater und dem Orchester vorstehen, die Hofkasse kontrollieren und sowohl das neue Theater als auch die Musikschule finanzieren. Als Chef der Generalintendanz wurde der spätere Oberstzeremonienmeister Graf Moy in Aussicht genommen; aber aus irgendeinem Grunde – vielleicht weil die Presse unglückseligerweise etwas durchsickern ließ – zerschlug sich der Plan.

Auch jetzt hätte Wagner über seine Feinde die Oberhand behalten können, wären nicht seine alten Gläubiger gewesen, die sich nicht mehr mit leeren Versprechungen abspeisen ließen, und sein unersättlicher Appetit nach immer mehr Luxus, der ihn dazu trieb, an die Freigebigkeit des Königs und die Kabinettskasse immer mehr Forderungen zu stellen, die schließlich jedes Maß überstiegen. In einem Brief vom 30. Juli an den König deutete er zum erstenmal seine Absichten an. Nach langer Aufzählung seiner Schwierigkeiten und Nöte schrieb er:

Ich befinde mich daher, wie ich dem Freunde dies offen mitteilte, in der Notwendigkeit, selbst eine gründlichere und namentlich unabhängigere Ausstattung meiner eignen Lebensverhältnisse hier mir erbitten zu müssen, wenn ich würdig, frei und sorgenlos meinem König zur Seite stehen soll.

Er hatte gerade erst mit gespieltem Widerstreben eine Equipage und eine Summe von zwölfhundert Gulden für ihre Haltung angenommen, aber das war natürlich nur die Spitze des Eisbergs, dessen wahrer Umfang in einem förmlichen Schriftstück enthüllt wurde, das einem langen Brief an den König beilag. In diesem Brief versicherte er Ludwig am 8. August, er könne »alles durchführen, wenn es mir möglich gemacht wird: – mehr als die Nibelungen, alles!«, und er fuhr fort:

Ich habe mir die Bedingungen für mein irdisches Wirken nun erwogen. Werden sie mir verwehrt, so ist mir der Wille versagt. Begehren, an sich, für mich – kann ich nichts mehr. – Fällt es Ihnen schwer, so versagen Sie mir: mir ist dies Schicksal. Vielleicht ist es daher nicht so schwer. Doch nochmals: ich – begehre nichts! – dies ist ohne die mindeste Bitterkeit gesagt: weich, ernst und ruhig.

Der König hatte Wagner seine Jagdhütte auf dem Hochkopf, in der Nähe des Walchensees, zur Verfügung gestellt, um seine Erholung nach der Anspannung der ›Tristan‹-Aufführung und dem Schock über Schnorrs Tod zu fördern, und so schloß der Komponist seinen Brief in leichterem und beschwingterem Ton:

Und nun, trotz Wetter und Wind in die Berge! Der Koffer wird gepackt: der treue Diener [Franz] und der alte gute Hund [Pohl] begleiten mich. Ein altes indisches Epos, ›Ramayana‹, geht mit: Siegfried in mannigfacher Gestalt, soll auf Bergeshöhen neu aufatmen.

In Worten, die nicht besser gewählt werden könnten, und mit der Ironie, für die er berühmt war, hat Ernest Newman Wagners erneute Forderungen geschildert: »Wieder einmal bemerken wir also, daß er stoisch eine Abweisung von höchster Stelle erwartete. Ohne die mindeste Bitterkeit, weich, ernst und ruhig begehrte dieser leidgeprüfte Mann gar nichts – nur abermals zweihunderttausend Gulden bayrischen Geldes!«

Von dieser ungeheuren Summe sollten ihm vierzigtausend Gulden sofort in bar ausgehändigt werden, weil er – was er allerdings nicht zugab – ein paar kleine Schulden tilgen wollte, die er vergessen hatte; die übrigen hundertsechzigtausend Gulden sollten so angelegt werden, daß er vierteljährlich zweitausend Gulden Zinsen beziehen konnte. Das Haus in der Brienner Straße wünschte er auf Lebenszeit zur mietfreien Verfügung und er hoffte, daß er, wenn er strengste Sparsamkeit übte, auskommen würde. Zweifellos wollte er sich durch einen gesetzlich bindenden Vertrag gegen alle Eventualitäten, wie etwa gegen den Tod oder die Abdankung des Königs, wirtschaftlich absichern.

Während sich Ludwig mit diesem neuen Ultimatum beschäftigte, mit dieser »wirklich letzten irdischen Forderung«, war der verwöhnte Wagner weit davon entfernt, das rauhe Leben in der königlichen Jagdhütte lange zu genießen; er war hoch erfreut, als er zwölf Tage später nach München zurückkehren konnte. Hier hatte Cosima in ihrer Eigenschaft als Wagners Sekretärin von Pfistermeister einen Brief erhalten des Inhalts, daß der König vieles von dem, was Wagner erhofft, bewilligt hatte; allerdings sollte er nicht hundertsechzigtausend Gulden Kapital erhalten, sondern die Zinsen dieser Summe, nämlich jährlich achttausend Gulden. Was die vierzigtausend Gulden betraf, so hatte Pfistermeister seinen Brief so verklausuliert abgefaßt, daß sich unmöglich mit Sicherheit festellen ließ, ob Wagner nun uneingeschränkt über das Kapital verfügen konnte. Natürlich nahm er an, er könnte es; zu gegebener Zeit stellte sich heraus, daß der König, welche

Ritterschlag durch Ludwig II. in der alten Hofkapelle der Residenz

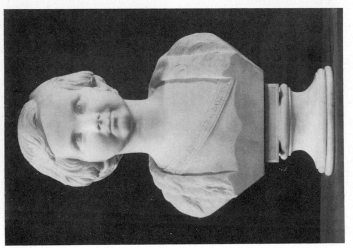

2 *Büsten Ludwig II.*

Ludwig II. zu Pferd mit seinem Generalstab. Gemälde von L. Behringer, 1865

Absicht er auch ursprünglich gehabt haben mochte, ihm nur das Verfügungsrecht über die Zinsen zugestanden hatte.

Am 10. Oktober teilte Pfistermeister Cosima mit, daß der König das Haus an der Brienner Straße Wagner zum Geschenk mache (statt weiterer zweitausend Gulden jährlich zusätzlich neben dem Jahresbezug von achttausend Gulden), aber nicht gestatte, daß die vierzigtausend Gulden zur Tilgung alter Schulden verwendet würden; mit andern Worten, er hatte nicht die Absicht, Wagners Schulden weiter zu bezahlen. Wagner, ohnehin schon in sehr neurotischem Zustand, wurde wütend, als er dies erfuhr.

Wir wollen uns versagen, die weiteren Ereignisse dieses Oktobers im einzelnen zu verfolgen. Da Pfistermeister seine Pflichten als »Sprachrohr« – so nannte er es – zwischen dem König und dem Komponisten unerträglich fand, ersuchte er um Entbindung davon; der König willigte ein und übertrug das undankbare Amt dem zweiten Kabinettssekretär, Johann Freiherrn von Lutz. Am 18. Oktober änderte Ludwig gegen den starken Protest Pfistermeisters und Lutzens plötzlich und unerklärlicherweise seine Ansicht und teilte Wagner mit, er könne die vierzigtausend Gulden verwenden, wie er wolle. Das Jahr war noch nicht zu Ende gegangen, da hatte Wagner bereits die Hälfte des Geldes ausgegeben.

Zu den bekanntesten Wagner-Anekdoten gehört die Geschichte, daß die vierzigtausend Gulden von der Kabinettskasse in klingender Münze ausbezahlt und die Geldsäcke geflissentlich unter militärischer Bedeckung in der Brienner Straße abgeliefert wurden, um die Öffentlichkeit gegen den Komponisten aufzuhetzen. Tatsächlich scheint es sich folgendermaßen abgespielt zu haben. Nach Wagners Darstellung begab sich Cosima zur Kabinettskasse, um das Geld abzuholen, und erhielt hier den Bescheid, man habe nur die Hälfte der Summe in Papiergeld, den Rest müsse sie in barem harten Geld mitnehmen. Sofort bestellte sie zwei Droschken und half selbst, die schweren Säcke hineinzuhieven. Cosima aber berichtete dem König, zu ihrem »unaussprechlichen Erstaunen« habe sie die ganze Summe in Hartgeld annehmen müssen. Es läßt sich unmöglich feststellen, ob die Kabinettskasse aus Böswilligkeit so gehandelt hat.

Ludwig wußte von seiner zunehmenden Unbeliebtheit in gewissen Kreisen, einer Unbeliebtheit, die er unnötigerweise durch Unterlassungssünden förderte. So hatte er sich die Sympathie des Heeres verscherzt, als er trotz dringender Einladung der Generalität zu den Herbstmanövern nicht erschienen war. »Wenn der König acht bis zehn Stunden in Nacht und Nebel reiten kann, ohne seine Gesundheit zu gefährden«, heißt es in einem Ge-

Nächtliche Schlittenfahrt Ludwig II. von Neuschwanstein über den Schützensteig nach Linderhof. Gemälde von R. Wenig, um 1880 heimbericht der Münchner Polizeidirektion vom 22. September 1865, »kann S. Majestät auch einige Tage seiner Armee widmen.« Als der Sarg seines Vaters in die Theatinerkirche überführt worden war, hatte Ludwig unentschuldigt gefehlt. Unter dem Vorwand, an rheumatischen Schmerzen zu leiden, hatte er eine Einladung seines Großvaters, Ludwig I., zu einer Familientafel abgelehnt – er haßte derartige Zusammenkünfte von jeher –, aber am selben Abend (es war am 18. Oktober, dem Tage, an dem Wagner seine vierzigtausend Gulden erhalten hatte) einer Vorstellung von Schillers ›Wilhelm Tell‹ im Hoftheater beigewohnt, in der ein schöner junger Schauspieler namens Emil Rohde als Melchthal aufgetreten war. Der erzürnte Ludwig I. sah Ungemach voraus: »Sehr traurig, die Verirrung meines Enkels«, soll er gesagt haben, »aber es wird nicht lange dauern, dem wird die Population schon ein Ende machen.«

Am Tage nach der ›Tell‹-Aufführung beschloß Ludwig unvermittelt, für vierzehn Tage in die Schweiz zu reisen. Sein Aufenthaltsort wurde sogar vor Wagner geheimgehalten, der ihn in Tirol wähnte. Zuerst hatte er die Absicht gehabt, Rohde mitzunehmen, aber klugerweise dann davon abgesehen. Zweifellos trieb die Spannung in München den König aus der Stadt, und Schiller hatte bewirkt, daß er lieber nach Luzern ging als nach Hohenschwangau. Er reiste inkognito, nur mit sehr kleiner Begleitung, und stieg im Schweizer Hof ab, wo ihm die einzigen drei freien Zimmer im vierten Stock zugewiesen wurden. Als man erfuhr, wer er war, und ihm die Fürstenzimmer einräumen wollte, lehnte er lächelnd ab. Später siedelte er ins ländliche Gasthaus ›Rößli‹ in Brunnen über, von wo er die verschiedenen Stätten der Tellsage besuchte – Tellsplatte, Stauffacher-Kapelle und Rütli, wo am 7. November 1307 dreiunddreißig Männer die Tyrannei zu stürzen geschworen hatten.

Nach der Rückkehr nach Bayern erhielt der König einen Bericht der ›Schwyzer Zeitung‹, in dem geschildert wurde, wie er, »ein fremder Tourist … ein ganz junger Mann von hoher, schlanker und edler Gestalt«, das Städtchen mit regem Eifer besichtigt habe. Er antwortete der Redaktion, er grüße seine »lieben Freunde aus den Urkantonen, für welche ich schon als Kind eine Vorliebe hatte. Die Erinnerung an meinen Besuch der herrlichen Innerschweiz und das biedere, freie Volk, welches Gott segnen wolle, wird mir immer teuer sein«.

Am 11. November ging Wagner nach Hohenschwangau, wohin er vom König für eine Woche eingeladen worden war; zum erstenmal weilten die beiden Männer unter einem Dach. Es waren sonderbare, mild-sonnige Tage, wie sie Oberbayern manchmal auch mitten im Winter erlebt. Wolkenlos war auch das Glück des Beisammenseins. Sie verbrachten diese Woche in einer phantastisch traumhaften mittelalterlichen Scheinwelt. Von den vier Türmen des romantischen Schlosses bliesen allmorgendlich die Hoboisten eines Infanterieregiments, die eigens aus München geholt worden waren, Wagnersche Motive in den Alpenwind. Da Ludwig vormittags durch Regierungsgeschäfte in Anspruch genommen war und Wagner vorher nicht sprechen konnte, tauschten die Freunde kurze Briefe oder Gedichte aus. Liebesbriefe zwischen Mann und Frau hätten nicht zärtlicher sein können als die Morgengrüße, die zwischen dem zwanzigjährigen König und dem ältlichen Komponisten hin und her gingen. An seinem ersten Tage auf Hohenschwangau schrieb Wagner an Ludwig:

O mein herrlicher, himmlischer Freund!
  Welches Glück umfängt mich! Ein wundervoller Traum wird mir zur Wahrheit! Wo soll ich Worte finden, Ihnen den Zauber dieser Stunde zu nennen? – Da bin ich, in der Gralsburg, in Parzivals erhabenem Liebesschutze! . . . Ich bin in Ihren Engelsarmen! Wir sind uns nah . . .

Würde ein solcher Brief heute einem Scheidungsrichter vorgelegt, so gäbe es nur eine einzige Deutung – aber diese Deutung wäre im vorliegenden Falle ganz und gar falsch.

Pfistermeister, jetzt Wagners erklärter Gegner, hatte um Urlaub von Hohenschwangau ersucht, solange Wagner dort zu Gast war; er wurde durch Lutz vertreten, der den ersten Kabinettssekretär auf dem laufenden hielt und die Gelegenheit ergriff, Wagner zu bewegen, auch seine eigenen, Lutzens, Pläne zu fördern; doch er bemühte sich vergeblich. Auch Paul von Taxis, für den Ludwig nun schwärmte, weilte im Schloß und kam mit Ludwig und Wagner manchmal bei der Tafel zusammen. Als sich diese wonnevollen Tage ihrem Ende näherten, schenkte der König Wagner eine Uhr und andere Schmuckstücke; dazu schrieb er: »Wenn Sie den dunkelblauen Deckel der Uhr öffnen, werden Sie ein Bildchen [Lohengrin im Nachen] sehen; der ›Lohengrin‹ war es, der den ersten Keim der Begeisterung und glühenden Liebe zu Ihnen in mein Herz legte ... Ich lege Knöpfe mit Schwänen bei ...«

Am 21. November abends fand ein prachtvolles Feuerwerk statt; danach wurde die Ankunftsszene des Schwanenritters aus Wagners ›Lohengrin‹ auf dem Alpsee dargestellt. Ein großer künstlicher Schwan zog einen Nachen übers Wasser, in dem Prinz Paul von Thurn und Taxis als Lohengrin stand; Ritter, Schwan und Kahn waren überflutet von elektrischem Licht. Am folgenden Abend wurde dieses Schauspiel auf Befehl Seiner Majestät wiederholt. In späteren Jahren kostümierte sich Ludwig manchmal selbst als Lohengrin; nach seinem Tode fand man das Kostüm unter seinen Sachen.

Kein Wunder, daß in München die bösen Zungen nicht verstummten. Einige Tage später schrieb Ludwig an Frau von Leonrod, er habe gehört, daß immer noch die seltsamsten Gerüchte über seine Beziehung zu Wagner umgingen; und er bat sie, diesem Geschwätz nicht ihr Ohr zu leihen, die Leute müßten immer etwas zu reden haben, und sie übertrieben alles.

Ende August hatte Wagner auf Ludwigs Bitte hin im kurzen Zeitraum von drei Tagen einen ausführlichen Prosaentwurf für ›Parsifal‹ geschrieben. Die Reinschrift, an deren Rand der Komponist »Ist es so gut?« gekritzelt hatte, wurde dem König übermittelt, der sie als reinste und erhabenste Religion empfand. Zwei Wochen später begann Wagner seine ›Tagebuchaufzeichnungen‹; darin gab er dem König Einblick in seine Ansicht über verschiedene Dinge, auch politischer Art; die Aufzeichnungen waren als ein Handbuch des Wissens gedacht, das der König zu Hilfe nehmen konnte, wenn der Urheber nicht zur Verfügung stand. Ludwig hatte daran so große Freude, daß er sie für von der Pfordten und dessen Kollegen kopieren ließ, die darin nur einen weiteren Beweis erblicken konnten, daß Wagner die Absicht hegte, sich in zunehmendem Maße in politische Angelegenheiten einzumischen.

Peter Cornelius, einer der klügsten Freunde Wagners, erkannte erschrocken, welches Wagnis der Komponist da einging. Er schrieb am 15. November 1865 an seine Verlobte:

Worüber ich Dir bis jetzt nie gesprochen habe, ist, daß Wagner auch in politischer Beziehung zum König getreten . . . Der König soll ihn ersucht haben, ihm seine Meinung über die deutschen Angelegenheiten zu sagen, und Wagner hat ihm seitdem in regelmäßigen Briefen seine Anschauungen auseinandergesetzt. Als Bülow mir diese Mitteilungen zuerst machte, überlief mich ein Schauder – ich sah den Anfang des Endes darin.

Zu Wagners Verteidigung muß eingeräumt werden, daß er sich nur in die Politik einzumischen wünschte, wenn sich die Politiker seinen Plänen für die Förderung der Kultur in Bayern widersetzten oder zu widersetzen schienen; er begriff nicht, daß es für sie noch andere und sogar wichtigere Dinge gab als Musik und Kunst und daß sie trotz ihrem Widerstand gegen Wagner auf anderen Gebieten vielleicht doch etwas leisteten. Die Sache schien ihm ganz einfach: ›Pfi‹ und ›Pfo‹ waren ihm im Wege, darum mußte der König überredet werden, die beiden zu entlassen. Kurz nach seiner Abreise von Hohenschwangau schrieb er Ludwig in diesem Sinne.

Damit war der Komponist mit seinen Wünschen nicht am Ende: seiner Überzeugung nach wußte er auch den richtigen Mann für die Bildung eines neuen Kabinetts. Max von Neumayr, kein persönlicher Freund Wagners, war bis vor kurzem Minister des Innern gewesen, hatte es aber nach einem Aufruhr in der Stadt als seine Pflicht betrachtet, seinen Rücktritt zu erklären, womit der König einverstanden war. Wagner jedoch glaubte, ›Pfi‹ und ›Pfo‹ hätten den Staatsrat von Neumayr aus seinem Amt vertrieben, und jeder Feind der Feinde Wagners war Wagners Freund; darum empfahl er Ludwig, seinen Rat zu befolgen und von der Pfordten durch Neumayr zu ersetzen.

Ludwig aber hatte keine Lust, sich seinen Ministerpräsidenten von Wagner vorschreiben zu lassen, es heißt sogar, der König hätte jedesmal, wenn Wagner die Rede auf die Politik brachte, zur Decke emporgeblickt und leise vor sich hin gepfiffen. Ludwigs Antwort auf Wagners Brief ist außerordentlich vernünftig. Er hatte am 27. November schon mehrere Seiten in den üblichen Tönen des Entzückens geschrieben, als ihm Wagners Brief gebracht wurde, und er fuhr fort:

Soweit schrieb ich heute mittags; da erhielt ich Ihren Brief vom gestrigen . . .

Reiflich habe ich Ihren Rat erwogen; seien Sie fest überzeugt, mein Geliebter, was ich Ihnen jetzt antworte, stammt nicht etwa aus einem rasch auflodernden, oberflächlichen Gefühl . . . Ich hatte vollen Grund Neumayr zu entlassen und ihm das (eine Zeitlang) geschenkte Vertrauen und meine Königliche Gnade zu entziehen; wie inkonsequent wäre es von mir, denselben Mann, dem gegenüber ich (ich wiederhole es) *vollen Grund zur Unzufriedenheit* habe, mit der Neubildung eines Kabinettes zu beauftragen! Pfistermeister ist ein unbedeutender und geistloser Mensch, dies ist kein Zweifel; lange werde ich ihn nicht im Kabinette lassen, doch jetzt ihn und die übrigen Herren des Kabinettes zu entlassen, scheint mir nicht angezeigt; der Zeitpunkt ist noch nicht gekommen. – Ich erkläre dies mit Bestimmtheit; ich habe meine guten Gründe, glauben Sie mir! – Schändlich ist der Artikel geschrieben, den Sie mir sandten. O böse, verdorbene Welt! – Sie werden erstaunen, wenn ich Ihnen sage: der Artikel stammt nicht aus meinem Kabinett, so sehr auch der Schein dafür ist.

Der besagte Artikel war tags zuvor im ›Volksboten‹ erschienen, und zwar als Antwort auf einen anderen, den der ›Nürnberger Anzeiger‹ zwei Wochen vorher gebracht hatte. Der letztgenannte unter dem Titel ›Ein freies Wort an Bayerns König und sein Volk über das Kabinettssekretariat‹ lief Sturm gegen das »gänzlich unkonstitutionelle Institut des Kabinettssekretariats«, durch das der König »übel beraten« sei; aber es bestand kein Zweifel darüber, daß er auch ein persönlicher Angriff auf Pfistermeister und den Hofsekretär von Hofmann war – auf ›Mime‹ und ›Fafner‹, wie Ludwig und Wagner die beiden getauft hatten. Offensichtlich stammte der Artikel von Wagner oder war jedenfalls von ihm angeregt worden; denn im Wahnfried-Archiv befindet sich ein Entwurf in Cosimas Handschrift.

In der Antwort stand unter anderm: »Der ›Volksbote‹ will hiermit weder behaupten noch andeuten, daß jener Artikel von Herrn Wagner selber geschrieben worden, aber sicher liegt unter den Umständen die Vermutung sehr nahe, daß dieser demselben nicht fremd sei.« Pfistermeister und Hofmann sollten ausgebootet werden, damit eine gewisse Person die Kabinettskasse zu ihrem Vorteil besser ausbeuten könne. Dann wurde Wagner sogar beim Namen genannt. In weniger als einem Jahr habe er Bayern hundertneunzigtausend Gulden gekostet und erst kürzlich weitere vierzigtausend Gulden verlangt! Der Leser könne in bezug auf die wahren Zwecke des Artikelschreibers im ›Nürnberger Anzeiger‹ seine eigenen Schlüsse ziehen.

Wutentbrannt erwiderte Wagner mit einem pseudonymen Artikel in den

›Münchner Neuesten Nachrichten‹, der durch seine törichte Unmäßigkeit das Schicksal des Komponisten besiegelte. Heftig griff er darin gewisse Leute an, »die ich nicht zu nennen brauche, weil sie zur Zeit der Gegenstand einer allgemeinen verachtungsvollen Entrüstung in Bayern sind«. Überdies zog er immer wieder den Namen des Königs hinein, benutzte ihn ungehemmt, um den Lesern zu versichern, daß Ludwig »unerschütterliche Freundschaft« für den Komponisten empfinde, den er ja nach München gerufen habe. Zu dieser Unklugheit kam dann noch die Unehrlichkeit hinzu, indem er dem König beteuerte, er habe nie in irgendeiner Form hinter irgendeinem Zeitungsartikel gestanden.

Vier Tage später schrieb Ludwig vor der Rückkehr nach München von Hohenschwangau aus an Wagner: »Jener Artikel in den ›Neuesten Nachrichten‹ trug nicht wenig dazu bei, mir den Schluß des hiesigen Aufenthaltes zu verbittern. – Er ist ohne Zweifel von einem Ihrer Freunde geschrieben, der Ihnen mit demselben einen Dienst erweisen wollte; leider aber hat er Ihnen geschadet, statt genützt.« Ludwig muß sicher vermutet haben, daß Wagner selbst der Verfasser war.

Das Witzblatt ›Punsch‹, das seinen Lesern schon zahlreiche Karikaturen des Komponisten geboten hatte, brachte jetzt eine Parodie des berühmten ›Lola-Vaterunsers‹, über die ganz München lachte, das ›Morgengebet eines bescheidenen Mannes‹:

Lieber Gott! Laß mich gesund bleiben, erhalte mir mein Häuschen, mein Gärtchen und die nötigen Mittel und schicke mir dazu noch einige hunderttausend Gulden, wenn auch nicht auf einmal, sondern ich nehme sie auch in kleineren Raten. Lieber Gott, segne alle Menschen, besonders aber einige mit einer so riesigen Tenorstimme, daß ich sie für meine Zwecke brauchen kann. Ich bitte Dich, gib allen Schwachen Stärke, allen Traurigen Trost und allen Kranken Genesung. Nur zwei oder drei Personen, die ohnehin beim bayrischen Volk nicht die geringste Achtung genießen, wollest Du mit einem kleinen Schlag- oder anderen Anfalle heimsuchen, damit sie mir hier auf Erden nicht mehr im Wege stehen, sondern eingehn in ein ewiges Leben, Amen.

Aber trotz der Abneigung, die man dem Menschen Wagner entgegenbrachte, bewunderten die Münchner im großen und ganzen immer noch den Komponisten des ›Lohengrin‹, des ›Tannhäuser‹ und des ›Fliegenden Holländer‹; ›Tristan und Isolde‹ war noch nicht volkstümlich geworden. Am 1. Dezember, auf der Höhe des Zeitungssturmes, wurde Wagner laut Beifall geklatscht, als er einem Konzert beiwohnte, bei dem der Matrosenchor aus dem ›Fliegenden Holländer‹ erklang. Der Versuch einer Münchner Zeitung, eine öffentliche Sympathiekundgebung für Pfistermeister zu organisieren, fand wenig Unterstützung.

Die eigentliche Gefahr drohte Wagner nicht von der Münchner Bevölkerung, sondern von der Familie des Königs, vom Adel, von den Hofbeamten, den Politikern und dem Klerus, die nach Ludwigs Rückkehr alle den König bestürmten. Wagner ahnte noch immer nichts von der Gefahr, in der er schwebte; tatsächlich hatte er die Schlacht bereits verloren, obwohl es von der Pfordten vorbehalten blieb, dem König am 1. Dezember den Brief zu schreiben, der Wagners Schicksal schließlich besiegelte:

Euere Majestät stehen an einem verhängnisvollen Scheidewege und haben zu wählen zwischen der Liebe und Verehrung Ihres treuen Volkes und der ›Freundschaft‹ Richard Wagners. Dieser Mann, der es wagt zu behaupten, die in Treue erprobten Männer im Kgl. Kabinette genössen nicht die mindeste Achtung im bayerischen Volke, ist vielmehr seinerseits verachtet von allen Schichten des Volkes, in denen der Thron seine Stütze suchen muß und allein finden kann; verachtet nicht etwa wegen demokratischer Gesinnung, die ihm die Demokraten selbst absprechen, sondern wegen seiner Undankbarkeit und Verräterei an Gönnern und Freunden, wegen seiner übermütigen und liederlichen Schwelgerei und Verschwendung, wegen der Schamlosigkeit, mit der er die unverdiente Gnade Euerer Majestät ausbeutet.

Dies sei nicht nur die Ansicht des Adels und der Kirche, fuhr von der Pfordten fort, sondern auch der ehrbaren Mittelklasse und der Arbeiter, die ihr Brot im Schweiße ihres Angesichts verdienten, während anmaßende Ausländer in der Großzügigkeit des Königs schwelgten und, anstatt dafür Dankbarkeit zu bezeigen, das bayrische Volk und seine Art schmähten und herabsetzten.

Fünf Tage später kehrte Ludwig frühmorgens nach München zurück, wo er mit der Königinmutter, seinem Großonkel, dem Prinzen Karl, und dem Erzbischof von München sprach und die Berichte studierte, die sich mit der Stimmung des Volkes befaßten. Um zwei Uhr hatte er eine Unterredung mit dem treuen alten Leibarzt Dr. Gietl, der ihm wie alle andern sagte, er halte Wagners Einfluß für bedenklich und es sei zu befürchten, daß sich tiefe Schatten zwischen König und Volk legten. Als er sagte, Wagner könne auch in anderen Dingen auf Ludwig Einfluß gewinnen, antwortete der König: »Ja, Übergriffe hat er sich erlaubt. Fühlen Sie meinen Puls, so bin ich erschüttert.« Eine Stunde später faßte er den bitteren Entschluß, persönliche Gefühle der politischen Raison zu opfern: Wagner mußte gehen.

Am selben Abend ging Ludwig ins Theater, um die berühmte Tragödin Fanny Janauscheck als Iphigenie zu sehen. Die Zuschauer, die von der getroffenen Entscheidung noch nichts wußten, begrüßten ihn kalt, es wurde sogar gezischt. Inzwischen kam Lutz voller Freude dem königlichen Befehl nach und teilte Wagner mit, Ludwig habe den Wunsch geäußert, er möge Bayern auf sechs Monate verlassen. Wagners Reaktion verzeichnet Justizminister von Bomhard: »Wagner sank zusammen, dann schnellte er auf und ergoß sich in so wütendem Schimpfen auf Pfistermeister, den er den scheußlichsten Intriganten nannte, daß Lutz ihm sagte: ›Mäßigen Sie sich, ich bin als Beamter hier!‹« Tags darauf, am 8. Dezember, teilte Ludwig Staatsminister von der Pfordten mit, welchen Entschluß er gefaßt hatte, um »meinem teuren Volke zu zeigen, daß sein Vertrauen, seine Liebe mir über alles geht. – Sie werden ermessen, daß es mir nicht ganz leicht wurde; doch ich habe mich überwunden«. Am selben Tage schrieb er an Wagner:

Mein teurer Freund!

So leid es mir ist, muß ich Sie doch ersuchen, meinem Wunsche Folge zu leisten, den ich Ihnen gestern durch meinen Sekretär aussprechen ließ. – Glauben Sie mir – ich mußte so handeln. Meine Liebe zu Ihnen währt ewig; auch ich bitte Sie, bewahren Sie mir immer Ihre Freundschaft; mit gutem Gewissen darf ich sagen, ich bin ihrer würdig. – Getrennt – wer darf uns scheiden?

Ich weiß es, Sie fühlen mit mir, können vollkommen meinen tiefen Schmerz ermessen; ich konnte nicht anders, seien Sie davon überzeugt; zweifeln Sie nie an der Treue Ihres besten Freundes. – Es ist ja nicht für immer.

Bis in den Tod   Ihr treuer Ludwig

Wagner bat den König, seine Abreise so unbeachtet wie möglich zu lassen und bekanntzugeben, daß er gesundheitshalber in die Schweiz verreisen werde. Aber zweifellos ließen Pfistermeister und von der Pfordten es sich nicht entgehen, ihren Sieg auch auszuposaunen. Eine offizielle Zeitungsmeldung besagte bloß, Wagner werde Bayern »für einige Monate« verlassen; doch viele Leute werden der Augsburger ›Allgemeinen Zeitung‹ recht gegeben haben, als sie schrieb, dies bedeute soviel wie »für immer«.

In der Morgenfrühe des 10. Dezember 1865 reiste Wagner, nur begleitet von seinem Diener Franz und seinem alten Hunde Pohl, aus München ab. Peter Cornelius, einer der vier Getreuen, die ihn auf den Bahnhof begleitet haben, schildert den Abschied in seinem Tagebuch: »Morgens gingen wir nach fünf Uhr an den Bahnhof, wir erwarteten Wagner längere Zeit. Endlich kam der Wagen. Wagner sah gespenstisch aus; bleiche, verworrene Züge und das lange schlaffe Haar ganz grau schimmernd. Wir gingen mit hinaus an den Waggon. Wagner sprach noch angelegentlich mit Cosima, woraus Heinrich [Porges] besonders das Wort ›Schweigen‹ unterschied. Cosima war ganz gebrochen. – Als der Waggon hinter den Pfeilern verschwand, war es wie das Zerrinnen einer Vision.«

Der Bruderkrieg

Wagner verließ München in Zorn und Bitterkeit, fest entschlossen, nie mehr dorthin zurückzukehren; aber das sagte er vorerst dem König nicht, denn er wußte, daß Ludwig die Minuten bis zur Wiedervereinigung zählte.

In einem Brief vom 19. Januar 1866 sprach er sich jedoch offen aus: »Sie sollen nun nicht mehr leiden, wie ich nicht mehr leiden will: jetzt sollen Sie *handeln*, während ich *schaffe*. Deshalb, hören Sie wohl, Geliebter:

Ich kehre nicht mehr nach München zurück!

Sagen Sie dies den Elenden, die Sie betrügen und verraten; sagen Sie ihnen aber auch, daß Sie – *König von Bayern* sind und – *bleiben* werden!«

Trotzdem konnte Ludwig nicht glauben, daß sie nicht bald wieder vereint sein würden. Wenn Wagner nicht nach München kam, dann wollte er zu Wagner gehen. In seiner Verzweiflung schrieb er an Cosima von Bülow: »Lange halte ich es nicht aus, von Ihm getrennt zu sein, dies sage ich Ihnen; ich leide fürchterlich!... Dies ist keine vorübergehende, jugendliche Schwärmerei ... Doch nun, da ich mich sehne, in einigen Monden Ihn wieder bei mir zu sehen, nun soll es unmöglich gemacht werden, das ertrag ich nicht; zu Ihm will ich, wenn ich Ihm im fernen Lande etwas sein kann (o, ich bitte, teilen Sie mir es mit!), ja zu Ihm, oder – sterben! – Ja – sterben.«

Im Februar erbot sich Wagner, nach München zurückzukehren, aber unter bestimmten Bedingungen; unter anderem stellte er die unmögliche Forderung, sofort bayerischer Staatsangehöriger zu werden. Die Minister des Königs lehnten dieses Ansinnen einmütig ab. Wenn Wagner die Einbürgerung erhielte, dann würde es einen Regierungssturz geben; und die internationale Lage war dazu angetan – der Krieg mit Preußen konnte jeden Augenblick ausbrechen –, daß Bayerns Unabhängigkeit durch eine politische Krise in Gefahr geraten würde. So erkannte Ludwig allmählich die niederschmetternde Wahrheit: Wagner konnte nicht nach München zurückkehren; ebenso unmöglich war es ihm selbst, zu Wagner zu gehen, es sei denn, er dankte ab – und Wagner hatte klipp und klar gesagt, was er erwarte: der König solle auf seinem Posten bleiben und regieren.

Nachdem Wagner in Frankreich und in der Schweiz ein Haus gesucht hatte, wo sich in Frieden arbeiten ließ, mietete er die Villa ›Les Artichauts‹ bei Genf. Bald stellte sich jedoch heraus, daß sie keineswegs ideal war; darum zog er im März nach Tribschen bei Luzern, wo er die folgenden sechs Jahre verbringen sollte – Jahre, die zu den glücklichsten und fruchtbarsten seines Lebens zählten. Bald arbeitete er wieder an den ›Meistersingern‹, die achtzehn Monate später beendet wurden. Außerdem vollendete er in Triebschen ›Siegfried‹, komponierte die ›Götterdämmerung‹ und das ›Siegfried-Idyll‹ und schrieb einige seiner bedeutendsten Bücher über Musik – darunter die Festschrift ›Beethoven‹ – sowie die Selbstbiographie ›Mein Leben‹, die er kapitelweise in Cosimas Abschrift dem König sandte. Da seine Frau Minna, von der er seit fast vier Jahren getrennt lebte, im Januar starb, war eines der beiden Hindernisse, seine Beziehung zu Cosima zu legalisieren, beseitigt, und Cosima kam bald darauf zu ihm nach Tribschen.

Im März schrieb Wagner dem Publizisten Konstantin Frantz einen Brief, in dem er eine Charakterisierung des Königs, so wie er ihn sah, gab und sowohl seine Fähigkeiten als auch die Probleme schilderte, die Ludwig noch zu lösen hatte:

Ich halte fortgesetzt den jugendlichen König Ludwig für ganz ungemein befähigt, wovon schon der erste Anblick seiner höchst bedeutenden Physiognomie Sie überzeugen würde. Wie sich Regenteneigenschaften bei ihm entwickeln werden, ist nun allerdings die große Frage. Einer unbegreiflich sinnlosen Erziehung ist es gelungen, in dem Jünglinge einen tiefgehenden, bis jetzt noch ganz unüberwindlich sich zeigenden Widerwillen gegen ernstliche Beschäftigung mit Staatsinteressen zu erwecken, welche er, verachtungsvoll gegen alle hierbei Beteiligten, ganz nur nach der vorgefundenen Routine durch die vorgefundenen Beamten, wie mit Ekel, abtun läßt. Seine Familie, der ganze Hof ist ihm widerwärtig, das Armee- und Soldatenwesen verhaßt, der Adel lächerlich, die Volksmasse verächtlich; über Pfaffenwesen ist er klar und vorurteilslos, in betreff der Religion ist er ernst und inbrünstig. Es gibt einen einzigen Weg, zur Erregung seiner sympathischen Seelenkräfte zu gelangen, und dies bin ich, meine Werke, meine Kunst, in denen er die eigentliche wirkliche Welt ersieht, während alles übrige ihm wesenloser Unsinn dünkt. Die Berührung mit diesem Einen Elemente erweckt in ihm die überraschendsten, wahrhaft wunderbaren Fähigkeiten; er sieht und fühlt darin mit bestaunenswerter Sicherheit und offenbart für die Erreichung meiner ferntragendsten Kunstzwecke einen Willen, welcher für jetzt die ganze Wesenheit des Menschen ausmacht . . . Seine so liebenswürdige, ja so vielversprechende Unkenntnis des realen Lebens muß, wie Sie wohl leicht denken können, den königlichen Jüngling in Konflikte verwickeln, die, unter drängenden Umständen, ihn zu offener Bezeigung von Schwäche treiben. Da man ihm nur durch Beziehung auf mich beikommen kann, hat man selbst meine Entfernung von ihm nur durch die Vorspiegelung der gefahrvollsten Lage, in welche seine Liebe mich bringen sollte, durchsetzen können. Endlich durfte meinerseits nichts unterlassen bleiben, um ihn auf den Ernst seiner königlichen Pflichten hinzuweisen: auch zu Erfolgen auf diesem Wege gab es nur ein Mittel, seine Liebe zu mir in das Spiel zu bringen . . . Mir bleibt nun noch übrig zu erfahren, wie weit sein reiner Weltverstand sich schärfen und erkräftigen wird. Über seine Beamten, Minister usw. habe ich ihm schonungslos meine Meinung eröffnet; er nimmt alles hin, verhofft und verspricht, der Gegner und Feinde Herr zu werden, scheint mir aber noch in keiner Weise zu dem Punkte ernstlichen Nachdenkens über meine Mitteilungen, somit zur Bildung eines wahren Urteils über die offenbar jetzt ihn beherrschenden Menschen und Dinge gelangt zu sein.

Zum Schluß beklagt sich Wagner natürlich, daß der König nicht den Mut habe, seinem Rate gemäß zu handeln und ›Pfi‹ und ›Pfo‹ zu entlassen. Darin sah Wagner nichts anderes als Schwäche; in Wirklichkeit aber beweist es Ludwigs kluge Erkenntnis, daß ein solcher Schritt zu diesem Zeitpunkt für Bayern eine Katastrophe bedeutet hätte.

Im Jahre 1864, als Preußen und Österreich gemeinsam Dänemark angriffen, hatte Bismarck gesagt, er betrachte es in diesem Augenblick als richtig, mit Österreich vereint zu handeln; wann die Zeit für eine Trennung kommen und wer sie wünschen werde, bleibe abzuwarten. Jetzt aber, im Frühjahr 1866, beschloß er gegen den Wunsch des Königs von Preußen, den Bruch mit Österreich herbeizuführen.

Diese preußische Politik der Aggression gefährdete Bayerns Unabhängigkeit. Obwohl politische Angelegenheiten Ludwig langweilten, war er gut unterrichtet, und er sorgte sich sehr um Fortbestand und Unabhängigkeit seines Landes. Deswegen berief er den französischen Gesandten zu sich, um mit ihm die Möglichkeit eines Bündnisses mit Frankreich zu erörtern. Napoleon III. war nur zu gern bereit, aber aus dem Plan wurde nichts, weil Ludwig erkannte, daß er dann nur die 1814 an Bayern zurückgefallene Rheinpfalz wieder an Frankreich verlieren würde. Mit Bezug darauf äußert sich Fürst Bismarck zufrieden: »Ich habe jederzeit von ihm den Eindruck eines geschäftlich klaren Regenten von national deutscher Gesinnung gehabt.«

Obwohl Ludwig selbst ein guter Reiter, körperlich gewandt und voll ritterlicher Ideale war, zeigte er sich ganz und gar unmilitärisch und haßte alles, was mit modernem Kriegswesen zu tun hatte. Die Kaiserin Elisabeth sah ihn einmal in voller Uniform, doch trug er dabei den Helm unter dem linken Arm und hielt in der rechten Hand einen Regenschirm; als sie lachte, erklärte er ärgerlich: »Ich werde mir doch meine Frisur nicht verderben.« Seine Offiziere nannte er gern »geschorene Igelköpfe«. Als er in den Gängen der Residenz einen Gardisten, der ihm übermüdet zu sein schien, Wache stehen sah, ließ er für den Mann ein Sofa aufstellen. Es gibt ein Ölbild des Königs, das ihn bei der Manöverbesichtigung im Herbst 1865 zeigt. Da sitzt er als höchst eleganter junger Mann in bester Reiterhaltung zu Pferd; aber man kann deutlich erkennen, daß er unter diesen Generälen, die ihn mit unverhohlener Mißbilligung betrachten, nicht in seinem Element ist. Einer von ihnen tat denn auch seine Ansicht kund, der König müsse sich die Haare schneiden lassen.

Es ist interessant, daß Ludwig trotz seiner tiefen Abneigung gegen den Krieg einmal die Hoffnung ausdrückte, es möge eines Tages eine Mordwaffe erfunden werden, die in wenigen Minuten ganze Regimenter niedermähen und so die Qual abkürzen würde. Als Rußland den Vorschlag machte, die von Pertinet erfundenen Explosivgeschosse auf Grund einer internationalen Abmachung zu verbieten, soll Ludwig II. gesagt haben, cui bono?, wenn Schlachten maschinell ausgefochten werden müßten, wäre es am besten, einander das Schlimmste anzutun, bis alle das Gemetzel satt hätten und zu der Zeit zurückkehrten, wo die Völker ihre Meinungsverschiedenheiten im Einzelkampf bereinigt hätten. Was würde er wohl zur Atombombe sagen?

Selbstverständlich wünschte Ludwig in den Spannungen des Frühjahrs 1866 die Neutralität seines Landes. Aber selbst in dieser kritischen Zeit konnte er der sich rasch zuspitzenden internationalen Lage nur gelegentliches aktives Interesse entgegenbringen; immer wieder suchte er Zuflucht in der Traumwelt, die für ihn Wirklichkeit geworden war. Der österreichische Gesandte, Graf Blome, meldete im März der Wiener Regierung: »Der junge König führt sein indolentes Leben fort und sieht im Grunde nur den Pianisten Bülow. Er sagt: ›Ich will keinen Krieg!‹ und bekümmert sich des weiteren nicht um die Sache.« Aber war Neutralität überhaupt noch möglich? Preußen hatte sich kürzlich das Herzogtum Lauenburg angeeignet und seine Politik der Aggression war nur allzu offensichtlich. Ludwig sah ebenso klar wie irgendeiner seiner Minister, daß auch Bayern an die Reihe kommen würde; den Fürsten Hohenlohe, der ihm versichern wollte, Preußen erstrebe jetzt nur die Suprematie in Norddeutschland, unterbrach er mit den Worten: »Jetzt, aber später werden sie auch noch mehr verlangen.«

Wenn Bayern gezwungen würde, Partei zu ergreifen, dann begünstigte Ludwig ein Bündnis mit Österreich. Seine Minister teilten ihm mit, auf jeden Fall müsse die Armee bereit sein; aber vorerst konnte er sich nicht dazu entschließen, die Mobilmachung anzuordnen. Am 9. Mai verkündete er, lieber würde er zu Gunsten seines Bruders Otto abdanken; doch schon am nächsten Tage gab er dem Druck nach und erteilte den Befehl. Dann zog er sich nach Schloß Berg zurück, mit der Entschuldigung, er wäre München nahe genug, wenn eine plötzliche Entscheidung getroffen werden müßte. In normalen Zeiten mochte das zutreffen, jetzt aber ging es nicht an. Überdies wußte man allgemein, daß Ludwig oft stundenlang verschwand, wenn er sich in Berg aufhielt, und falls er dann nicht auf der Roseninsel war, ahnte kein Mensch, wo man ihn suchen sollte. Pfeufer, der Münchner Polizeidirektor, berichtete Pfistermeister, in der Stadt herrsche große Unzufriedenheit.

Am 15. Mai begab sich Pfistermeister nach Berg, wo er den König in höchst erregtem Zustand antraf. Er schrieb sofort dem Leibarzt Dr. Gietl: »S. M. der König war heute mittags so aufgeregt, daß Er ganz elend aussah und mir Aufträge an Sie erteilte, die ich gar nicht in die Feder nehmen kann. Er sprach von Abdanken unter dem Vorgeben, daß er geistig nicht ganz gesund sei, um dann in die Schweiz gehen und dort leben zu können.«

Am selben Tage schickte Ludwig ein langes Telegramm an Wagner und bat um Anleitung:

Stets sich steigernde Sehnsucht nach dem Teuern. Immer mehr verfinstert sich der Horizont . . . Ich bitte den Freund um baldige Antwort auf folgende Fragen: Wenn es des Teuren Wunsch und Wille ist, so verzichte ich mit Freuden auf die Krone und den öden Glanz, komme zu ihm, um nimmer mich von ihm zu trennen . . . Nochmals muß ich es sagen: länger getrennt und allein zu sein, kann ich nicht ertragen. Vereint aber und bei ihm, dem irdischen Dasein entrückt, ist das einzige Mittel, mich vor Verzweiflung und Tod zu bewahren.

Wagner ermahnte ihn dringend, keinen übereilten Entschluß zu fassen; ein König ohne Thron und somit ohne Einkommen paßte ihm ganz und gar nicht ins Konzept, außerdem hatte er immer noch mit dem Problem Cosima zu tun. Aber wenn Ludwigs Entschluß, abzudanken, auch im Herbst noch unerschütterlich sei, dann wolle er, Wagner, keinen Versuch machen, ihn davon abzuhalten; viel konnte ja in den nächsten fünf bis sechs Monaten geschehen, und der Komponist wünschte Zeit zu gewinnen. Von der Pfordten und Pfistermeister waren ebensowenig erpicht auf einen Thronwechsel, der in diesem Augenblick für das Land noch katastrophaler gewesen wäre als ein Regierungswechsel.

Ludwig aber sehnte sich immer verzweifelter nach einem Wiedersehen mit dem Freund, dem er am 21. April geschrieben hatte: »Ich liebe kein Weib, keine Eltern, keinen Bruder, keine Verwandten, niemanden innig und von Herzen, aber Sie!« Er konnte die Trennung von seinem Idol nicht länger ertragen, und als Wagner es ablehnte, nach Berg zu kommen, beschloß Ludwig, nach Tribschen zu reisen und Wagners Geburtstag am 22. Mai dort mitzufeiern.

Zufällig war die Landtagseröffnung auf den 22. Mai festgesetzt worden. Wagner bat den König, alle Gedanken an eine Reise nach Tribschen aufzugeben und die erwartete Thronrede zu halten; belehrend fügte er hinzu, er hoffe auch, daß sich der König den Sommer über so viel wie möglich seinem Volke zeigen werde. Aber Ludwigs Entschluß war gefaßt. Der »treue Friedrich«, wie er seinen geliebten jungen Flügeladjutanten Paul von Thurn und Taxis nannte, wurde heimlich nach Tribschen entsandt, und am Morgen des 22. Mai ritt Ludwig wie gewöhnlich mit seinem Reitknecht Völk aus dem Schloß, eilte in gestrecktem Galopp hinüber nach Bießenhofen bei Kaufbeuren, wo er den Zug bestieg und mittags in Tribschen eintraf.

Von Ludwigs Wiedersehensfreude gibt es kein Zeugnis. Jetzt traf er zum erstenmal mit Cosima zusammen, die nach außen hin als Sekretärin des Komponisten fungierte und mit ihren Kindern unter demselben Dach wie er lebte; Bülow war noch nicht da. Die gemeinsame Verehrung für Wagner führte Ludwig und Cosima anfangs zusammen, und anscheinend war der

König so arglos, daß er nicht spürte, welcher Art die Bindung zwischen Cosima und Wagner war. Später aber schrieb Ludwig über die »Freundin«, sie klinge ihm nicht aufrichtig – »Kuhglocken sind mir lieber «.

Zwei Tage danach war Ludwig wieder in Berg, wie stets in gehobener Stimmung durch das wenn auch kurze Zusammensein mit Wagner und entschlossen, den Rat des Freundes zu befolgen und die Königsrolle weiterzuspielen. Dann fuhren Ludwig I. und sein Bruder Karl nach Berg hinüber, um ihn auf gleiche Weise zu ›belehren‹ und ihn zu beschwören, bei der Landtagseröffnung, die auf den 27. Mai verschoben worden war, die Thronrede zu halten. Das tat er denn auch, doch sie wurde schlecht aufgenommen, und die Hoffnung des Landtags, daß der König seine Truppen persönlich in die Schlacht führen werde, kann nur Ausdruck eines Wunschtraums gewesen sein. Am selben Nachmittag telegraphierte er nach Tribschen: »Empfang eiskalt! Presse schändlich!«

Chlodwig Fürst zu Hohenlohe-Schillingsfürst, der bald bayrischer Staatsminister werden sollte, vermerkt in seinem Tagebuch: »Der König hat sich unter den Münchner Bürgern durch seine Reise nach der Schweiz sehr geschadet. Man soll ihm öffentlich auf der Straße Schimpfworte nachgerufen haben; bei der Fahrt nach der Kirche am Eröffnungstag des Landtags ist er vom Publikum nicht behurrat worden, und man hat ihn kaum gegrüßt.« Doch wenn der König auch unbeliebt war, so sahen alle die bösen Geister doch in Wagner und Cosima, die vom ›Neuen Bayerischen Kurier‹ als »habgierige, eigennützige und gebrandmarkte Abenteurer« angeprangert wurden. Aber außer dem Freund und der ›Freundin‹ verstand niemand die tiefe seelische Tragödie von Ludwigs Leben.

Immer bösartiger wurden die Angriffe der Presse gegen den Haushalt in Tribschen. Am 31. Mai schrieb der ›Volksbote für den Bürger und Landmann‹: »Noch ist's lange kein Jahr, seit die bekannte ›Madame Hans de Bülow‹ für ihren ›Freund‹ (oder was?) in den berühmten zwei Fiakern die 40.000 Gulden aus der k. Kabinettskasse abholte; aber was sind 40.000 Gulden?!... Einstweilen befindet sich selbige ›Madame Hans‹... bei ihrem ›Freunde‹ (oder was?) in Luzern und war auch während des hohen Besuchs dort.« Das war eine direkte Herausforderung für Bülow, der wütend der Redaktion schrieb, eine Entschuldigung oder ein Duell forderte und dann schleunigst in die Schweiz fuhr, um sich mit seiner Frau und Wagner zu beraten.

Das Ergebnis seines Besuchs war eine verachtungswürdige Intrige: Ludwig sollte überredet werden, ein von Wagner aufgesetztes Dementi zu unterzeichnen, aus dem hervorging, daß an der Anspielung, Cosima sei Wagners Geliebte, kein wahres Wort sei. Cosima wandte sich sogar selbst an den König und beschwor ihn, sie habe drei Kinder und es sei ihre Pflicht, ihnen den ehrenhaften Namen ihres Vaters unbefleckt weiterzugeben. Von

Cosima Wagner. Gemälde von
Franz von Lenbach

diesen drei Kindern war das eine, wie man sich erinnern wird, Wagners Tochter; ein viertes, auch von Wagner, war unterwegs. Das war die unehrenhafteste Handlungsweise ihres Lebens; selbst Wagner sank niemals tiefer.

Ludwigs Vertrauen zu Wagner war immer noch grenzenlos; er unterschrieb den Brief und Bülow veröffentlichte ihn.

Am 8. Juni verpflichtete sich Bayern, Österreich und seinen Verbündeten beizustehen, wenn sie von Preußen angegriffen würden, und da sich Ludwig weigerte, seine Truppen persönlich anzuführen, wurde das Kommando seinem Großonkel Karl übergeben, einem Veteranen von über siebzig Jahren. Eine Woche später brach der Krieg aus.

Und wo war Ludwig an diesem verhängnisvollen Tage? Eine Tagebuch-Eintragung des Fürsten Hohenlohe vom 16. Juni gibt uns die Antwort: »Der König sieht jetzt niemand. Er wohnt mit Taxis und dem Reitknecht Völk auf der Roseninsel und läßt Feuerwerke abbrennen. Auch die Reichsräte, welche ihm die Adresse [des Landtags] überbringen wollten, sind nicht empfangen worden. Ein Fall, der im konstitutionellen Leben Bayerns unerhört ist.« Julius Fröbel, der sich zu dieser Zeit in Bayern aufhielt, schrieb später in seiner Autobiographie: »In München erzählte man sich, von der Pfordten, welcher nach Schloß Berg gefahren, um den König in dringenden Staatsangelegenheiten zu sprechen, sei nicht vorgelassen worden, und die Dienerschaft habe sogar die Meldung verweigert; eigenmächtig aber eingedrungedrungen, habe der Minister den König und den Prinzen Taxis, als Barbarossa und Lohengrin kostümiert, in einem dunklen Saal bei künstlichem Mondschein getroffen.« Frances Gerard entwirft in ihrem Buch ›The Romance of King Ludwig II‹ ein etwas farbigeres, wenn auch weniger authentisches Bild dieser Episode: »Aber man hört nicht gern davon, wie er sich mit aprikosenfarbenen und kanariengelben Trikots verkleidete und in den Wäldern von Hohenschwangau als Tristan agierte, während seine Truppen fürs Vaterland kämpften. In diesem Kostüm traf ihn von der Pfordten, als er von München kam, an...«

»Die eigentlichen Münchener räsonieren wieder recht«, fährt Hohenlohe fort. »Andre Leute kümmern sich nicht um die Kindereien des Königs, da er ja die Minister mit den Kammern ganz ungestört regieren läßt. Es ist aber sein Benehmen unklug, weil es dazu Gelegenheit bietet, ihn verhaßt zu machen.« Mochte sich Ludwig auch nicht mehr in Staatsgeschäfte mischen, so darf man doch nicht vergessen, daß er die Arbeit der Minister durch seine Unzugänglichkeit sehr erschwerte.

Am 26. Juni raffte sich Ludwig widerwillig dazu auf, den vernünftigen Rat aus Tribschen zu befolgen und seine Soldaten zu besuchen. Paul von Thurn und Taxis, der ihn begleitete, berichtete Wagner vom triumphalen Erfolg dieser Reise. Ludwig war unermüdlich; an einem Tag verbrachte er zwanzig Stunden im Sattel. Die Uniform stand dem unsoldatischen König gut. Die Wirkung, die von dem jugendlichen König ausging, zeigt die von dem Schriftsteller Georg Fuchs überlieferte Erzählung seines Großvaters, eines hessischen Verbindungsoffiziers: »Er war so schön, so überirdisch schön, daß mir geradezu der Herzschlag stockte; so hingerissen war ich, daß mich ein Angstgefühl beschlich: dieser göttliche Jüngling war zu schön für diese Welt! Ich fragte den bayrischen Kameraden, der mein Tischnachbar und, wie alle bayrischen Herren, beim Eintritt der herrlichen Gestalt aufgestanden war, flüsternd: ›Wer ist das?‹–›Unser junger König‹, antwortete er.«

Fuchs' Großvater war achtzig Jahre alt, als er dies erzählte, und zweifellos hatten sich seine Erinnerungen im Lauf der Zeit vergoldet; aber Tatsache bleibt, daß Ludwig als junger Mann sowohl auf Frauen wie auf Männer mit seiner schönen Erscheinung tiefen Eindruck machte. Sogar seine hastige Abschiedsrede, die er – vor der Rückreise zu seinem Günstling auf die Roseninsel – im Bamberger Hauptquartier hielt, wurde wohlwollend aufgenommen; sie schloß mit den Worten: »Ich nehme nicht Abschied von euch. Meine Gedanken bleiben bei euch.«

Ludwig freute sich über den ganz unerwarteten Erfolg seines Besuchs bei der Armee; anscheinend murrten nur noch die Leute auf den Straßen Münchens gegen ihn. Doch als er wieder auf der Roseninsel war, wollte er vom Krieg nichts mehr hören. Paul Taxis war bei ihm. Es gab kurze Stunden des Glücks, unterbrochen von den kleinen Unstimmigkeiten Liebender, worauf Versöhnungsbriefchen folgten, die Paul Taxis mit »Mein geliebtester Engel« oder »Teuerster Ludwig« einleitete.

Prinz Karl, der Oberkommandierende, schrieb ärgerlich seinem Bruder, König Ludwig I., er habe einen Adjutanten mit wichtigen Aufträgen zum König geschickt; doch »stellte er demselben nicht eine Frage bezüglich der Armee«, und mit hellsichtigem Wort schloß der Alte: »Du wirst es erleben, daß es mit einer erzwungenen Abdankung enden wird.«

Mittlerweile verlief der Krieg noch ärger, als Hohenlohe befürchtete. »Die bayerische Armee ist in keinem genügenden Zustand«, hatte er am 16. Juni in seinem Tagebuch vermerkt. »Der Prinz Karl als Oberbefehlshaber ist zu alt. Ich glaube nicht, daß wir große Lorbeeren ernten werden.« Der Großherzog von Hessen, der sich auf der Seite der Bayern hätte schlagen sollen, ließ sich von den Preußen so sehr einschüchtern, daß er beschloß, statt dessen lieber Frankfurt zu verteidigen; die Sachsen ergaben sich, und der Kurfürst von Hessen wurde gefangengenommen; König Georg von Hannover, der erklärt hatte, als Christ, Monarch und Welfe werde er Preußen widerstehen, wurde vollständig geschlagen. Die entscheidende Schlacht dieses Preußisch-Deutschen Krieges, wie er genannt werden sollte, fand am 3. Juli bei Königgrätz statt, wo Moltke die Österreicher schlug. In München entstand Panik, und man traf Vorbereitungen, die Stadt zu evakuieren. Das erwies sich jedoch als überflüssig: eine Woche später wurden die Bayern – die sogar nach Aussage ihrer Gegner »wie Löwen kämpften« – durch den preußischen General von Falckenstein bei Kissingen aufgerieben und legten kurz darauf die Waffen nieder.

In diesen letzten düsteren Kriegstagen muß Ludwig wohl an die Worte gedacht haben, mit denen der ›Wahn-Monolog‹ des Hans Sachs in den ›Meistersingern von Nürnberg‹ beginnt, der Oper, an der Wagner gerade jetzt im friedlichen Triebschen arbeitete: »Wahn! Wahn! Überall Wahn!« Vergeblich durchforscht Hans Sachs alte Chroniken, um dahinterzukommen, warum die Menschen immerfort blutige Fehden führen müssen.

Wagner fand tiefe Befriedigung in der schöpferischen Arbeit und im Zusammenleben mit Cosima; Ludwig aber war nicht glücklich, obwohl er Paul bei sich hatte. Am 21. Juli schrieb er Cosima einen Brief, in dem er seinem betrübten Herzen Luft machte und seinen Entschluß wiederholte, abzudanken und zu den Freunden nach Tribschen zu gehen. Der Brief beginnt mit der wenig überzeugend klingenden Versicherung, er sei nicht etwa verzweifelt; ebensowenig entspringe sein Vorschlag einem vorübergehenden Anfall von Schwermut.

Kronprinz Friedrich Wilhelm von Preußen, nachmals Kaiser Friedrich III.

Teure Freundin!

Erschrecken Sie nicht, inständig bitte ich Sie darum, über den Inhalt meines Briefes. Ich schreibe ihn nicht in verzweiflungsvoller, trauernder Stimmung, wie Sie vielleicht glauben könnten, o nein, ich bin ernst und doch wieder heiter dabei . . .

Nun drängt es mich, Ihnen zu sagen, daß es mir *ganz unmöglich* ist, länger von Ihm, der mein Alles ist, getrennt sein zu müssen. Ich halte dies nicht aus. – Das Schicksal hat Uns für Einander bestimmt, nur für Ihn bin ich auf Erden; täglich sehe u. fühle ich dies klarer. Bei mir kann Er nun nicht sein; o liebe Freundin, ich versichere Sie, man versteht mich nicht *hier* und wird mich nie verstehen; mir schwindet alle Hoffnung . . . So kann es nicht fortgehen; nein! nein! denn ohne Ihn schwindet meine Lebenskraft dahin . . . Wir müssen für immer vereinigt sein; die Welt versteht Uns nicht; was geht sie Uns auch an; teuerste Freundin, ich bitte Sie, bereiten Sie den Geliebten auf meinen Entschluß vor, die Krone niederzulegen; Er möge barmherzig sein, nicht von mir verlangen, diese Höllenqualen länger zu ertragen; meine *wahre, göttliche* Bestimmung ist diese: bei Ihm zu bleiben als treuer, liebender Freund, nie Ihn zu verlassen . . . Dann kann ich mehr als jetzt als König, dann sind Wir mächtig, leben und wirken für kommende Geschlechter.

Mein Bruder ist volljährig, Ihm übertrage ich die Regierung; ich komme mit dem treuen Friedrich, bleibe dort, wohin es mich zieht, wohin ich gehöre . . . Ich beschwöre Sie, schreiben Sie mir *recht bald*, teilen Sie mir die Wonnekunde mit, daß der Einzige, der Angebetete einsieht, daß es höhere Kronen, erhabenere Reiche gibt als diese irdischen, unseligen! daß Er einverstanden ist mit meinem Plane, daß Er die Macht meiner Liebe zu Ihm versteht . . . o Freundin, dann werde ich erst leben; befreien Sie mich von dieser Scheinexistenz . . . Nennen Sie mein Vorhaben nicht überspannt, nicht abenteuerlich: bei Gott, es ist es nicht; auch werden dereinst die Menschen die Macht dieser Liebe und Vorherbestimmung begreifen lernen . . .

Nicht die schwierigen politischen Verhältnisse treiben mich zu diesem Entschlusse, daß wäre Feigheit – aber der Gedanke, daß meine wahre Bestimmung nie auf diesem Wege zu erreichen ist, das läßt mich den besprochenen Schritt tun; hier u. unter diesen Verhältnissen kann ich Ihm, dem Teuren, nichts sein; das sehe ich klar ein; dort ist mein Platz, dorthin zu Ihm, an Seine Seite ruft mich das Schicksal!

Zuerst antwortete Cosima und dann Wagner auf diesen rührenden Herzensschrei mit beschwichtigenden Worten und mit der dringenden Bitte, nichts Übereiltes zu tun. Der Komponist, geistig ganz von seinen ›Meistersingern‹ in Anspruch genommen, schlug Nürnberg als geeigneten Ort vor, der das feindlich gesinnte München als künstlerische, vielleicht auch als politische Hauptstadt Bayerns ersetzen könnte; im nahen Bayreuth würde der König endlich seine Lieblingsresidenz gewinnen. Am 26. Juli telegraphierte Ludwig nach Tribschen: «Wunderbar gestärkt, fühle Heldenmut in mir, will ertragen.«

Nun kamen Bismarcks Friedensbedingungen. Preußen hatte mit seinem Sieg Österreichs Macht vernichtet und war der beherrschende deutsche Staat geworden. Das hätte das Ende von Bayerns Unabhängigkeit werden können, jedenfalls das Ende von Ludwigs Regierung. Aber Bismarck, der von jeher für Ludwig eine Schwäche gehabt und dessen Klugheit bei der Kapitulation der bayrischen Armee bewundert hatte, meinte, daß Bayern ihm eines Tages vielleicht doch nützlich sein könnte; darum behandelte er den jungen König wie einen unartigen Schulbuben, der zwar eine Strafe verdiente, jedoch nicht von der Schule gejagt werden sollte. Bayern mußte einige Landesteile abtreten – nicht allzuviele – und die verhältnismäßig kleine Summe von dreißig Millionen Gulden Kriegsentschädigung bezahlen; aber unauffällig schlich sich in den Friedensvertrag eine Geheimklausel über gegenseitige Hilfe ein, deren Bedeutung damals noch nicht erfaßt wurde.

Tatsächlich schien es dem König von Bayern, daß sich Onkel Wilhelm – der König von Preußen war ein Vetter seiner Mutter – unter den gegebenen Umständen außerordentlich großzügig zeigte. Ludwig war zur Abdankung bereit gewesen, um mit Wagner in der Schweiz zu leben, aber Wagner hatte ihn an diesem schwerwiegenden Schritt gehindert. Hätte sich aber Preußen nun Bayern einverleibt, hätte Bayern aufgehört, ein souveräner Staat zu sein, dann hätte Ludwig seine Krone zweifellos Otto übergeben. »Ein Schattenkönig ohne Macht will ich nicht sein!« schrieb er an Wagner.

Aber Wilhelm stellte eine sehr unangenehme Forderung: er verlangte die Nürnberger Burg zu Eigentum. Am 29. August machte Ludwig seinem Onkel einen Vorschlag, den Wilhelm annahm: die ehrwürdige Burg gemeinschaftlich zu besitzen. »Wenn von den Zinnen der gemeinschaftlichen Ahnenburg die Banner von Hohenzollern und Wittelsbach vereinigt wehen«, schrieb er in diesem Brief, »möge darin ein Symbol erkannt werden, daß Preußen und

Bayern über Deutschlands Zukunft wachen, welche die Vorsehung durch E. K. M. in neue Bahnen gelenkt hat.«

Ermutigt durch den Erfolg seines Besuches im Hauptquartier von Bamberg zu Beginn des Krieges, beschloß Ludwig auf Anraten seiner Minister und mit Wagners Zustimmung, eine Reise nach dem vom Kriege heimgesuchten Franken zu unternehmen. Seine Untertanen hegten jetzt die Überzeugung, ›Pfi‹ und ›Pfo‹ wären die Verbrecher, die das Land in den Krieg geführt hatten, Prinz Karl der unfähige Oberkommandierende, der den Krieg verloren, und ihr König der Held, der ihnen einen so unerwartet günstigen Frieden errungen hatte; und sie wollten ihm gern einen möglichst freundlichen Empfang bereiten. Doch als sie ihn sahen, kannte ihre Begeisterung keine Grenzen; sein jugendlicher Liebreiz und seine romantische Schönheit nahmen sie vollständig gefangen. Nie war ein König, der noch kurz zuvor von Abdankung gesprochen hatte, so beliebt gewesen, und er reagierte lächelnd auf diese herzliche Wärme.

Am 10. November fuhr er unter dem Jubel der Menge im offenen Wagen durch die geschmückten Straßen von Bayreuth zum Schloß, wo er vom Söller aus den Bürgern dankte. In Bamberg war er Gast seines Großonkels Otto, des inzwischen vertriebenen Königs von Griechenland. Hier gab es Bankette, einen Ball im Haus ›Concordia‹ sowie einen Hofball, einen Fackelzug der Landwehr und eine Parade der Garnisontruppen, verschiedene Audienzen und einen Besuch bei den Verwundeten im Lazarett. In Bad Kissingen begab er sich im Schneesturm zu dem Schauplatz des letzten und hoffnungslosen Kampfes seiner tapferen Soldaten. Über Aschaffenburg gelangte er nach Würzburg, wo ihn der Anblick des Soldatenfriedhofs so sehr bewegte, daß er die für den Abend angesetzte Theatervorstellung absagte; nach leichter Unterhaltung war ihm nicht zumute.

Ausklang und zugleich Gipfelpunkt der Fahrt durch seine Lande war Nürnberg, und dorthin rief er seinen Bruder Otto zu einem Treffen. Die Stadt regte seine Phantasie so stark an, daß er tatsächlich überlegte, ob er Wagners Rat befolgen und sie zu seiner Residenz machen sollte, eine Möglichkeit, über die sich die Münchner Bürger entsetzten. Wieder glänzte er im Ballsaal, und eine Lokalzeitung schrieb, wohl noch nie habe sich ein Monarch in solch unterschiedlicher Gesellschaft so gut unterhalten; vier Stunden lang hätte er ununterbrochen mit Damen aller Altersstufen und Schichten getanzt und freimütig mit allen Herren geplaudert, die ihm vorgestellt wurden.

Es war Ludwigs erster Besuch in Nürnberg und er sollte sich als einziger erweisen; er blieb hier länger als in jeder anderen Stadt, schaute sich wie ein Tourist die Sehenswürdigkeiten an und besuchte eine Vorstellung des ›Troubadour‹. An Wagner schrieb er am 6. Dezember:

Es ist Abend, längst verklungen sind die rauschenden Festlichkeiten des Tages; es barg sich sein helleuchtender Schein, Sterne der Wonne erglühen! Ich sitze in meinem trauten, gotischen Zimmer in der hehren, altehrwürdigen Burg; mir ist fast zumute wie unsrem Meister Sachs am Morgen des Johannistages, nach dem Straßenlärm und Gewimmel der vergangenen Stunden. – In keiner Stadt fühle ich mich so heimisch wie hier. – Die Bevölkerung ist intelligent und durchaus edel, unterscheidet sich darin so vorteilhaft von dem Münchner Plebs! – Ich wallfahrte neulich zu Fuße zur Stelle, an der das Haus Unsres Sachs stand . . . O wie zieht es mich hier zu Ihnen, wie sehnt sich mein Freundesherz nach Stunden des Beisammenseins mit dem Teuersten auf Erden.

Er schrieb auch an Cosima und erwähnte, daß er Otto in Nürnberg getroffen hatte. Cosima nahm dies als Zeichen, daß die Brüder gut miteinander auskämen und drückte in einem Antwortschreiben ihre Freude darüber aus; aber diese Illusion wurde ihr bald genommen, denn im Januar 1867 eröffnete ihr Ludwig:

»Als wir neulich aus Nürnberg uns schriftlich unterhielten, meinten Sie, mein Bruder wäre für mich ein verstehender, teilnehmender Freund. O nein, geliebte Freundin, er ist ein ganz gewöhnlicher Mensch, ohne nur den geringsten Sinn für Hohes und Schönes. Er ist den ganzen Tag oft auf der Jagd, viel in Gesellschaft meiner flachen, geistlosen Vettern und des Abends viel im Aktientheater, wo er besonders für das Ballett schwärmt.«

Ehe das Jahr zu Ende war, machte es die zunehmende Unbeliebtheit von ›Pfi‹ und ›Pfo‹ dem König möglich, die beiden loszuwerden. Von der Pfordten wurde in eine Lage gebracht, in welcher ihm keine andere Wahl blieb, als zurückzutreten: Der König verlangte von ihm zu wissen, ob er irgendwelche persönliche Einwendungen dagegen habe, Wagner wieder nach München zu rufen. Der Staatsminister erkannte, daß das Spiel aus war; aber wenn er schon daran glauben mußte, so wollte er doch vorher noch seinem in vielen Monaten aufgestauten Zorn Luft machen: »Ich halte Richard Wagner für den schlechtesten Menschen unter der Sonne, der den jungen König an Leib und Seele verderben würde. Aus diesem Grunde kann ich nur bleiben, wenn Seine Majestät versprechen, ganz und gar von Wagner abzulassen.« Das war für Ludwig mehr als genug. Von der Pfordten fiel.

Natürlich freute sich Wagner, als er dies vernahm; für Bülow aber war der Sturz Pfistermeisters noch willkommener; seine Freude kannte keine Grenzen, als er erfuhr, daß »der König zum Segen für sich selbst eine der abscheulichsten Bestien seiner Umgebung fortgejagt hat«. Pfistermeisters Nachfolger war Neumayr, an von der Pfordtens Stelle trat Hohenlohe.

Schauspielerinnen und Sängerinnen

Eines Abends im Mai 1866, gerade als die politische Lage am kritischsten war und Ludwigs Sehnsucht nach Wagner ihn zu dem Besuch in Tribschen trieb, sah der König eine Vorstellung von Schillers ›Maria Stuart‹, in der die ungarische Schauspielerin Lila von Bulyowsky die Titelrolle spielte.

Die Königin Maria von Schottland hatte für Ludwig schon immer zu den großen Heldinnen gehört; unter den Göttinnen in seiner Walhalla lief ihr vielleicht nur Marie Antoinette den Rang ab. Lila war eine reizvolle achtundzwanzigjährige Brünette mit voller Altstimme, und wie sich Ludwig in den Komponisten des ›Lohengrin‹ und des ›Tannhäuser‹ verliebt hatte, so verliebte er sich jetzt in die Darstellerin der Maria Stuart. Diese merkwürdige Liebesgeschichte – wenn man sie so nennen kann – erzählt Gottfried von Böhm, der Lila von Bulyowsky persönlich kannte und von ihr alles aus erster Hand erfuhr, ausführlich in seiner Standardbiographie ›Ludwig II. König von Bayern‹.

Die Tatsache, daß der König anscheinend kein Interesse an Frauen hatte, gab in München schon Anlaß zu Gemunkel; darum wurde die Nachricht von dieser Beziehung, die nicht lange ein Geheimnis blieb, von allen Seiten beifällig aufgenommen: eine Bühnenkünstlerin als Mätresse zu haben war beste fürstliche Tradition. Man fand, diese empfindsame reife Frau sei genau das, was der schüchterne Jüngling brauchte, um seine Zurückhaltung zu überwinden und sich auf die Ehe mit einer geeigneten Prinzessin vorzubereiten. Ludwig beauftragte den Hofmaler Franz Heigel, zwei Porträts von ihr als Maria Stuart herzustellen, und aus der königlichen Feder ergossen sich Briefe »an die geliebte Freundin«, gespickt mit Zitaten aus Schillerschen Dramen oder Shakespeares ›Romeo und Julia‹, und gezeichnet mit ›Mortimer‹. ›Maria Stuart‹ wurde abermals angesetzt, und nach der Vorstellung ließ sich Ludwig die Allerheiligenhofkirche aufschließen, um für das Seelenheil der Schottenkönigin zu beten.

Es folgten Besuche der Schauspielerin auf der Roseninsel und mitternächtliche Spaziergänge durch den Park, auf denen eher Angelegenheiten des Theaters als des Herzens besprochen wurden. Lila war an sich liebenswürdig und gutmütig, doch nicht frei von berechnender Kleinlichkeit. Als sie einmal kurz nach einem Regenguß durch die Insel spazierten, sah Lila mit Schrecken, daß ihr langes Kleid und dessen Schleppe, die sie laut Etikette in Gegenwart des Königs nicht hochheben durfte, in Gefahr waren, be-

Lila von Bulyowsky als Maria Stuart

schmutzt zu werden. Dann pflückte Ludwig Blumen, die er ihr reichte, und nun sorgte sie sich um ihre Handschuhe. Böhm erzählt weiter:

Der König bemerkte es und sagte: »Geben Sie sie mir wieder; ich will sie Ihnen in anderer Form zurückerstatten.« – Kein Vorschlag konnte Frau v. Bulyowsky willkommener sein; sie träumte von Diamanten und Perlen. Frl. Sendelbeck war anwesend, als die Blumen »in anderer Form« ankamen. Sie waren einfach gepreßt und in Samt eingerahmt. Der Zorn der Künstlerin war groß. »Sehen Sie nur!« rief sie, »dieser Dreck! Und«, setzte sie empört hinzu, »kein Mensch hat mich gefragt, was mich die Fahrt gekostet hat.«

Das Verhältnis erreichte seinen Höhepunkt während eines dreitägigen Aufenthalts der Künstlerin auf Hohenschwangau. Nachdem der König ihr die Hauptsehenswürdigkeiten des Schlosses gezeigt hatte, führte er sie in sein Schlafgemach. Böhm berichtet:

Es war angeblich mit erotischen Gemälden geschmückt, über welche Frau v. Bulyowsky, die sonst nicht zimperlich war, sich entsetzte.* »Ich habe ein Präservativ dagegen«, sagte der König, indem er einem kleinen Altar ein Bild entnahm, das Lila v. Bulyowsky als Maria Stuart darstellte.

Beide ließen sich auf den Rand des Bettes nieder und begannen ›Egmont‹ zu rezitieren. Bei der Kußszene . . . wurde Lila spröde, und man trennte sich schließlich unverrichteter Sache.

Ich weiß nicht, war es damals, früher oder später, daß er ihr gestand, er habe nie ein Weib besessen und bedecke oft des Nachts ihrer gedenkend seinen Pfühl mit Küssen. Als nach diesem Geständnis sein Haupt halb ohnmächtig an ihren schwellenden Busen sank, legte sie es, statt aller Antwort, ruhig auf die Seite.

Nach dieser Episode befahl die Königinmutter die Schauspielerin zur Audienz, sagte ihr, solange sie, Lila, in München bleibe, werde der König niemals heiraten und ließ sich von Lila versprechen, den Kontrakt nicht zu erneuern, sondern die Stadt zu verlassen.

Lila war also – nach ihrer eigenen Schilderung der Vorfälle – keine Lola. Sie habe Abscheu vor dem Gedanken gehabt, einen jungen Mann zu verführen, sagte sie zu Böhm. Aber gesetzt den Fall, sie hätte anders gehandelt, gesetzt den Fall, sie hätte ihn doch verführt. Wenn Lilas Darstellung der Wahrheit entspricht, dann ist bewiesen, daß Ludwig eher bisexuell als rein homosexuell war, und es darf angenommen werden, daß seine Verlobung mit Sophie in Bayern – sie wird im nächsten Kapitel zur Sprache kommen – die Folge eines Erlebnisse war, das sich von dem des ›Verliebens‹ kaum unterscheiden läßt. Ist es nicht möglich, daß ihm durch Lila, wenn sie ihn verführt hätte, klar geworden wäre, daß ein solches Erlebnis gar nicht so schrecklich war, wie er befürchtet hatte? Hätte er dann die Prinzessin nicht vielleicht doch geheiratet und, auch wenn sie nicht glücklich geworden wäre, zur Zufriedenheit der Welt wenigstens den Schein bewahrt? Hätte Ludwig eine charakterstarke Frau gefunden, die imstande gewesen wäre, ihn zur Erledigung der Regierungsgeschäfte anzuhalten, dann hätte sich die Tragödie am Starnberger See wohl nicht ereignet.

Aber inwieweit stimmt die Geschichte, die Lila dem Biographen Böhm in späteren Jahren erzählt hat? Böhm neigt dazu, sie für bare Münze zu halten, obwohl er zugibt, daß auch ganz andere Darstellungen kursierten. Es hieß, Lila habe nach ihrem Besuch in Hohenschwangau den Ausspruch getan: »Er ist kalt wie ein Fisch«, und Ludwig behauptete darauf, sie hätte ihn durchs Schlafzimmer gejagt und ihn gezwungen, in einem Winkel Zuflucht zu suchen. War es nun eine Frau, der es widerstrebte, einen unschuldigen Jüngling zu verführen, oder ein unberührter junger Mann, der kein Verlangen hegte, verführt zu werden? Natürlich war es Lila lieber, wenn die Außenwelt den erstgenannten Fall annahm.

Die sonderbare Beziehung zwischen dem König und der Schauspielerin dauerte mit Unterbrechungen sechs Jahre; sie riß nicht einmal während der Verlobungszeit Ludwigs im Jahr 1867 ab. Immerhin gab es viele stürmische Szenen, die zum Teil zweifellos auf böswilligen Einflüsterungen neidischer Gemüter beruhten, und am 27. November 1867 schrieb Ludwig einem seiner Minister, »das unverschämt werdende Bulyowsky-Luder kann sich zum Teufel scheren«. Ihrem Versprechen gemäß und mit Ludwigs Einwilligung verließ Lila München nach Ablauf ihres Vertrags. Der König wünschte jedoch, daß sie München nur für kurze Zeit fernblieb, nicht für immer. Er erklärte sich bereit, sie wie früher zu behandeln, vorausgesetzt, sie vergäße den Respekt nicht, der einem König gebührte. Man solle sie bei guter Laune halten und beruhigen, denn Frauen, deren Liebe verschmäht würde, seien wie die Hyänen. Die Worte »verschmähte Liebe« sind zweifelsohne bedeutsam. Aber ein Jahr später sagte er, Frau von Bulyowsky sei eine Unglückliche und er wolle sie nie wiedersehen: sie sei für immer in Ungnade gefallen.

Zum letztenmal sah er sie im Jahr 1872. Beim Abschied schob er alle Unstimmigkeiten, die sich zwischen ihnen erhoben hatten, auf das Konto seiner Mutter, stampfte mit dem Fuß auf und sagte, nur »die dumme Gans« sei an allem schuld gewesen.

Zwar wurden mitunter auch andere Schauspielerinnen und Sängerinnen zur Privataudienz zum König gebeten, aber nur wenige konnten sich länger halten; allzu leicht verscherzte man sich seine Gunst und fiel in Ungnade.

Ort dieser Zusammenkünfte war meistens der Wintergarten, den sich der König nach der Mode des 19. Jahrhunderts auf dem Dach der Residenz hatte errichten lassen. Zweifellos war er durch das Palmenhaus auf der Pariser Weltausstellung 1867 dazu angeregt worden; doch wie einzigartig Ludwigs Dachgarten war, geht aus der Schilderung der Infantin Maria de la Paz hervor, der Frau seines Vetters Prinz Ludwig Ferdinand, die Ludwigs Gunst eine Zeitlang genossen zu haben scheint. Auch sie mußte die Hofetikette streng einhalten; einmal machte ihr Ludwig Vorwürfe, weil sie sich nicht tief genug vor ihm verbeugt hatte, worauf sie ihre Inkorrektheit mutig mit der Bemerkung entschuldigte, außer ihrem Vater und ihrem Bruder kenne sie kaum andere Majestäten. Die Infantin erzählt:

... Lächelnd hob der König den Vorhang zur Seite. Ich war verblüfft; denn ich sah einen riesigen, auf venezianische Art beleuchteten Garten mit Palmen, einem See, Brücken, Hütten und schloßartigen Bauwerken. »Geh«, sagte der König, und ich folgte ihm fasziniert, wie Dante Vergil ins Paradies. Ein Papagei schaukelte sich in einem goldenen Reif und schrie mir »Guten Abend« entgegen, während ein Pfau gravitätisch vorüberstolzierte. Wir gingen auf einer primitiven Holzbrücke über einen beleuchteten See und sahen zwischen Kastanienbäumen vor uns eine indische Stadt ... Wir kamen zu einem blauseidenen, mit Rosen überdeckten Zelt. Darin war ein Stuhl, von zwei geschnitzten Elefanten getragen, und davor lag ein Löwenfell. Der König führte uns weiter auf einem schmalen Pfade zum See, worin sich ein künstlicher Mond spiegelte, Blumen und Wasserpflanzen magisch beleuchtend ... Wir kamen dann zu einer indischen Hütte. Fächer und Waffen dieses Landes hingen von der Decke herab. Mechanisch blieb ich stehen, bis der König wieder zum Weitergehen mahnte. Plötzlich glaubte ich mich in die Alhambra verzaubert. Ein kleines maurisches Zimmer mit einem Brunnen in der Mitte, von Blumen umgeben, versetzte mich in meine Heimat. An den Wänden zwei prächtige Divane. In einem anschließenden runden Pavillon hinter einem maurischen Bogen war das Abendessen gerichtet. Der König wies mir den Mittelplatz an und klingelte leise mit einer Tischglocke ... Plötzlich war ein Regenbogen zu sehen. »Mein Gott«, rief ich unwillkürlich aus, »das ist doch ein Traum!« »Du wirst auch mein Schloß Chiemsee sehen«, sagte der König. Ich träumte also nicht ...

Nach dieser farbigen Beschreibung enttäuschen die Photographien des 1867 errichteten Wintergartens. Allerdings wurden sie natürlich bei grellem Tageslicht aufgenommen; die raffinierte künstliche Beleuchtung dürfte der Anlage nachts ein romantischeres Aussehen verliehen haben. Sonderbarerweise erwähnt die Infantin mit keinem Wort das Hauptmerkmal des Wintergartens: das große Gemälde des Himalaja, mit dem Christian Jank, der Bühnenmaler des Hoftheaters, die ganze Rückwand bedeckt hatte. Ebenso verschweigt sie, daß der Papagei das laute, nervöse Lachen des Königs nachzuahmen vermochte. So gut hatte er das gelernt, daß Diener oder Gärtner manchmal genarrt wurden und dachten, der König sei unerwartet gekommen.

Ludwig änderte immerzu etwas an seinem Wintergarten, erweiterte den Tierbestand und die Ausstattung. Laut Verfassung mußte er jährlich einundzwanzig Nächte in seiner Residenz verbringen, und während er sich hier aufhielt, bot ihm dieses künstliche Paradies die einzige Möglichkeit, in seine Traumwelt zu entrinnen. Im Februar 1871 befahl er dem Hofgärtner Effner, Bananen und Dattelpalmen zu beschaffen, die unerläßlich seien, und im selben Monat verlangte er ein Gazellenpaar und erließ den Befehl, sich nach einem jungen Elefanten zu erkundigen. Der Wintergarten wurde 1897 abgerissen.

Zu den Bühnenkünstlerinnen, die in den Wintergarten eingeladen wurden, gehörte die Sopranistin Josefine Scheffzky, die später bei der ersten vollständigen ›Ring‹-Vorstellung in Bayreuth die Sieglinde singen sollte. Sie bezauberte den König durch ihre Stimme, keineswegs durch ihr Aussehen; sie mußte ihre Leibesfülle immer hinter Laubengängen verbergen, doch auch die Nachtigall versteckt sich im Gebüsch, wenn sie singt. Die Scheffzky spielte ihre Karten schlecht aus; sie trug dem König Klatsch zu, schwärzte andere an und lieferte ihren Kollegen übertriebene Darstellungen von ihren Erlebnissen in der Residenz. Dann beging sie eine noch größere Torheit. Es war üblich, daß die Damen, die sich der Gunst des Königs erfreuten, ihm in Erwiderung der empfangenen Gaben kostspielige Geschenke machten und die Rechnung der Kabinettskasse präsentierten. Josefine Scheffzky schenkte dem König einen schönen Perserteppich und reichte eine fünfmal höhere Rechnung ein. Der Betrug wurde entdeckt. Ludwig ließ ihr vor dem gesamten Opernpersonal verkünden, daß sie fristlos entlassen sei und den Titel einer Kammersängerin nicht mehr tragen dürfe.

Irgendeine Sängerin, vielleicht die Scheffzky, soll ›zufällig‹ in den seichten künstlichen See im Wintergarten gefallen sein, im Vertrauen darauf, daß der König ihr hinaushelfen würde. Aber sie verkannte ihn; Ludwig läutete einfach nach einem Diener und gab Befehl, sie herauszufischen, abzutrocknen und nie mehr vor seinen Augen erscheinen zu lassen. Anton

Die Sängerin im künstlichen See des Wintergartens. Zeitgenössische Illustration

Sailer bringt einen zeitgenössischen Holzschnitt, wahrscheinlich aus einer Münchner Zeitung; darauf nimmt eine Dame in halbmetertiefem Wasser eine theatralische Haltung ein, der Monarch ist in Gedanken versunken, und im Hintergrund taucht der herbeigerufene Lakai auf.

Lilli Lehmann, eine scharfe Kritikerin, die Josefine Scheffzky noch kannte, schildert sie als große, dicke Frau mit kräftiger Stimme, als eine Sängerin, die weder über die Poesie noch die Intelligenz verfügte, um etwas auszudrücken, was sie tatsächlich keineswegs empfand, ganz zu schweigen von der mangelnden Technik.

Eine andere Sängerin, die den König eine Zeitlang bezauberte, war Mathilde Mallinger, die als erste die Partie der Eva sang und im Zeitalter der dicken und reizlosen Primadonnen durch ihre Schlankheit und Lieblichkeit hervorstach. Ludwig gab den Auftrag, von ihr eine Porträtbüste anzufertigen. Wohl am lohnendsten von all seinen Freundschaften mit Bühnenkünstlerinnen war seine Beziehung zu der Schauspielerin Marie Dahn-Hausmann, die er zum erstenmal noch als Kronprinz in der Rolle der Thekla in Schillers ›Wallenstein‹ sah. Ludwig I. hatte schon ihre Familie gekannt und manchen Abend in ihrer Gesellschaft verbracht. Sein Enkel fand Marie Dahn ungemein sympathisch und machte sie zu »seiner Frau von Stein«. Im Jahr 1875 lud er Marie Dahn, die inzwischen Großmutter geworden war, auf die Insel Herrenchiemsee ein, die er zwei Jahre zuvor erworben hatte, und in einem Brief, den er ihr ein Jahr später schrieb, eröffnete er ihr sein Herz: »Unsere Seelen sind, ich glaube es durchzufühlen, in einem Punkte, dem Hasse gegen das Niedrige, Unrechte, verwandt, und das freut mich.« Er hatte das Gefühl, mit ihr offen sprechen zu können, und um zwei Uhr nachts fügte er diesem Brief eine Nachschrift hinzu:

Sie schienen zu glauben, ich wäre überhaupt unglücklich. Dem ist nicht so. Im großen ganzen bin ich froh und zufrieden, nämlich auf dem Lande, im herrlichen Gebirge – elend und betrübt, oft im höchsten Grade melancholisch bin ich einzig und allein in der unseligen Stadt! Ich kann nicht leben in dem Hauch der Grüfte, mein Atem ist die Freiheit! Wie die Alpenrose bleicht und verkümmert in der Sumpfluft, so ist für mich kein Leben als im Licht der Sonne, in dem Balsamstrom der Lüfte! Lange hier [in München] zu sein, wäre mein Tod.

Marie Dahn war fünfzehn Jahre älter als Ludwig II., und vielleicht konnte er nur älteren Frauen gegenüber seine Hemmungen ablegen. Sein einziger Versuch, mit einem jungen Mädchen eine eheliche Verbindung einzugehen, endete ja mit einer Katastrophe.

Sophie

Im Jahr 1866 wurde der Justizminister Eduard von Bomhard von König Ludwig II. in Audienz empfangen. Die Rede kam auf eine künftige Vermählung, worauf der König fragte: »Halten Sie es denn auch für so dringend, daß ich heirate?« Bomhard antwortete, es liege im Interesse des Königshauses und des Landes, die Verheiratung nicht zu lange hinauszuschieben, doch müsse sich Seine Majestät natürlich Zeit lassen und seine Wahl mit Ruhe und Umsicht treffen. Vielleicht eine protestantische Prinzessin? (Bomhard war gut protestantisch.) Der König hörte aufmerksam zu und machte dann dem Gespräch abrupt ein Ende: »Zum Heiraten habe ich überhaupt keine Zeit, dies kann der Otto besorgen.« Damit meinte er, daß die Zukunft der Dynastie seinem Bruder überlassen bleiben könnte.

Seit der Thronbesteigung war Ludwig von listigen Frauen und ehrgeizigen Müttern bedrängt worden. Immerfort erhielt er Liebesbriefe, die er, so wird erzählt, mit betrübtem Lächeln las und dann in den Papierkorb warf. »Die unglaublichsten Anstalten wurden gemacht, ihm ›unerwartet‹ zu begegnen«, schreibt Rosalie Braun-Artaria in ihren Lebenserinnerungen. »Mütter aus guten Familien irrten mit ihren schönen Töchtern in den Gängen der Residenz hin und her, bis ein barscher Hartschier sie anfuhr und hinauswies...In zahllosen Mädchen- und Frauenköpfen spukte der Gedanke: Wenn man ihm doch einmal allein begegnen könnte!« Aber außer seiner Zuneigung zu Sängerinnen und Schauspielerinnen und seiner eher geschwisterlichen Beziehung zu seiner Kusine Elisabeth von Österreich wies vorerst wenig darauf hin, daß er sich für Frauen interessierte.

Im Herbst 1866 aber entging es Königinmutter und Herzogin Ludovika in Bayern nicht, daß der König während des Aufenthalts auf Schloß Berg ziemlich viel Zeit in Gesellschaft seiner Kusine Sophie, der jüngeren Schwester Elisabeths, verbrachte. Sophie, noch nicht zwanzig Jahre alt, war ein reizendes Mädchen von schlanker Gestalt, mit hübschen Zügen und üppigem aschblonden Haar, das sie in aufgesteckten Zöpfen trug, aber sie war längst nicht so schön wie die Kaiserin von Österreich. In Ludwigs Augen hatte sie abgesehen davon, daß sie Elisabeths Schwester war, noch einen großen Vorzug: sie schwärmte für Wagner. Der König fand oft den Weg nach Possenhofen, wo sie ihm bis in die Nacht hinein die Arien der Elsa, Elisabeth und Senta vorsang, und diesen Zusammenkünften folgten lange Briefe, unterzeichnet mit ›Elsa‹ und ›Heinrich‹, in denen der Meister und seine Werke endlos erörtert wurden. Sophie hatte eine kleine Stimme, aber was ihrer Darbietung fehlte, machte ihre Begeisterung wett.

Ludovika, selbst eines Königs Tochter, hatte ihre Töchter gut verheiratet.

König Ludwig II. und seine Braut, Prinzessin Sophie, 1867

Elisabeth war Kaiserin und Marie jene tapfere Königin von Neapel, die sich bei Gaeta gegen Garibaldi zur Wehr setzte, ehe sie ihren Thron verlor. Und jetzt wieder ein König zum Schwiegersohn? Aber Elisabeth war unglücklich, und die entthronte Marie langweilte sich im Exil mit einem mittelmäßigen, schwachen Gatten; ob Sophies Verheiratung mit diesem schönen, aber absonderlichen Großneffen – sofern sie überhaupt zustande kam – ihrer jüngsten Tochter Glück bringen würde?

Ludovika packte der Ehrgeiz für ihre Jüngste. Sie wachte aber auch über Sophies Ruf und Mitte Januar 1867 fand sie es an der Zeit, daß sich Ludwig erklärte; deshalb schickte sie ihren Sohn Karl Theodor – genannt ›Gackl‹ – zum König, dessen Absichten zu erfragen. Ludwig antwortete bestimmt, er sei Sophie zugetan, aber nicht aufgelegt zum Heiraten. Dann müßten alle die mitternächtlichen Zusammenkünfte, der Briefwechsel und das Musizieren eben aufhören, entschied Ludovika. Ludwig schrieb Sophie einen betrübten ›Abschiedsbrief‹, doch als er durch einen Dritten erfuhr, wie unglücklich sie war, weil sie ihn nicht mehr sehen durfte, ließ er ihr – möglicherweise durch seinen Bruder Otto – mitteilen, daß er fast glaube, aus dem Gefühl treuer und aufrichtiger Freundschaft, das er für sie im Herzen trage, könne vielleicht doch wahre Liebe werden. So wurde die alte Beziehung, vermutlich mit Ludovikas Billigung, wiederaufgenommen.

Einige Tage später fiel es bei einem Ball auf, daß Ludwig oft mit Sophie tanzte. Am folgenden Morgen stürzte er, bevor es tagte, zu seiner Mutter ins Schlafgemach und sagte ihr in höchster Erregung, er habe beschlossen, Sophie zu heiraten. Sogleich wurde nach dem Wagen geschickt, und nach kurzer Wechselrede zwischen den beiden Müttern vernahm Ludwig gegen acht Uhr von Sophies eigenen Lippen, daß sie seinen Antrag annehme. Am selben Abend wohnte er im Hoftheater einer Uraufführung bei. Als der Vorhang nach dem ersten Akt fiel, erhob er sich und begab sich mit der Königinmutter zur Herzogsloge, um Sophie in die Königsloge zu holen. Sophie betrat sie am Arme des Königs, verneigte sich vor dem Publikum und nahm dann zwischen Mutter und Sohn Platz. So erfuhren die erstaunten Münchner von der Verlobung des Königs; aber vielleicht war niemand mehr verwundert als der König selbst.

Im Februar fand ein Hofball zur Feier der Verlobung statt. Darüber berichtet Robert von Mohl, damals badischer Gesandter in München: »Es war ein schönes Brautpaar: der König, ein sehr großer, schlanker junger Mann mit schwärmerischen dunklen Augen, nahm sich in der Uniform seines Chevauxlegerregiments sehr gut aus; der Braut, ebenfalls eine hohe schlanke Gestalt, war in ihrem weiß und blauen Ballkleid reizend anzuschauen.« Dennoch konnte sich Mohl des Gefühls nicht erwehren, daß nicht alles zum besten stand, denn er fügte hinzu: »Doch lag auf dem Feste eine unbehagliche Atmosphäre, es war kein bräutliches und fröhliches.«

Nach Bomhards Ansicht war dem König nicht wohl zumute. Diese Meinung teilten alle, die aus der Nähe Beobachtungen anstellen konnten, und bald ging der Hofklatsch um, Ludwig habe den Heiratsantrag nur gemacht, weil ihm berichtet worden war, daß Sophie sich vor Liebe nach ihm verzehre. Als dem König mitgeteilt wurde, wie viele Deputationen er empfangen, was alles an Festlichkeiten und Empfängen zur Feier des Ereignisses stattfinden müsse, murmelte er: »Jetzt schon? Ich dachte, das hätte noch Zeit.« Bomhard berichtet ferner: »Als er mir kurz nach der Verlobung in einer Audienz sein Bild mit der Braut am Arm schenkte, fühlte ich an der ganzen Art und Weise, daß diese nicht die eines in Liebe glühenden Bräutigams sei.«

Tribschen war natürlich sofort durch ein Telegramm von der Verlobung in Kenntnis gesetzt worden: »Dem teuren Sachs teilt Walther selig mit, daß er sein treues Evchen, daß Siegfried seine Brünhilde fand.« Zwei Wochen später schrieb König Ludwig an Richard Wagner: »Meiner Sophie bleibe ich treu bis zum Tod, bis in den Tod aber bleibe ich Ihnen treu, Herr meines Lebens; Sophie weiß es, weiß, daß mit Ihrem Tode auch meine Lebensfrist verstrichen ist.«

Wagner und Cosima freuten sich. Ebenso freute sich der kränkelnde alte König Ludwig I., der sogleich ein Sonett verfaßte, in dem er seinen Enkel und dessen Braut mit Adonis und Venus verglich. In München aber wurde die Nachricht von der Verlobung mit gemischten Gefühlen aufgenommen. Manche Leute hatten gehofft, der König werde die Zarentochter heiraten, sobald sie mündig wäre, und so das Band zwischen Bayern und Rußland festigen; andere fanden die Heirat zwischen Vetter und Kusine gefährlich, zumal sie einer Familie mit erblicher Belastung entstammten; und Protestanten bedauerten, daß der König eine Katholikin gewählt hatte. Doch Braut und Bräutigam bildeten ein so schönes Paar, daß man der Verbindung bald allgemein zustimmte.

Welcher Art Ludwigs Zweifel auch gewesen sein mögen, vorläufig tat er alles, was von einem königlichen Bräutigam erwartet wurde und überschüttete seine Verlobte mit Geschenken. Für die zukünftige Königin wurden die Hofgartenzimmer instandgesetzt und reich ausgestattet; die Wände schmückte üppiger Brokat mit Lohengrin-Motiven. In der königlichen Münze wurde eine Erinnerungsmedaille mit den Brustbildern des Brautpaars geprägt, und die Auslagen der Münchner Läden waren voll von Porträts. Mochten die Münchner auch gemurrt haben, daß für eine Lola und einen Lolus Geld verschwendet wurde, für die Königsbraut war nichts zu gut. Äußerlich stand alles zum besten.

Der Thronsaal von Neuschwanstein gegen Norden

Erster Entwurf für die Burg Falkenstein von Christian Jank, 1883

Schloß Herrenchiemsee

Dann aber ereignete sich auf einem Ball, den Fürst Hohenlohe zu Ehren des Königs und seiner Braut gab, eine unselige kleine Episode, die mögliches Unheil abzeichnete. Bomhard erzählt:

Gegen zehn Uhr schritt mitten im Gewühl der Gäste der König auf mich zu und frug mich nach der Uhr und weiter, ob er wohl noch vor Ende des Stückes – ein Drama Schillers – ins Theater kommen werde. Ich machte den König aufmerksam, wie aller Augen auf ihn gerichtet seien und was man von mir denke, wenn ich vor ihm stehend auf die Uhr sähe: Er würde sich dicht vor mich stellen. Er tat so, und ich konnte unvermerkt die Uhr ziehen und ihm sagen, daß er wohl noch einen Teil des Stückes sehen könne, aber ob es wohl der hohen Braut wegen angehe, daß er jetzt schon das Fest verlasse? Er grüßte mich, und kurz darauf heißt es, »der König ist fort«. Ob er sich von der Braut wirklich nicht verabschiedet hat, wie von den erstaunten Gästen behauptet wurde, weiß ich nicht. Nach solchen Vorgängen mußte ich mich der Überzeugung hingeben, daß der König die Braut nicht liebe.

Sophie war zwar verärgert, jedoch noch nicht beunruhigt. Ludwig hatte sich immer unkonventionell und unberechenbar gezeigt. Er besuchte sie unangemeldet zu mitternächtlicher Stunde in Possenhofen, so daß das ganze Haus geweckt wurde und allen Unbequemlichkeiten entstanden. Diese Zusammenkünfte, bei denen stets eine Hofdame zugegen sein mußte – sie saß ungesehen hinter einer Efeulaube im Zimmer –, wurden allmählich für beide immer peinlicher. Der König küßte sie nur auf die Stirn, und oft fand er eine halbe Stunde lang nichts anderes zu sagen als »Du hast so schöne Augen«. Sophie arbeitete unentwegt an ihrer langweiligen Stickerei und fragte sich, wie das wohl enden würde, und Ludwig, so sehr er sich auch auf den Besuch gefreut haben mochte, fühlte sich bald angeödet. Er merkte, daß Sophie doch nur ein ganz gewöhnlicher Mensch war, und zweifelte sogar, ob ihr Interesse für Wagner so echt war, wie sie vorgab.

Sie muß ihm von ihren Befürchtungen gesprochen haben, denn eines Tages versuchte er, sie zu zerstreuen, allerdings mit wenig Überzeugungskraft, indem er ihr schrieb:

Meine liebe Elsa!
Meinen wärmsten Dank für Dein gestriges liebes Briefchen. Vollkommen kann ich Dich beruhigen über Deinen am Schlusse Deines Billetts ausgesprochenen Zweifel. Von allen Frauen, welche leben, bist Du mir die teuerste, von den Verwandten Wilhelm [Prinz Wilhelm von Hessen, sein Vetter], von meinen Untertanen ist mir Künsberg [Flügeladjutant] einer der liebsten, der Gott meines Lebens aber ist, wie Du weißt, R. Wagner.

Tischlein-Deck-Dich in Schloß Herrenchiemsee

Ganz anders klingt der Brief, den er am 9. März an Wagner schrieb, nachdem der Komponist seinen Besuch in München angekündigt hatte:

Einzig geliebter Freund! mein Erlöser! mein Gott!

Ich jube vor himmlischem Entzücken, ich rase vor Wonne; als ich heute meiner Sophie Ihren göttlichen Brief mitteilte, der mir Ihr Kommen meldet, erglühten ihre Wangen in Purpurröte, so innig fühlte sie meine Freude mit. – O, nun bin ich glücklich, nicht mehr verlassen in trostloser Öde, da ich den Einzigen in meiner Nähe weiß; o, bleiben Sie nun da, Angebeteter, für den einzig ich lebe, mit dem ich sterbe.

O Tag des Heiles! Wonnezeit. In ewiger Liebe, in unerschütterlicher Treue

Ihr Eigen   Ludwig

Welcher von diesen beiden könnte wohl eher als Liebesbrief betrachtet werden?

Wagner kam kurz darauf, und da er in Possenhofen Persona non grata war, richtete der König es so ein, daß er Sophie heimlich im Hause ihres ältesten Bruders Ludwig traf, der eine Schauspielerin geheiratet hatte. Wagner fand Gefallen an der Braut und drückte die Hoffnung aus, die Hochzeit möge so bald wie möglich stattfinden; denn um seines eigenen Wohlbefindens willen – das für ihn immer an erster Stelle stand – hätte er den König gern versorgt gesehen. Er nahm auch die Gelegenheit wahr, Hohenlohe aufzusuchen und ihm mitzuteilen, daß er, Wagner, in den höchsten Tönen von ihm gesprochen und ihn dem König als geeignetsten Nachfolger von der Pfordtens empfohlen und zudem die Abdankung Ludwigs verhindert habe. Wagner erteilte Hohenlohe dann noch einige kostenlose Ratschläge zur politischen Lage, denen der erfahrene Diplomat höflich lauschte; aber aus seinem Tagebuch ist unschwer seine wahre Ansicht über Wagner zu erkennen, dessen politische Ambitionen er für dilettantisch hielt.

Doch Wagners Besuch sollte hauptsächlich dem Zweck dienen, mit Bülow eine ›Musteraufführung‹ des ›Lohengrin‹ im Juni zu besprechen, an die der König sein Herz gehängt hatte. Es waren Schwierigkeiten in der Besetzungsfrage entstanden, weil Albert Niemann die Titelrolle nur mit den gewohnten Kürzungen singen wollte. Wagner schlug nun den dreiundsechzigjährigen Joseph Tichatschek, den ersten Tannhäuser, vor, der von jeher mehr Stimme als Kopf gehabt und inzwischen an Körperumfang noch mehr zugenommen hatte. Ludwig willigte murrend ein. Aber bei der Generalprobe entsetzte er sich über diesen »Ritter von der traurigen Gestalt«, der »ausgesungen« war und »beim Singen Grimassen schnitt«. Ludwigs Illusionen waren zertrümmert worden; er machte von seinen königlichen Rechten Gebrauch, ließ die Aufführung des ›Lohengrin‹ verschieben, die Titelrolle mit einem jungen Tenor namens Heinrich Vogl umbesetzen und auch eine andere Ortrud engagieren.

Wagner, der in Starnberg gewohnt hatte, kehrte höchst verärgert nach

Tribschen zurück und überließ Bülow die schwere Aufgabe, mit den beiden neuengagierten Sängern die Partien in der kurzen Zeit einzustudieren. Die Vorstellung fand am 16. Juni 1867 statt. Der König war damit sehr zufrieden und schrieb Vogl persönlich einen Brief; aber es erforderte Zeit und alle Diplomatie von seiten Wagners und Cosimas, die guten Beziehungen zwischen dem König und dem Meister wiederherzustellen.

In Paris fand 1867 eine Weltausstellung statt, die größte, die jemals geboten worden war. Vielleicht hielt Ludwig es für politisch ratsam, sie zu besuchen, doch wahrscheinlich begrüßte er auch den Vorwand, eine Zeitlang von Sophie fern zu sein, bevor der unwiderrufliche Schritt getan wurde. Überdies fühlte er sich durch seine umfassende Kenntnis der französischen Literatur des 17. und 18. Jahrhunderts zur absoluten Monarchie der Bourbonen hingezogen. Aber wenn er auch die Denkmale des Grand siècle zu sehen verlangte, so gefiel ihm das moderne Paris gar nicht, dieser »Sitz der Herrschaft der Materie, der gemeinen Sinnlichkeit und gottlosen Frivolität«, wie er sich Wagner gegenüber ausdrückte. Wagner drängte ihn zu der Reise, Paris sei das Herz der modernen Kulturwelt, er selbst habe in dieser Stadt viel gelernt, und der Besuch werde den Horizont des Königs erweitern. So reiste Ludwig unter dem Pseudonym Graf von Berg im Juli nach Paris.

Napoleon III., der an einen möglichen Angriff Preußens dachte, empfing den Sproß einer uralten Dynastie mit ausgesuchter Höflichkeit, und Ludwig verbarg seinerseits die Gefühle, die er für diesen emporgekommenen Kaiser empfand. Er schmeichelte sich, sein Besuch sei in politischer Beziehung nützlich, und schrieb nach der Rückkehr seinem Großvater, zum Glück scheine eine allgemeine Friedensbewegung zu bestehen, und es werde vielleicht möglich sein, in Europa eine vernünftige Lage zu schaffen, ohne die gefürchtete Katastrophe herbeizuführen.

In Paris erwies sich Ludwig als unermüdlicher Besucher; stundenlang hielt er sich in der Ausstellung auf, und er machte unzählige Einkäufe, darunter natürlich viele Geschenke für Sophie. Er ließ sich Zeit für mehrere Opernbesuche, für Jachtfahrten auf der Seine, für Ausflüge nach dem Versailles des Sonnenkönigs und nach dem mittelalterlichen Schloß Pierrefonds, das Viollet-le-Duc soeben restauriert hatte. Ludwig sah den Kaiser einen Monat später wieder, als Napoleon und seine Gemahlin auf dem Wege nach Salzburg durch München kamen. Sophie wurde ihnen förmlich vorgestellt, Eugénie aber ließ alles Zeremonielle fallen und umarmte das junge Mädchen herzlich.

Zuerst war die Hochzeit für August festgesetzt worden, dann wurde sie auf den 12. Oktober verschoben, dem Tag, an dem sowohl Ludwig I. als auch Max II. geheiratet hatten. Damit ließ sich die Verschiebung natürlich rechtfertigen, aber ob das der wahre Grund war? Das Gemunkel erhielt neue Nahrung, als man beobachtete, daß Ludwig während einer halb privaten ›Tannhäuser‹-Aufführung ganz allein in seiner Mittelloge saß, Sophie hingegen wieder in der herzoglichen Seitenloge. Auch bei einer Probe im September saßen die beiden getrennt, so daß Liszt, der zugegen war, die Bemerkung machte: »Les ardeurs matrimoniales de Sa Majesté semblent fort tempérées – Die Neigung Seiner Majestät zur Ehe scheint sehr gemäßigt zu sein.« Er fuhr fort: »Einige vermuten, daß die Hochzeit für immer vertagt wird.«

Wagner hatte gehofft, dem König zu seinem Geburtstag am 25. August das Manuskript der ›Meistersinger‹ schicken zu können; aber es wurde nicht beizeiten fertig, und so hatte er nichts zu bieten außer einem sechszeiligen Gedicht, das er telegraphisch von Tribschen aus nach Hohenschwangau übermittelte. Ludwig antwortete zwei Tage später mit einem Brief, in dem er seine Not und die zunehmende Unsicherheit nicht verhehlte: »O könnte ich mich hinzaubern zu Ihnen und der Freundin nach dem lieben stillen Tribschen, wäre es auch nur auf einige Stunden möglich; was gäbe ich darum!« Er fürchte sich vor den rauschenden Festlichkeiten in München und wünsche keine Hochzeitsfeierlichkeiten, sondern eine stille Trauung. Er fügte hinzu: »Doch Vergebung, wenn ich sogar diese kleinen Sorgen mit Ihnen teile.«

Wagner und Cosima begriffen, daß die kleinen Sorgen in Wirklichkeit eine einzige große und schreckliche Sorge waren: die Eheschließung an sich. Wagner ließ jedoch einen Monat vergehen, bevor er es über sich brachte, Ludwig zu sagen, daß er das Geheimnis des Königs erraten hatte. Er schrieb zart und liebevoll: »Öffnen Sie mir Ihr Herz! Ich lebe ja nur noch für Sie! Und gewiß, ich weiß es, kein Rat kann Ihnen frommen als einzig der Rat meines nur Ihnen lebenden Mitgefühles. – Sagen Sie, mein geliebtester Holder, mein trautester Freund, mein angebeteter Hort und Herr – sagen Sie mir, was Sie beklemmt! Mir sagt es die innere Stimme; doch antworten kann ich ihr nur, wenn aus Ihnen sie zu mir dringt.« Der König antwortete darauf nicht.

Bei einem seiner Besuche in Possenhofen – die übrigens immer seltener wurden – brachte Ludwig die Königinnenkrone aus der Schatzkammer mit. Für den König schien die Anprobe, die lange dauerte, eine Quelle der Belustigung zu sein; er merkte oder beachtete nicht, daß Sophie nervös und unglücklich war. Sobald er gegangen war, brach die verzweifelte Prinzessin zusammen und fiel der Hofdame ihrer Mutter, der Baronin Nathalie Sternbach, weinend mit den Worten um den Hals: »Er liebt mich nicht; er spielt nur mit mir!«

Je näher der verhängnisvolle Tag rückte, desto mehr verzweifelte auch

Ludwig; zum Hofrat Lorenz von Düfflipp, dem Nachfolger Hofmanns, sagte er, lieber als daß er heirate, springe er in den Alpsee. Man ertappte ihn dabei, daß er sich im Spiegel betrachtete und murmelte, manchmal möchte er wahrhaftig fast meinen, er sei närrisch; und es ging das Gerücht, er habe den Leibarzt gebeten, ihm zu bescheinigen, daß er nicht heiraten könne. Ob sich Ludwig wohl zu dieser Zeit seiner Homosexualität bewußt wurde, einer Veranlagung, über die man damals noch nicht so offen sprach wie heute und von der er bei seiner abgeschiedenen, behüteten Erziehung wohl ohnehin nichts gehört hatte?

Schließlich schrieb Sophie, zweifellos auf Anraten ihrer Eltern, ihrem Verlobten und gab ihn frei. Seltsamerweise aber zauderte nun er, diesen entscheidenden Schritt zu tun; statt dessen schlug er eine weitere Verschiebung der Hochzeit bis zum Dezember vor. Inzwischen hatten sich die beiden Mütter, Königinmutter und Herzogin Ludovika, besprochen, was unternommen werden sollte; aber dann war es Herzog Max, der dem König am 3. Oktober ein Ultimatum stellte und damit die Entscheidung herbeiführte. Dieses Schriftstück ist verlorengegangen, aber der Inhalt läßt sich aus einem Brief ersehen, den die Herzogin an die Königinmutter richtete:

Das öfter wiederholte Hinausschieben der Hochzeit hat eine für uns ungünstige Stimmung hervorgerufen und zu so unangenehmen Gereden Anlaß gegeben, daß Max sich genötigt glaubte, dem König zu schreiben, daß, da es sich nicht länger mit Sophiens Ehre vertrüge, er den König untertänig bitten müsse, entweder den Termin in den letzten Tagen des Novembers einzuhalten oder das vor mehr als acht Monaten an uns gerichtete Verlangen um Sophiens Hand als ungeschehen betrachten zu wollen, wobei er ihn durchaus nicht drängen wolle, diese Verbindung einzugehen, denn es sei nie unsere Absicht gewesen, ihm unsere Tochter aufzudrängen.

Der Brief des Herzogs Max versetzte Ludwig in große Wut, und er sagte zu Düfflipp, der Herzog sei ein Untertan wie jeder andere, und es komme ihm nicht zu, einen solchen Ton gegenüber dem Landesherrn anzuschlagen. Darauf erwiderte Düfflipp sehr vernünftig, der Herzog habe als Vater geschrieben, nicht als Untertan. Aber jetzt raffte sich Ludwig endlich zu einer Entscheidung auf: er konnte Sophie nicht heiraten. Er soll ihr dies in einem kurzen Brief mitgeteilt haben, in dem er ihrem Vater die ganze Schuld zuschob: »Geliebte Elsa! Dein grausamer Vater reißt uns auseinander. Ewig Dein Heinrich«, und es heißt auch, er habe dann ihre Büste, die auf seinem Schreibtisch stand, zum Fenster hinausgeworfen. Es ist möglich, daß er diesen Brief schrieb, der allerdings nicht aufzufinden ist; hingegen gibt es einen langen Brief vom 7. Oktober, in dem keine derartige Beschuldigung erhoben wird. Und was das Zerschmettern der Büste betrifft – das kann gut eines der vielen wilden Gerüchte sein, die in München umgingen, sobald die wenig überraschende Neuigkeit an die Öffentlichkeit drang. Zu den niederträchtigsten Gerüchten gehörte die gemeine Verleumdung, Sophie habe ein Verhältnis mit dem Hofphotographen gehabt.

Einige Monate später vertraute Ludwig seiner Brieffreundin Cosima den wahren Sachverhalt an:

Ich kannte sie [Sophie] von Jugend auf, liebte sie stets als eine treue Verwandte, treu und innig wie eine Schwester, schenkte ihr mein Vertrauen, meine Freundschaft, aber nicht Liebe! Sie können sich denken, wie entsetzlich für mich der Gedanke war, den Vermählungstag immer näher und näher heranrücken zu sehen, erkennen zu müssen, daß dieser Bund weder für sie noch für mich glückbringend sein könnte. Und doch war es schwer, sollte ich wieder zurück.

In einem anderen, bisher unveröffentlichten Brief schrieb König Ludwig an Cosima, eine ›Lohengrin‹-Aufführung hätte ihn beeinflußt: »Aus ihr wuchs mir die Kraft, die lästigen, einengenden Bande gewaltsam zu sprengen.«

Am 7. Oktober, dem Tage, an dem die Öffentlichkeit von der Auflösung der Verlobung erfuhr, trug Ludwig die Worte in sein Tagebuch ein, die uns seine Erleichterung offenbaren: »Sophie abgeschrieben. Das düstere Bild verweht; nach Freiheit verlangte mich, nach Freiheit dürstet mich, nach Aufleben von qualvollem Alp.« Und an Wagner schrieb er einige Tage später, er fühle sich genesen wie nach einer lebensgefährlichen Krankheit.

Herzog Max und seine Angehörigen waren natürlich entrüstet und gedemütigt, und sogar der Kaiserin Elisabeth war es unmöglich, das Verhalten ihres Vetters zu entschuldigen. An ihre Mutter schrieb sie:

Wie sehr ich über den König empört bin und der Kaiser auch, kannst Du Dir vorstellen. Es gibt keinen Ausdruck für ein solches Benehmen. Ich begreife nur nicht, wie er sich wieder kann sehen lassen in München, nach allem, was vorgefallen ist. Ich bin nur froh, daß Sophie es so nimmt, glücklich hätte sie weiß Gott mit so einem Mann nicht werden können.

Ludwig hatte nicht im geringsten den Wunsch, sich in München sehen zu lassen. Die Berge riefen ihn, und er fuhr sogleich nach Hohenschwangau, von wo er am 21. November einen langen Brief an Wagner sandte:

Ich schreibe diese Zeilen in meinem trauten gotischen Erker, an der einsamen Lampe, draußen stürmt und schneit es; da ist es so heimlich, so anregend wirkt diese Stille, während im lauten Weltgetümmel ich mich fürchterlich unglücklich fühle; dieses Abhetzen und doch nichts tun, wie es bei Audienzen, Bällen, Festlichkeiten aller Art der Fall, ist mir bis in den Tod verhaßt ...

Gott sei Dank, endlich bin ich allein hier, fern ist die Mutter, die im vergangenen Sommer mir wieder recht lästig wurde ... fern die ehemalige Braut, durch die ich elend und namenlos unglücklich geworden wäre; vor mir steht die Büste des einzigen bis in den Tod geliebten Freundes, die mich überall hin begleitet, mir Mut und Ausdauer zuspricht, durch den und für den ich sterben und Qualen erdulden wollte; o käme doch die Gelegenheit, für Sie sterben zu dürfen!

Im folgenden Jahr vermählte sich Sophie mit Herzog Ferdinand von Alençon, einem Enkel des Königs Louis Philippe von Frankreich. Dreißig Jahre später starb sie heldenhaft beim Brande eines Wohltätigkeitsbasars in Paris: Als man sie aus dem brennenden Gebäude tragen wollte, befahl sie, zuerst die jungen Mädchen zu retten, die an ihrem Stand gearbeitet hatten. So wenig blieb von ihrem verkohlten Leichnam zurück, daß nur ihr Zahnarzt sie an einzelnen Zahnfüllungen identifizieren konnte.

Die Meistersinger, Rheingold und Walküre

Die Auflösung der Verlobung bezeichnete einen Wendepunkt in Ludwigs Leben.

In den beiden vorhergehenden Jahren hatte er sich aufrichtig bemüht, Wagners Rat zu befolgen und sich wie ein wahrer König zu verhalten. Sein Besuch bei den Truppen im Sommer 1866 und vor allem seine spätere triumphale Reise durch Franken hatten ihm bewiesen, daß er sich – außer in München, wo man Wagner immer noch nicht verziehen oder gar ihn vergessen hatte – nur seinen Untertanen zu zeigen brauchte, um stürmisch begrüßt zu werden. Er hatte Anstrengungen gemacht, sich für die leidigen Staatsgeschäfte zu interessieren. Und schließlich hatte er versucht, das zu tun, was von jedem Monarchen erwartet wird: zu heiraten und so für den Fortbestand der Dynastie zu sorgen.

Aber nirgends außer bei Wagner und in seiner eigenen Traumwelt konnte er Glück oder Seelenfrieden finden. Das tapfere Gesicht, das er auf seiner Rundreise zur Schau getragen hatte, war nur eine lächelnde Maske gewesen, die seine innere Not verbergen sollte. Nach der Niederlage seines Landes, als der Freund nicht mehr an seiner Seite weilte und die Heiratspläne sich zerschlagen hatten, zog er sich immer mehr von der Welt zurück, was dann dazu führte, daß er seine phantastischen Schlösser baute und sich in tollen Überspanntheiten erging, so daß es entschuldbar ist, wenn man ihn – wahrscheinlich irrtümlicherweise – für geistesgestört hielt.

In den nächsten drei, vier Jahren lebte der König größtenteils in Schloß Berg in so einfachen Verhältnissen, daß sie beinahe an Verwahrlosung grenzten; sie standen in ausgesprochenem Gegensatz zu dem in der Residenz herrschenden Luxus und Zeremoniell. Die Beschreibung der Abschiedsaudienz, zu der der badische Gesandte Robert von Mohl im Oktober 1871 nach Berg befohlen wurde, entwirft ein anschauliches Bild. Bei der Ankunft fand Mohl weder einen Pförtner noch einen Diener vor, am Eingang in den Schloßhof nur einen Gendarmen, der von der angesetzten Audienz nichts wußte. Endlich spürte Mohl einen Adjutanten auf, der ebenfalls keine Anweisungen erhalten hatte und ihn deshalb in einem eiskalten Vorzimmer absetzte, wo schon zwei frierende Minister warteten. Um sich ein wenig zu wärmen – es war ja Ende Oktober –, beschlossen die drei Herren, sich im Garten zu ergehen, bis sie gerufen würden. Mohl fährt mit seiner Schilderung fort:

Richard Wagner und Cosima, 1872

Während des Wartens sah ich mir, so gut es anging, die Zimmer in dem ersten Stockwerke des Schlosses an. Ich fand sie sehr einfach, keine oder nur unbedeutende und sehr gemischte Kunstgegenstände, altes Mobiliar. In den Gängen und Vorplätzen trieb sich allerlei Hausgesinde, Bediente, Küchenjungen, Zimmermädchen, in sehr wenig gewählter Kleidung umher; das ganze Haus roch sehr unangenehm nach photographischen Agenzien. [Der König befaßte sich seit kurzem mit Photographieren.] Kurz, die Mischung von königlicher Haltung, von klösterlicher Absperrung und von unordentlicher Junggesellenwirtschaft war höchst merkwürdig. In diesen Zuständen aber lebte der junge Herr während wenigstens drei Vierteilen des Jahres, völlig allein, ohne einen Menschen zu sehen als seinen Kabinettssekretär ... mit dem Lesen von Berichten und von Schriften über das Jahrhundert Ludwigs XIV. beschäftigt, in der Regel spät abends in Begleitung von einigen Stallknechten ausreitend bis lange nach Mitternacht oder, wieder allein, auf seinem kleinen Dampfboote [Tristan] den See durchfahrend.

In den ersten Monaten des Jahres 1868 wurden die Beziehungen zwischen dem König und Wagner sehr gespannt; vom 30. November 1867 bis zum 9. März 1868 hatte der Briefwechsel vollständig geruht. Viel Ärgernis entstand durch eine Artikelserie über ›Deutsche Kunst und deutsche Politik‹, die Wagner in der neugegründeten ›Süddeutschen Presse‹ veröffentlichen ließ, allerdings anonym, doch jedermann erkannte in Wagner den Urheber.

Die ersten Artikel, in denen Wagner ein Loblied auf Ludwig I. und Maximilian II. sang und die Bedeutung der künstlerischen Bestrebungen des gegenwärtigen Monarchen unterstrich, hatten dem König natürlich sehr zugesagt. Aber im zwölften Artikel erging sich Wagner in Kritik an Kirche und Staat und in Attacken gegen Frankreich und französische Kultur, wobei er Ansichten äußerte, die mit der Veröffentlichung im Presseorgan einer Regierung unvereinbar waren. Als am 17. Dezember 1867 der vierzehnte Aufsatz erschien, schickte Ludwig einen Ministerialrat zur Redaktion der ›Süddeutschen Presse‹, der den Erlaß vorlegte, daß Seine Majestät die augenblickliche Einstellung der »selbstmörderischen« Artikelfolge befohlen habe. Obwohl Cosima bei Ludwig und Wagner bei Hohenlohe vorstellig wurden, machte der König den Befehl nicht rückgängig.

Es gab noch ernstere Unstimmigkeiten, die sich das ganze Jahr 1867 hindurch allmählich zugespitzt hatten. Malwine Schnorr war seit dem Tode ihres Mannes in hochneurotischem Zustand und hatte, von Eifersucht auf Cosima getrieben, der Welt im allgemeinen und Ludwig im besonderen verkündet, daß Wagner in Tribschen mit Cosima in wilder Ehe lebe. Im letzten Schreiben vor dem Abbruch des Briefwechsels – in einem Brief Wagners vom 30. November, den der König nicht beantwortete – hatte der Komponist Malwine ungestüm angegriffen, abermals seine Unschuld beteuert und den König beschworen, sich vorzustellen, welche Wirkung Skandale auf den armen Bülow haben würden: »Schließen Sie, mit welchen Empfindungen sie diesen armen, genügend gequälten, kränklich reizbaren Menschen, wie nicht minder seine Frau, die in vollster Unschuld jener Nichtswürdigen nur Wohltaten erwies, erfüllen müssen!«

Wie fast ganz München war auch Hofrat von Düfflipp davon überzeugt, daß Wagner in einem fort gelogen hatte, und er machte den König darauf aufmerksam. Am 13. Dezember schrieb Ludwig von Hohenschwangau aus an Düfflipp: »Sollte das traurige Gerücht also doch wahr sein ... sollte also wirklich Ehebruch im Spiel sein! – Dann wehe!« Doch Ludwig muß im Innersten sicherlich gewußt haben, daß es kaum anders als wahr sein konnte.

Schließlich brach Ludwig das dreimonatige Schweigen. So traurig und enttäuscht er auch war, es kam die Zeit, wo er die Entfremdung nicht mehr zu ertragen vermochte. Am 9. März 1868 schrieb er an Wagner: »Ich halte es nicht mehr länger aus, so ganz ohne Nachricht von Ihnen zu sein! Wollen Sie, daß ich bald ganz und völlig gesunde, so zögern Sie nicht länger, Teuerster der Menschen, ich beschwöre Sie, und erfreuen Sie mich mit einem ausführlichen Briefe.« Richard Wagner antwortete daraufhin umgehend:

Wozu mir das? Was wecken Sie die alten, hoffnungsvollen Seelenklänge, die nun verklungen sein sollen?
›Es war einmal‹ – so heißt das trübe Lied, das einzig noch in mir fortklingen darf.

Geschickt hielt er dem König vor, daß er, Ludwig, an der Zerrüttung der Beziehung schuld sei, an allem, was sein ganzes Leben zerstöre. Er habe versucht, den jungen König zu leiten, Ludwig aber habe seine Ratschläge nicht befolgt und die Warnungen in den Wind geschlagen.

Der unglückliche Ludwig war zerknirscht, fand aber, daß Wagner die Schwierigkeiten, mit denen er zu kämpfen hatte, nicht wirklich verstand. Einst war ihm die Welt rosig erschienen, die Menschen edel; dann hatte er erkannt, wie schlecht die Welt und die Menschen waren. Aber er wollte sich zusammennehmen: »Ich bin erstarkt«, schrieb er, »will das Furchtbare vergessen und vergeben, das man mir antat, will mutig mich ins Leben stürzen, den ernsten Pflichten mich unterziehen ... denn klar erkenne ich die große Aufgabe ... Ich will reißen, mächtig reißen an dem Freundesherzen, bis die trennende Scheidewand einsinkt.«

Eine Zeitlang entspannte sich die persönliche Beziehung zwischen dem König und Wagner; dem Musiker Wagner gegenüber hatte es nie einen Bruch gegeben. Doch als der Komponist am 17. März, nur einen Tag nach Ludwigs reuevollem Brief, nach München kam, ließ ihn der König, der sich zu dieser Zeit in der Residenz aufhielt, nicht zu sich rufen. Einen Monat später war Wagner wieder in München aus Anlaß einer Galavorstellung des ›Lohengrin‹, die zu Ehren des Kronprinzen Friedrich von Preußen gegeben wurde. Der König, der den Kronprinzen nicht mochte, schützte Krankheit vor und legte sich zu Bett. Wagner fragte an, ob er ihn besuchen dürfe, aber das wurde höflich abgelehnt; vielleicht meinte Ludwig, daß eine Zusammenkunft mit dem Freund in diesem Augenblick eine zu starke seelische Belastung wäre, oder vielleicht befürchtete er, daß ihn der alte Magier zu einer Handlungsweise verleiten könnte, die er dann später gewiß bereuen würde.

Dann aber lud er Wagner ein, seinen fünfundfünfzigsten Geburtstag am 22. Mai bei ihm auf der Roseninsel zu feiern – ein Experiment, das jedoch nicht wiederholt wurde. Anscheinend war es Wagner, der die Atmosphäre allzu gespannt fand; jedenfalls äußerte er einige Tage später, es sei für alle am besten, wenn man ihn in Ruhe arbeiten ließe – an der Einstudierung der ›Meistersinger‹.

Die ›Meistersinger‹, die Wagner seit dem Herbst 1866 stark in Anspruch genommen hatten, waren ein Jahr später vollendet worden, und der Komponist hatte die Partitur dem König noch rechtzeitig zum Weihnachtsfest schenken können. Ermöglicht hatte es der junge Musiker Hans Richter, der damals in Tribschen wohnte und in mühseliger Arbeit die Noten zur Drucklegung abschrieb. Von diesem begabten, fleißigen jungen Mann, der mit geradezu hündischer Treue an Wagner hing, wird noch die Rede sein.

Wagner hatte gehofft, daß die Oper nicht nur im Herbst 1867 aufführungsreif sein, sondern auch ihre Uraufführung in Nürnberg erleben würde; dann aber fand sie erst im Sommer 1868 in München statt. ›Die Meistersinger von Nürnberg‹, wohl das bedeutendste Werk, das Wagner bisher geschaffen hatte, waren zugleich eine Lobeshymne auf die deutsche Kunst, und in Anbetracht des wachsenden Nationalbewußtseins zweifelte der Komponist nicht am Publikumserfolg. Für Ludwig stellte diese Oper zuerst eine unliebsame Unterbrechung der Vollendung des ›Rings‹ dar, die ursprünglich für 1867 versprochen worden war, sich jedoch noch bis 1876 hinauszögern sollte. Überdies war für einen Menschen, der stets von Göttern und Helden, von Walhalla und Versailles träumte, ein Schuster, der vor seiner Werkstatt Schuhe flickt, keine romantische Erscheinung. Aber die Musik muß Ludwig bald davon überzeugt haben, daß alle seine Befürchtungen grundlos gewesen waren.

Die Besetzung war folgendermaßen: Franz Nachbaur als Walther, die reizvolle Mathilde Mallinger in der Rolle der Eva, Franz Betz aus Berlin sang den Hans Sachs, Hölzel war Beckmesser, den David verkörperte Schlosser aus Augsburg und die Münchnerin Sophie Diez die Partie der Magdalena; wahrscheinlich hätte man damals in Deutschland kein besseres Ensemble zusammenstellen können. Wieder dirigierte Bülow; er war der Musik des Mannes, der ihm seine Frau weggenommen hatte, treu geblieben, aber die angespannte häusliche Lage bedeutete für ihn natürlich eine Nervenbelastung und bedrückte ihn; oft bekam Wagner bei den Proben die Feindseligkeit des Dirigenten zu spüren. Beiden Männern war es inzwischen klargeworden, daß der Schein nicht länger gewahrt werden konnte.

Die Generalprobe, der fünf- bis sechshundert Zuhörer beiwohnten, darunter auch der König, fand am 19. Juni statt; zum Schluß dankte Wagner auf der Bühne seinem Ensemble für die hingebungsvolle Zusammenarbeit. Obwohl einige Orchestermitglieder aufsässig waren, besonders der eigensinnige, aber unersetzliche Hornist Franz Strauss, der Vater des Komponisten Richard Strauss (dieses reizende Muster deutscher Bierkultur habe bei dieser wie auch bei anderen Gelegenheiten viel dazu beigetragen, ihm die Freude an seinen Erfolgen zu vergiften, sagte Bülow). kann es unter den Anwesenden nur wenige gegeben haben, die nicht erfaßten, daß mit Wagner ein neuer Tag für die deutsche Kunst angebrochen war. Ludwig schrieb seinem ›teuren Sachs‹ unmittelbar nach der Generalprobe, er habe sich viel erwartet, aber nie zu träumen gewagt, daß es so wonnevoll sein würde. So begeistert und hingerissen sei er gewesen, daß er es nicht über sich brachte, den Zauber durch Applaus zu brechen. Er unterschrieb als ›Walther‹.

Zwei Tage später war die Uraufführung, der Ludwig wiederum beiwohnte, und zu der ein großer Teil der prominenten Musikwelt aus ganz Europa herbeigekommen war. Wie es die Etikette vorschrieb, begrüßte Wagner den König, der ihn aufforderte, in der Königsloge Platz zu nehmen – »Horaz neben Augustus« hieß es bald darauf. Das Publikum rief den Komponisten schon nach dem Fall des ersten Vorhangs, aber Wagner reagierte nicht; doch nach dem zweiten und dritten Akt gehorchte er Ludwigs Befehl, nahm den jubelnden Applaus entgegen und verbeugte sich an der Logenbrüstung. Zwar hatte sich der König in den Hintergrund zurückgezogen, doch daß sich ein gewöhnlicher Sterblicher so benahm, empfand die Münchner Aristokratie als höchst schockierend, und ein Berichterstatter schrieb: »Der Eindruck, den die königliche Huld auf das hiesige Publikum machte, war überwältigend: man verstummte, man blickte empor zum glänzenden Plafond des Riesenhauses, ob er nicht Miene mache einzustürzen ob solcher nie dagewesener Gunstbezeigung. Wagner, der Verketzerte, Verbannte, welchen vor kaum zwei Jahren desselben Königs Huld nicht zu schützen vermochte vor der Gehässigkeit des hohen und niederen Pöbels unserer Kunstmetropole – er ist rehabilitiert in unsagbarer Weise.«

Ludwig, nach der Uraufführung noch begeisterter als nach der Generalprobe, schrieb sogleich wieder an seinen Sachs und versah den Umschlag mit der Aufschrift: »Dem unsterblichen deutschen Meister Richard Wagner.« Im Brief hieß es unter anderm: »Zu Großem hat Uns das Schicksal berufen: daß Wir Zeugnis geben von der Wahrheit, sind Wir auf die Welt gekommen … Alles, alles verdanke ich Ihnen! Heil der deutschen Kunst! in diesem Zeichen werden Wir siegen.« Wagner antwortete mit Worten tiefer Dankbarkeit seinem »Retter und Erlöser«, zu dessen Füßen er sich sprachlos niederwerfe. Er versprach, den ›Siegfried‹ bald zu beenden; er versprach auch, sich in München nie mehr in Regierungsgeschäfte zu mischen. Er wolle in Zukunft sich fern von der Welt halten und alle seine Kräfte schöpferischer Arbeit widmen.

Wagner kehrte am 24. Juni nach Tribschen zurück und kam zu keiner der folgenden fünf ›Meistersinger‹-Aufführungen im Juni und Juli nach München. Trotz dem Erfolg seiner Oper war er jetzt entschlossen, bei Aufführungen seiner Werke in München nie mehr mitzuwirken. Diesen Beschluß faßte er, weil seine Beziehung zu Cosima einen Punkt erreichte, wo die Wahrheit dem König nicht mehr verborgen bleiben konnte. Das mußte unweigerlich zu einem Bruch zwischen ihm und Ludwig führen; trotzdem vermochte keiner von beiden vorauszusehen, daß acht Jahre vergehen sollten, bevor sie sich wiedersahen.

Im August hielt sich Ludwig in Bad Kissingen auf, wo er abermals mit der Zarenfamilie zusammentraf. Später kam die Zarin zu einem Besuch nach München; der König lud sie zu einem glanzvollen nächtlichen Fest auf der

Roseninsel ein, dessen bengalische Beleuchtung und Feuerwerk den Leuten in der Umgebung lange in Erinnerung blieben.

Am 10. Juli hatte der König Cosima brieflich mitgeteilt, daß in München erneut die »schamlosesten Verleumdungen« über sie und Wagner umgingen. Cosima schickte diesen Brief natürlich Wagner, der daraufhin an Ludwig schrieb und nochmals alles energisch abstritt; aber es muß ihm klar gewesen sein, daß Ludwig seinen Unschuldsbeteuerungen keinen Glauben mehr schenkte. Zwischen dem 14. September 1868, nach einem Schreiben, in dem der König dem Komponisten – verspätet – für das zum Geburtstag erhaltene und ihm gewidmete Druckexemplar der ›Meistersinger‹ dankte, und dem 10. Februar 1869 blieben alle Briefe Wagners unbeantwortet.

Auf den ersten Blick mag es merkwürdig erscheinen, daß Bülow keine Scheidungsklage einreichte, obwohl er längst wußte, daß er Cosima für immer verloren hatte. Er zögerte, diesen Schritt zu tun, weil ihn seine Tätigkeit in München höchst befriedigte und weil er begriff, daß der Skandal ihn diese seine Stellung kosten könnte. Überdies bestand eine weitere Schwierigkeit darin, daß Cosima Katholikin war. Was Wagner anbelangte, so hatte er die Krise möglichst hinausgeschoben, weil er Bülow in München für die Aufführungen seiner Opern brauchte. Als er erkannte, daß sich nichts mehr vertuschen ließ und der Sturm jeden Augenblick losbrechen konnte, wurde ihm klar, daß München ihm bald für immer verschlossen sein würde.

Cosima hatte München einige Tage nach Erhalt von Ludwigs Brief verlassen, um angeblich nach Paris zu reisen und dort ihre Schwester zu treffen; in Wirklichkeit aber war sie bei Wagner in Tribschen und anschließend mit ihm in Italien. Um all dies dem König zu verheimlichen, sah sich Wagner in ein Lügengewebe verstrickt, zumal Cosima bald darauf das dritte Kind von Wagner erwartete – Siegfried, der am 6. Juni 1869 zur Welt kam. Anfang November 1868 fuhr Wagner nach München und ersuchte um eine Audienz beim König, wurde jedoch abgewiesen. Es gibt dokumentarische Beweise dafür, daß er die Absicht gehabt hatte, reinen Tisch zu machen und Ludwig alle seine Sorgen anzuvertrauen – mündlich hätte er das überzeugender tun können. Aller Wahrscheinlichkeit nach hatte dies auch Ludwig vermutet, wollte sich einem solchen Risiko jedoch nicht aussetzen.

Wagner hatte die Oper ›Das Rheingold‹, den ersten Teil des Bühnenfestspiels ›Der Ring des Nibelungen‹, im Frühjahr 1854 vollendet; jetzt verlangte Ludwig, daß sie in München aufgeführt würde. An sich war Wagner keineswegs dagegen, daß die einzelnen Opern vor der Vollendung des ganzen Zyklus gebracht würden; aber angesichts der ungelösten privaten Lage hegte er ernste Zweifel, ob es klug wäre, die Uraufführung von ›Rheingold‹ in München anzusetzen. Er überlegte sogar die Möglichkeit, sich von

Ludwig abzuwenden und sein Geschick als Musiker in die Hände von Bismarck und den Preußen zu legen; doch das redete ihm Cosima als gemeinen Verrat aus. So begannen im Sommer 1869 die Vorbereitungen für die Uraufführung von ›Rheingold‹, die auf Ende August im Hoftheater angesetzt wurde.

Im Juni hatte Bülow, der durch die körperliche und seelische Anspannung der vergangenen Monate stark mitgenommen war, seinen Rücktritt als Kapellmeister eingereicht. Der König hatte ihm einen dreimonatigen Urlaub gewährt, in der Hoffnung, daß Bülow nach der Genesung die Lage nochmals überdenken werde; auf jeden Fall aber konnte er ›Rheingold‹ nicht dirigieren. Als Ersatz für ihn schien es nur einen zu geben – Wagners begabten jungen Anhänger und Schützling Hans Richter.

Der Komponist traf keine Anstalten, zu den Proben nach München zu gehen; aber er hatte durchaus die Absicht, die Einstudierung von Tribschen aus zu leiten. Darum kamen während des Sommers von Zeit zu Zeit die Sänger und der Dirigent nach Tribschen; auch Christian Jank mit seinen Bühnenbild-Entwürfen sowie der Maschinenmeister, der ja die schwierige Aufgabe hatte, Alberich in eine Schlange und in eine Kröte zu verwandeln und dann ganz zum Schluß eine Regenbogenbrücke von der Höhe über das Rheintal nach Walhall hervorzuzaubern. Am schwierigsten war das Schweben der Rheintöchter über dem Grunde des Rheins darzustellen, das ›Hurenaquarium‹, wie das ›Bayerische Vaterland‹ die Szene in der Besprechung der Uraufführung später nennen sollte. Die Sängerinnen sollten von einem eigens für diese Szene konstruierten, auf und nieder schwebenden Apparat getragen werden, aber nachdem einer von ihnen bei dieser Prozedur übel geworden war, durften sie von der Kulisse aus singen, während drei Tänzerinnen die Aufgabe übernahmen, die Darstellung auf der Bühne zu mimen.

Derweil war man in München eifrig damit beschäftigt, die ganze Bühne umzubauen und das Orchester nach Wagners Anweisung zu versenken, und Richter probte mit seinem Orchester. Er hatte im Theater keinen leichten Stand. Dem Dirigenten Bülow hatten sowohl der König als auch der Intendant Karl von Perfall wegen seiner Berühmtheit und seiner Erfahrung Vorrechte und Freiheiten eingeräumt, die kein junger Anfänger erwarten konnte. Richter nahm die Einmischungen übel und wollte den Stab niederlegen. Aber Wagner drängte ihn, bei der Stange zu bleiben und um seine Rechte zu kämpfen oder um das, was Wagner als die Rechte eines von ihm Erwählten betrachtete. Der Komponist führte nämlich etwas im Schilde, womit er die Behörden auf Biegen oder Brechen zur Annahme seiner äußerst übertriebenen Forderungen zu zwingen hoffte. Der Generalprobe am 27. August wohnten der König und verschiedene prominente Musiker bei. In musikalischer Hinsicht war die Aufführung recht zufriedenstellend, doch die Bühneneffekte ließen – wie häufig noch immer – viel zu wünschen übrig, und die Oper wurde nicht gut aufgenommen. Richter telegraphierte Wagner, die für den 29. August angesetzte Uraufführung müsse um jeden Preis verschoben werden, und Wagner setzte den König sofort davon in Kenntnis. Am Abend des 28. August teilte Richter dem Intendanten mit, er werde am nächsten Tage nicht dirigieren, die Bühneneffekte seien unangemessen, und eine öffentliche Vorstellung unter derartigen Bedingungen würde Wagner und seiner Sache nur schaden. Nach einer Besprechung, bei der auch Düfflipp zugegen war, sagte Richter zu Perfall, er kenne nur einen Chef, dem er gehorche: Richard Wagner, sonst niemanden. Daraufhin tat Perfall das einzig Mögliche: er enthob Richter seines Amtes.

Für Wagner, den Urheber dieses bösen Spieles, gab es keinen Zweifel an dem Ergebnis: der König wünschte die Vorstellung, also würde er darauf bestehen, daß Richter zu seinen eigenen Bedingungen wieder eingesetzt wurde, selbst um den Preis von Perfalls Rücktritt. Anscheinend kam es Wagner überhaupt nicht in den Sinn, daß die Intrige durchschaut werden könnte. Aber wieder einmal beurteilte er Ludwig ganz falsch. Seine Majestät war ungehalten, und am 30. August schrieb er in königlichem Zorn an Düfflipp, sprach seine besondere Anerkennung für Düfflipps und Perfalls Verhalten aus und rächte sich an den Verschwörern:

Wahrhaft verbrecherisch und schamlos ist das Gebaren von Wagner und dem Theatergesindel; es ist dies eine offenbare Revolte gegen Meine Befehle, und dieses kann Ich nicht dulden. Richter darf keinesfalls mehr dirigieren und ist augenblicklich zu entlassen, es bleibt dabei. Die Theaterleute haben Meinen Befehlen zu gehorchen und nicht den Launen Wagners. In mehreren Blättern ist es so hingestellt, als sei von Mir die Vorstellung abgesagt worden, Ich sah dies kommen; es ist sehr leicht, die falschen Gerüchte zu zerstreuen, und es ist Mein Wille, daß Sie sogleich die wahre Sachlage bekanntgeben und alles aufbieten, um die Vorstellung zu ermöglichen; denn wenn diese abscheulichen Intrigen Wagners durchgingen, so würde das ganze Pack immer dreister und unverschämter und zuletzt gar nicht mehr zu zügeln sein; daher muß das Übel mit der Wurzel ausgerissen werden – Richter muß springen, und Betz [der Darsteller des Wotan, der mit Wagner im Bunde war] und die anderen zur Unterwerfung gebracht werden. Eine solche Frechheit ist Mir noch nie vorgekommen. Ich wiederhole es, wie sehr Ich in dieser Angelegenheit mit Ihnen zufrieden bin ...
Vivat Düfflipp! Pereat Theaterpack!
Mit bekannten Gesinnungen und Segenswünschen für Sie, aber mit Flüchen für die Koterie der Gemeinheit und Frechheit ...

Dem Brief an Düfflipp ließ Ludwig am nächsten Tage ein Telegramm folgen, dessen Inhalt unweigerlich an die Öffentlichkeit dringen mußte: »Ich erteile Ihnen hiemit den bestimmten Befehl, daß die Vorstellung am Sonntag [5. September] stattfinde. Wagt W[agner] sich neuerdings zu widersetzen, so ist ihm der Gehalt für immer zu entziehen und nie mehr ein Werk von ihm auf der Münchener Bühne aufzuführen.« Natürlich war es ein Ding der Unmöglichkeit, die Aufführung am Sonntag ohne Richter zu veranstalten. Wagner, der das Ausmaß seiner Niederlage noch immer nicht zu fassen vermochte, bat den König, doch nachzugeben und Richter dirigieren zu lassen; er erhielt keine Antwort. Er eilte nach München, wo er nur feststellte, daß der König in seine Bergeseinsamkeit verschwunden war. Doch so aufgebracht Ludwig auch war, er kann kaum ernsthaft daran gedacht haben, sich an Wagner so sehr zu rächen, wie er angedroht hatte.

Drei oder vier Dirigenten, darunter auch Saint-Saëns, wurden aufgefordert an die Stelle Richters zu treten, aber alle lehnten ab, entweder aus Anhänglichkeit an Wagner oder weil sie ihren Ruf nicht durch ein so gewagtes Unternehmen aufs Spiel setzen wollten. Schließlich fand die Uraufführung des ›Rheingold‹ am 22. September 1869 unter der musikalischen Leitung Franz Wüllners statt, eines gewissenhaften, wenn auch nicht sehr mitreißenden Dirigenten, der seit fünf Jahren mit dem Münchner Theaterleben verbunden war. Dagegen half auch nicht, daß Wagner dem Kapellmeister Wüllner schrieb: »Hand weg von meiner Partitur! Das rat' ich Ihnen, Herr; sonst soll Sie der Teufel holen!« Hans Richter aber, vielleicht durch seine Jugendtorheiten klüger geworden, sollte seinen Namen unsterblich machen, indem er später die erste ›Ring‹-Tetralogie in Bayreuth dirigierte.

Die meisten Wagner-Biographen, die vor allem Bayreuth im Auge haben, behaupten zwar gern, ›Rheingold‹ und ›Walküre‹ seien bei der Uraufführung in München durchgefallen, doch das entspricht nicht ganz der Wahrheit. Sogar die Probleme der Bühneneffekte im ›Rheingold‹, derentwegen sich Richter und Wagner so ereifert hatten, wurden bald gelöst, und zwar besser als 1876 in Bayreuth, sie können also nicht gar so ernst gewesen sein; ebensowenig wurde die Musik von der Presse ungünstig beurteilt, sondern es war der Mensch Wagner, dem die Angriffe galten.

Was Ludwig betraf, so vermutete Wagner, daß er bloß zu warten brauchte, bis der König die Entfremdung nicht mehr ertrug. Damit hatte er recht: am 22. Oktober brach Ludwig das Schweigen, indem er dem »teuersten, besten der Freunde« einen Brief schrieb, der dem Komponisten den erwünschten Anlaß bot. Nun war Wagner am Zug. Er verstand recht gut, wie begierig der König darauf war, zu erfahren, ob die ausgestreckte Freundeshand wieder ergriffen werden würde; darum ließ er eine ganze Woche verstreichen, ehe er antwortete. Er schrieb dann eher betrübt als ärgerlich, schob Ludwig sanft, aber bestimmt die Schuld an allem zu, was zwischen ihnen vorgefallen war, und forderte ihn so zu einer vollständigen Kapitulation auf.

Von Ludwigs Antwort ist nur der erste Teil erhalten geblieben, und da beide Männer das Datum immer an den Schluß ihres Schreibens setzten, fehlt es hier. Wahrscheinlich aber wurde der Brief ungefähr zwei Wochen später geschrieben, denn inzwischen muß Ludwig eingesehen haben, daß der Freund erst wieder sprechen würde, wenn er, Ludwig, bedingungslos klein beigegeben hätte.

Unmöglich ist es mir, länger zu schweigen. – O dummes Geschwätz der kurzsichtigen, böswilligen Menschen, die glauben konnten, Wir hätten miteinander gebrochen ... Ich verabscheue die Lüge, will keine Ausflüchte gebrauchen, sondern sage Ihnen ganz offen, daß ich meinen Fehler einsehe und bereue ... Ihre Ideale sind die meinen, Ihnen zu dienen meine Lebensaufgabe; kein Mensch ist imstande mir wehe zu tun, doch wenn Sie zürnen, trifft es tödlich. – O schreiben Sie mir und verzeihen Sie Ihrem seine Schuld einsehenden Freunde; nein, nein, Wir trennen Uns nie; mein Lebensnerv wäre abgeschnitten, grenzenloser Verzweiflung wäre ich preisgegeben; Selbstmordgedanken wären mir nicht ferne ... Was ist selbst der blendende Besitz der Krone gegen einen Freundesbrief von Ihnen? ... Ja, Parcival kennt seine Pflicht, geht geläutert aus allen Proben hervor, glauben Sie mir.

Durch diesen Sieg ermutigt, schrieb Wagner einen sehr langen Brief. Es ärgerte ihn, daß ›Rheingold‹ im gewöhnlichen Opernrepertoire gegeben werden sollte, und er bat den König, doch zu warten, bis der ganze ›Ring‹ beendet wäre und unter idealen Bedingungen aufgeführt werden könnte. Er fragte unumwunden:

Wollen Sie mein Werk wie ich es will, –
oder: *wollen Sie es nicht so?* –

Ludwig antwortete ihm nicht.

Im neuen Jahr entstanden weitere Unstimmigkeiten zwischen König und Komponist. Ludwig war entschlossen, die ›Walküre‹ aufführen zu lassen, und setzte die Uraufführung für den Sommer im Hoftheater an, ohne Wagner zu benachrichtigen. Da die Partitur, vom Rechtsstandpunkt aus gesehen, sein Eigentum und auch schon in seinem Besitz war, konnte Wagner nichts machen. Daher teilte er dem König mit, er sei bereit, die Proben persönlich zu leiten, wenn man ihm unbedingte Vollmacht einräume, und er wolle eine Musteraufführung der Oper bieten, aber erst 1871. Die absolute Vollmacht, welche die Beurlaubung des Intendanten einschloß, konnte ihm wegen seines früheren Benehmens nicht erteilt werden, und Ludwig hatte auch keine Lust, bis 1871 zu warten. Im Auftrag des Königs schrieb Düfflipp an Bülow und versuchte ihn zu bewegen, zu Hilfe zu kommen; aber der Dirigent weilte zur Erholung in Italien und lehnte es aufs bestimmteste ab, sich der körperlichen Anstrengung zu unterziehen und sich sowohl der Feindschaft der Presse als auch der Bosheit des Münchner Publikums auszusetzen.

Schließlich war es wiederum Wüllner, der die sehr erfolgreiche Uraufführung der ›Walküre‹ am 26. Juni 1870 leitete. Das Ensemble bestand aus einheimischen Sängern, und der Walkürenritt wurde von maskierten königlichen Reitknechten auf Rossen des Marstalls ausgeführt. Der Uraufführung wohnten Joseph Joachim, Brahms, Saint-Saëns und Liszt bei; Wagner blieb der Vorstellung fern, nachdem er den König in letzter Minute vergeblich gebeten hatte, eine Privatvorstellung zu veranstalten, und er bemühte sich, seine Freunde ebenfalls von dem Besuch abzuhalten. Auch der König war nicht zugegen; er hatte beschlossen, die zweite Vorstellung abzuwarten, um die Oper ›Rheingold‹, deren Wiederholung für den Sommer angesetzt war, und die Fortsetzung, die ›Walküre‹, in der richtigen Reihenfolge zu hören.

Der Deutsch-Französische Krieg

Vieles ereignete sich außer der ›Walküre‹-Uraufführung im Sommer 1870, vieles, das auch Ludwigs und Wagners Leben entscheidend beeinflußte.

Am 18. Juli wurde Cosima durch ein Berliner Gericht von Hans von Bülow geschieden, und fünf Wochen später fand in Luzern ihre Trauung mit Wagner statt. Der Hochzeitstag, der 25. August, war sorgsam ausgewählt worden: es war Ludwigs Geburtstag, und der König schickte ein huldvolles Telegramm.

Am selben Tage, an dem Cosima ihre Freiheit gewann, verkündete das Vatikanische Konzil, von Papst Pius IX. einberufen, das Dogma von der Unfehlbarkeit. Dieses Dogma wurde von vielen bayrischen Geistlichen erbittert abgelehnt, besonders von Ignaz von Döllinger, dem bedeutenden Theologen und Historiker, der zeitweise Ludwigs Lehrer gewesen war. Der König, der kirchlichen Angelegenheiten starkes Interesse entgegenbrachte und gut unterrichtet war, unterstützte Döllinger und zog sich dadurch die Feindschaft der Ultramontanen zu, vor allem der Jesuiten. Die Ultramontanen zettelten sogar eine Intrige an, um den König zur Abdankung zu zwingen. Ludwig blieb Sieger in dieser Auseinandersetzung, und ein Jahr später wurden die Jesuiten aus Bayern ausgewiesen; eine Zeitlang aber war die Zukunft des Monarchen zweifelhaft, und Wagner bangte schon um sein Jahresgehalt. Wieder dachte er daran, den ›Ring‹ nicht in München, sondern anderswo unter seiner eigenen Leitung auf die Bühne zu bringen. Jetzt begann die Idee von Bayreuth, die ihm schon unklar vorgeschwebt hatte, feste Form anzunehmen.

Das wichtigste Ereignis des Sommers 1870 war der Ausbruch des Deutsch-Französischen Krieges. Es ist unnötig, an dieser Stelle auf die Umstände, die dazu führten, und auf die Einzelheiten der Auseinandersetzungen selbst einzugehen. Preußen hatte längst gerüstet, und Bismarck wußte es so einzurichten, daß der Feind als Angreifer dastand: Am 19. Juli erklärte Frankreich Preußen den Krieg, und Bayern sowie die andern deutschen Königreiche und Fürstentümer verbündeten sich mit Preußen. Über den Ausgang des Krieges gab es keinen Zweifel: Am 1. September erlitten die Franzosen bei Sedan eine katastrophale Niederlage, tags darauf kapitulierte Napoleon III. und machte damit dem Zweiten Kaiserreich ein Ende. Am 28. Januar 1871 öffnete das hungernde Paris nach einer 131 Tage dauernden Belagerung den Deutschen die Tore. In sechs Monaten war das französische Heer, das stolz darauf vertraut hatte, bis zum letzten Gamaschenknopf gerüstet zu sein, geschlagen worden, und Frankreich lag gedemütigt am Boden.

Anfang Juli 1870, als die internationale Lage sich gefährlich zuspitzte, zog sich Ludwig aus München zurück. Angeblich begab er sich in eine entlegene Jagdhütte, wo er nicht gestört sein wollte, wenn es nicht unbedingt nötig war. In Wirklichkeit war er jedoch in Linderhof, wo ihm am 14. gemeldet wurde, Düfflipp sei unerwartet gekommen und ersuche um sofortige Audienz.

Der König wollte zuerst nicht glauben, daß der Krieg wirklich bevorstand. Er hatte wenig Lust, der dringenden Forderung seines Hofsekretärs, nach München zurückzukehren um leichter erreichbar zu sein, stattzugeben, ja, am liebsten wäre er in noch tiefere Bergeseinsamkeit geflüchtet. Da Düfflipp wußte, wieviel zugänglicher Ludwig seinem Stallmeister Richard Hornig und seinem Koch Zanders gegenüber war, veranlaßte er die beiden, ihren Einfluß geltend zu machen, und begab sich zutiefst niedergedrückt auf den Rückweg nach München. Als er auf dem Bahnhof Murnau auf seinen Zug wartete, vernahm er plötzlich Hufschlag und Wagenrollen: der König hatte nachgegeben und eilte nach Berg.

Der Kabinettssekretär August von Eisenhart erwartete ihn in Berg, wo er sich in dieser Nacht von elf bis drei Uhr mit dem König beriet; während der ganzen Audienz mußte der arme Sekretär stehen, während Ludwig hin und her lief und sich mitunter auf eine Chaiselongue warf. »Gibt es denn kein Mittel, den Krieg zu vermeiden?« fragte der König immer wieder. Eisenhart versicherte ihm, es gebe keines, und obwohl Bayern nicht gut auf Preußen zu sprechen sei, sei es doch vertraglich gebunden, Preußen beizustehen. In wenigen Stunden werde der Ministerialsekretär Graf Berchem den Beschluß des Ministerrats überbringen. Ludwig gab Befehl, ihn sofort nach Berchems Eintreffen zu wecken, und ging zu Bett.

Berchem erschien um fünf Uhr morgens und überbrachte auch ein Schreiben des Staatsministers Graf Bray-Steinburg – der Hohenlohe im Laufe des Jahres abgelöst hatte –, das die Bitte enthielt, die Befehle Seiner Majestät am Nachmittag einholen zu dürfen. Eisenhart begab sich sofort zu Ludwig, der auf seinem blauen Himmelbett ruhte, und las ihm den Brief vor. Der König hatte seinen Entschluß bereits gefaßt. Keinen Augenblick dachte er daran, sich mit den Franzosen zu verbünden; das Frankreich, das er liebte, war das Frankreich des Ancien Régime, das Frankreich der Bourbonen, nicht das Land des Emporkömmlings Napoleon. Neutralität war ebensowenig möglich, denn wenn Preußen siegte, würde ein neutral gebliebenes Bayern unweigerlich seine Unabhängigkeit verlieren; wenn hingegen Frankreich als Sieger hervorginge, würde Bayern das nächste Opfer sein. Bayern konnte sich aus dem Krieg nicht heraushalten, infolgedessen war alles nur durch rasches, großmütiges Handeln zu gewinnen. »Bis dat qui cito dat«, rief der König, »Doppelt gibt, wer schnell gibt«, und erteilte unverzüglich den Mobilmachungsbefehl. Nur Ludwig war imstande, diesen Befehl in der Sprache des Landes zu geben, gegen das seine Armee kämpfen sollte: »J'ordonne la mobilisation«, schrieb er, »informez-en le ministre de la guerre«.

Der friedliebende König schien auf einmal freudig bewegt zu sein. Abends sagte er zu einem Adjutanten: »Ich habe das Gefühl, eine gute Tat getan zu haben.«

Anfänglich weigerte sich Ludwig hartnäckig, nach München zurückzukehren, dann aber willigte er ein; er schwankte jetzt fortwährend in seinen Stimmungen und Ansichten. Nach seiner Ankunft scharte sich eine große Menschenmenge vor der Residenz zusammen, die ihm unter seinem Fenster eine Ovation darbrachte. Immer wieder erschien der König an dem hochgelegenen Fenster. Die Hochrufe hörten nicht auf. Ob er sich nochmals zeigen solle, fragte Ludwig einen seiner Minister, der mit Erstaunen wahrnahm, daß der König »in ungewöhnlicher Heiterkeit« war. Am Abend wohnte er einer Vorstellung der ›Walküre‹ bei.

Zehn Tage später kam der preußische Kronprinz Friedrich zur Übernahme des Kommandos der Südarmee nach München. Ludwig hatte diesen gönnerhaften blondbärtigen Vetter nie gemocht; am Abend herrschte bei der dem König so verhaßten Familientafel eine gespannte Atmosphäre. »Ich habe gefürchtet, der junge Mann könnte Dummheiten machen«, sagte der Kronprinz ein paar Tage später, »aber er hat sich sehr anständig herausgebissen.« Nach dem »Familiendiner mit Musik« folgte eine Galavorstellung von Schillers ›Wallensteins Lager‹, der ein von Ernst von Possart geschriebener und vorgetragener patriotischer Prolog vorausging, und wieder benahm sich Ludwig sehr korrekt, umarmte herzlich seinen Gast und führte ihn an die Logenbrüstung, um sich dem begeisterten Publikum zu zeigen.

Spät nachts schrieb Ludwig dem Kronprinzen einen langen Brief, in dem er die sichere Hoffnung aussprach, König Wilhelm werde die Vertragstreue Bayerns zu würdigen wissen, indem er dafür sorge, daß es auch nach dem Kriege »seine Stellung als selbständiger Staat« behalte. Der Brief wurde Friedrich am folgenden Morgen überbracht, als er gerade den Wagen bestieg, um mit Prinz Leopold und Prinz Otto zur Front zu fahren. »Die Handschrift ist grob und unschön und bewegt sich in schrägen Zeilen«, urteilte der Kronprinz in seinem Tagebuch. Über den Gesamteindruck, den er von seinem Gastgeber gewonnen hatte, schrieb er:

Ich finde ihn auffallend verändert; seine Schönheit hat sehr abgenommen, er hat die Vorderzähne verloren , sieht bleich aus und hat etwas Nervös-Unruhiges in seiner Art zu sprechen, so daß er die Antwort auf seine Frage nicht abwartet, sondern während des Sprechens des Antwortenden bereits neue, andere Dinge betreffende Fragen stellt. Er scheint mir mit vollem Herzen bei der Sache zu sein und mit Hingebung der großen nationalen Erhebung zu folgen.

Aber den König langweilte der Krieg schon bald, und niemand konnte ihn dazu bringen, seine Truppen im Felde zu besuchen. So oft wie möglich entrann er für ein paar Tage nach Berg, nach Hohenschwangau oder Linderhof, um die reine Bergluft zu atmen. Er war in neurotischer Verfassung; als er eines Tages in Hohenschwangau im Erker seines Arbeitszimmers saß und die unvergleichliche Aussicht auf See und Berge betrachtete, schrieb er in sein Tagebuch: »Die kalten Fluten des Alpsees ziehen mich an.« Nach der Überlieferung soll Eisenhart am 7. August, gerade als der König die gewohnte Ausfahrt unternehmen wollte, hoch erregt und eine Depesche schwenkend angekommen sein. Es war vorerst der erste Teil einer Nachricht, mehr sollte bald nachfolgen; immerhin war es die wichtige Nachricht über die Schlacht bei Wörth. Eisenhart rief dem König zu: »Ein Telegramm von höchster Wichtigkeit über eine große und, wie es scheint, siegreiche Schlacht. Der Schluß mit der Entscheidung steht noch aus. Majestät müssen mit der Ausfahrt noch etwas warten!« »Ein König muß niemals etwas«, erwiderte Ludwig, stieg ein und gab Befehl zum Abfahren. Um Eisenhart zu ärgern, blieb er eine Stunde länger aus als gewöhnlich.

Am 1. September, am Tage des großen deutschen Sieges bei Sedan, hielt sich Ludwig zufällig in München auf; er war, natürlich ganz gegen seine eigene Neigung, hergekommen, um eine durchreisende russische Großfürstin zu empfangen. Die Königinmutter zeigte sich gern an einem Fenster der Residenz, um die Hochrufe der Menge entgegenzunehmen; aber Ludwig schützte wieder einmal seine berühmten Kopfschmerzen vor und erschien nicht. Er wollte auch nicht bis zum 3. September, dem Tag der offiziellen Siegesfeier, in München bleiben; Geschrei, sagte er, auch Jubelgeschrei, mache ihm Kopfschmerzen. (Doch konnte er anscheinend die lauteste Wagnermusik unbeschadet ertragen!) Als er wegen der Beflaggung gefragt wurde, das heißt, ob die sogenannte deutsche Flagge an den Regierungsgebäuden gehißt werden sollte, antwortete er, die sogenannten deutschen Farben seien, da es keinen deutschen Staat gebe, in Wahrheit nur »die Farben eines geographischen Begriffs«; daher sollten die Regierungsgebäude »nur bayerische oder gar keine Fahnen zeigen«. Da es dann an jenem Tage in Strömen goß, spielte die Beflaggung kaum eine Rolle.

Ludwig aber war inzwischen wieder in den Bergen. Seine Stimmung war umgeschlagen: einerseits begünstigte er immer noch ein geeintes Deutschland, doch andererseits befürchtete er, daß ein deutscher Sieg unter preußischer Führung die selbständige Existenz Bayerns bedrohen könnte. Es gab Augenblicke, in denen er ausgesprochen antipreußisch fühlte, sogar beinahe profranzösisch; einmal weigerte er sich, seine Mutter zu empfangen, weil er keine Lust hatte, »eine preußische Prinzessin« zu sehen. Aber er war so launisch, daß er nach dem Fall von Metz am 27. Oktober dem König von Preußen spontan ein Glückwunschtelegramm sandte.

Als die deutschen Truppen Versailles erreicht hatten, näherte sich der Augenblick, in dem der eiserne Kanzler vor der schwersten all seiner selbstauferlegten Aufgaben stand. Obwohl Preußen der größte und mächtigste deutsche Staat war, nahm es theoretisch denselben Rang ein wie seine Nachbarn, und nach Bismarcks Absicht sollte Preußen nicht nur als vorherrschender Bundesstaat anerkannt werden, sondern er wollte auch, daß die Hohenzollern mit erblicher Kaiserwürde diesen Bundesstaat regierten. Um das zu erreichen, mußte Ludwig als Souverän des nächstbedeutenden Königreichs überredet werden, den König von Preußen zur Annahme der Kaiserkrone aufzufordern. Schon im September war ein Gesandter, Rudolf von Delbrück, nach Bayern geschickt worden, den Weg zu ebnen. Ludwig hatte ihn höflich empfangen und sogleich in eine Diskussion über das Dogma der päpstlichen Unfehlbarkeit verwickelt, und obwohl Delbrück seine ganze Geschicklichkeit aufwandte, vermochte er ihn nicht davon abzubringen.

Die entscheidenden Verhandlungen über die Einigung Deutschlands begannen am 20. Oktober in Versailles. Bayern war vertreten durch den Staatsminister Graf Bray, den Justizminister Freiherrn von Lutz und den Kriegsminister Freiherrn von Pranckh. Da Ludwig sich eigensinnig weigerte, Bayern zu verlassen, vertrat ihn Otto, und auch Prinz Luitpold war zugegen, Ludwigs Onkel, der spätere Prinzregent. Diesmal entschuldigte sich der König mit einem Zahnleiden; Zahnschmerzen und Kopfschmerzen dienten ihm jetzt abwechselnd als Vorwand, sich vor der Erfüllung unliebsamer Pflichten zu drücken.

Bei Otto machten sich bereits Anzeichen der Geistesstörung bemerkbar, die bald zu seiner vollständigen Umnachtung führen sollte. Er war kurze Zeit bei den Truppen in Frankreich gewesen, hatte aber so wenig Widerstandskraft gegen die Kriegsstrapazen gezeigt, daß er »für wichtigere Aufgaben« zurückgerufen worden war. Der preußische Kronprinz schrieb über ihn: »Prinz Otto war bleich, elend; wie im Fieber schauernd saß er vor mir, während ich ihm die Notwendigkeit der Einheit von Militär und Diplomatie darlegte. Ob er diese Dinge begreift, konnte ich nicht aus ihm herausbekommen, nicht einmal, ob er wirklich zuhörte.« Da Ludwig bei den Verhandlungen nicht zugegen war, herrschte zwischen Versailles und dem Schloß, auf das sich Ludwig im gegebenen Augenblick gerade zurückgezogen hatte, ein Kommen und Gehen, und am 5. November kehrte Otto nach Bayern zurück, um seinem Bruder Bericht zu erstatten. In letzter Zeit hatte Ludwig abermals die Möglichkeit seiner Abdankung zu Gunsten Ottos erwogen; aber als er den Bruder sah, erkannte er sofort, daß ihm dieser Fluchtweg nicht mehr offenstand. Der Baronin Leonrod, seiner ehemaligen Erzieherin, schrieb er nicht lange danach, es sei schmerzvoll, Otto in einem solchen Zustand zu sehen, es scheine täglich schlimmer mit ihm zu werden, er benehme sich wie ein Wahnsinniger, und dann sei er eine Zeitlang wieder ganz normal.

Zur Belohnung dafür, daß Bayern Bismarcks Aufruf so rasch gefolgt war, wurden ihm im neuen Bund besondere Vorrechte zugestanden, die wenigstens den Anschein der Unabhängigkeit wahrten. Bayern sollte seine diplomatischen Vertretungen behalten, seine eigene Eisenbahn- und Postverwaltung, das eigene Heer in Friedenszeiten, juristische und fiskalische Autonomie. Diese Bedingungen wurden vom bayrischen Gesandten am 23. November angenommen. Nachdem Bismarck so die Bayern günstig gestimmt hatte, machte er sich an die heikle Aufgabe, Ludwig dazu zu bringen, daß er den König von Preußen zur Übernahme der Kaiserkrone aufforderte.

Depeschen gingen zwischen Bray und Ludwig hin und her – Ludwig war weit davon entfernt, diesen Vorschlag willig hinzunehmen. Statt dessen meinte er, ein preußischer und ein bayrischer Monarch könnten entweder gemeinsam oder abwechselnd den Bund regieren; jetzt sprach man davon, einen Preußen zum Kaiser des geeinten Deutschland zu machen. Er beschloß, einen Sondergesandten, und zwar seinen Oberstallmeister Maximilian Graf von Holnstein, nach Versailles zu Bismarck zu entsenden. Die beiden waren schon früher zusammengetroffen, und der Kanzler, der um die vertrauliche Beziehung zwischen dem König und seinem Oberstallmeister wußte, behandelte Holnstein mit betonter Leutseligkeit und Höflichkeit. Hier bot sich ihm die Gelegenheit, den König zu gewinnen. Zwei Tage später war Holnstein auf dem Rückweg nach Hohenschwangau; er brachte einen Brief an den König von Preußen, den Bismarck in der Hoffnung entworfen hatte, daß Ludwig ihn abschreiben und unterzeichnen würde. Später hieß es, Holnstein hätte außerdem die Zusicherung einer beträchtlichen Geldentschädigung für den König bekommen, von der er selbst für seine geleisteten Dienste einen bestimmten Prozentsatz erhalten sollte; zu einer solchen Vereinbarung kam es denn auch, aber wahrscheinlich erst in späterer Zeit.

Graf Holnstein traf am 30. November morgens in Hohenschwangau ein. Kaum war der König davon unterrichtet worden, legte er sich, plötzliche Zahnschmerzen vorschützend, zu Bett und weigerte sich, jemanden zu empfangen. Holnstein wartete mit zunehmender Ungeduld von zehn bis ein Viertel vor vier Uhr, ohne vorgelassen zu werden; dann bat er, dem König zu erklären, er bringe ein wichtiges Schriftstück von Bismarck, müsse punkt sechs Uhr nach Versailles zurückfahren und unbedingt eine Antwort mitnehmen.

Gewöhnlich reagierte Ludwig auf eine derartige Taktik nicht gnädig; aber Holnstein genoß Vorrechte und wurde endlich ins Schlafgemach geführt. Der König lag mit dick verbundenem Gesicht im Bett, und im Zimmer roch es nach Chloroform. Ludwig las sorgfältig Bismarcks Brief sowie das

Fürst Otto von Bismarck

Konzept des Schreibens an den König von Preußen, worauf eine lange Diskussion folgte. Holnstein stand mit der Uhr in der Hand da, während die Minuten verstrichen; endlich faßte er sich ein Herz und erinnerte den König daran, daß er bald gehen müsse. Da gab Ludwig nach. Er erhob sich und schritt zu seinem Schreibtisch. Aber da er kein geeignetes Papier finden konnte, sagte er, es sei ihm doch nicht möglich, den Brief zu schreiben. Verzweifelt ersuchte Holnstein um die Erlaubnis, einem Diener zu läuten, und geheimnisvollerweise war das Papier auf einmal da. Ludwig schrieb den überaus wichtigen Brief, den berühmten ›Kaiserbrief‹, in dem er seinen Onkel Wilhelm aufforderte, den Kaisertitel anzunehmen. Er kopierte Bismarcks Entwurf nicht wörtlich und unterstrich aus eigenen Stücken die Bedeutung eines geeinten Deutschland.

Holnstein eilte mit dem kostbaren Dokument, das von den bayrischen Ministern gebilligt worden war, nach Versailles und ließ es Bismarck durch Prinz Luitpold aushändigen. Am 18. Januar 1871 wurde König Wilhelm von Preußen in der Spiegelgalerie von Schloß Versailles zum Deutschen Kaiser ausgerufen. Er war keineswegs erpicht darauf gewesen, die neue Würde zu erhalten; aber Bismarck hatte ihn dazu überredet und ihm die Notwendigkeit der Annahme eingeschärft. Wie der badische Gesandte Ruggenbach schrieb, würde es wohl nie mehr vorkommen, daß ein bayrischer König einem andern Monarchen die Kaiserkrone anböte, nur weil er an Zahnschmerzen leide.

Otto, der sich der Verschwörung Bismarcks von Anfang an widersetzt hatte, war bei der Krönung zugegen und schrieb seinem Bruder einen erstaunlich vernünftigen Brief:

Ach Ludwig, ich kann Dir gar nicht beschreiben, wie unendlich weh und schmerzlich es mir während jener Zeremonie zumute war, wie sich jede Fiber in meinem Innern sträubte und empörte gegen all das, was ich mit ansah ... Alles so kalt, so stolz, so glänzend, so prunkend und großtuerisch und herzlos und leer ... Mir war's so eng und schal in diesem Saale, erst draußen in der Luft atmete ich wieder auf.

Dann hatte Frankreich kapituliert. Am 10. Mai wurde in Frankfurt der Friede geschlossen, und am 16. Juli zogen die siegreichen bayrischen Truppen in München ein. Eine Woche zuvor hatte Ludwig seinem Bruder geschrieben:

Denke nur, Otto, aus politischen Gründen, gedrängt von allen Seiten, habe ich mich veranlaßt sehen müssen, zum Truppeneinzug den Kronprinzen einzuladen, was mich geradezu zur Verzweiflung bringt; ach, es ist wirklich kein Wunder, daß seit dem vorigen Jahre (Feldzug, Abschluß der Verträge etc. etc.) mir das Regieren und die Leute verhaßt wurden, und doch ist die königliche Stellung und das Herrscheramt das Schönste, Erhabenste auf Erden. Wehe mir, daß ich in eine solche Zeit hineingeschneit wurde, in der mir alles vergällt wird.

Der große Tag kam, und der König ritt mit seinem verabscheuten Vetter zum Exerzierplatz bei Nymphenburg, wo der Kronprinz die Parade abnahm und im Namen des Kaisers das Eiserne Kreuz verlieh. Es folgte der Siegesmarsch des Heeres mit dem Kronprinzen an der Spitze, vorbei an der jubelnden Menschenmenge durch die Ludwigstraße zum Odeonsplatz, wo Ludwig, der allein in die Stadt zurückgekehrt war, mit seiner Mutter und andern Mitgliedern der königlichen Familie wartete. Abends gab es eine Galavorstellung in der Oper, und wieder mußte der unglückliche, unmilitärische König seinen Vetter vor dem Publikum umarmen und den Schein wahren, als freue es ihn, neben dem Helden der Stunde die zweite Geige zu spielen.

Tags darauf fand auf der blühenden Roseninsel ein Familienessen statt. Es endete mit einer Verstimmung zwischen den Vettern, anscheinend wegen einer Lappalie: der König wollte dem Kronprinzen ein bayrisches Ulanenregiment verleihen, doch statt eines Dankes erwiderte Friedrich, dazu bedürfe es der Genehmigung des Kaisers, außerdem wisse er nicht, ob er bei seiner Beleibtheit in den schlanken Ulanenrock passe. Ludwig ärgerte sich und blieb in sich gekehrt. Nach der Rückfahrt erklärte er in München unvermittelt, er werde auf keinen Fall an dem großen Abendbankett im Glaspalast teilnehmen. »Ich brauche Ruhe«, sagte er zu Eisenhart, und was der verzweifelte Kabinettssekretär auch vorbringen mochte, der König ließ sich nicht umstimmen. Ludwigs Nichterscheinen gab zu sehr ungünstigen Kommentaren Anlaß; niemand glaubte, daß er wirklich krank sei; allzu oft hatte er sich bei ähnlichen Gelegenheiten derselben Ausflucht bedient.

Am folgenden Morgen verließ Ludwig bei Tagesanbruch und ohne ein Abschiedswort für seinen Gast die Residenz und jagte im königlichen Wagen nach Schloß Berg. Er war am Ende seiner Kräfte; Einsamkeit war das einzige Heilmittel.

Inzwischen war im friedlichen Tribschen alles sehr gut gegangen. Hier lebten Wagner und Cosima im gewohnten Stil – mit acht Hausangestellten, Pferd und Wagen, einem großen, gepflegten Garten und verschiedenerlei Luxusdingen wie etwa einem Vogelhaus mit Goldfasanen. Am Weihnachtstag 1870, Cosimas dreiunddreißigsten Geburtstag, fand die berühmte erste Aufführung des ›Tribschen-Idylls‹ – später ›Siegfried-Idyll‹ – statt. Früh am Morgen versammelte sich ein kleines Orchester aus Luzern auf der Treppe der Villa und spielte dann unter Wagners Leitung als Weihnachts- und Geburtstagsgeschenk für seine Frau dieses liebliche Stück. Unter den Anwesenden befand sich der junge Friedrich Nietzsche, damals noch ein leidenschaftlicher Wagnerianer.

Der Krieg hatte Wagners politische Überzeugungen in auffallender Weise beeinflußt; er war jetzt ebenso wie Cosima fanatisch propreußisch und antifranzösisch. Der ›Kaisermarsch‹ mit seinem hurrapatriotischen Chorfinale war noch ein verhältnismäßig harmloser Ausdruck seiner chauvinistischen Gefühle, hingegen läßt sich für die grobe ›Kapitulation‹ (Newman beschreibt sie als »eine taktlose, geistlose Farce, deren täppische teutonische Komik von keiner Spur literarischer Feinheit gedämpft wird«) keine Entschuldigung finden. Darin macht sich Wagner niederträchtig über das Unglück der belagerten hungernden Pariser lustig. Zum Glück mißlang es ihm, sie durch Richter in Offenbachschem Stile auf die Bühne zu bringen. Der Text wurde sogar erst 1873 gedruckt, in Friedenszeiten, wo die unverfrorene Veröffentlichung dem Rufe Wagners in Frankreich sehr schadete.

Während des Krieges arbeitete Wagner auch am ›Ring‹. Die ganze Partitur von ›Siegfried‹ lag im Februar 1871 vor, und im Juni begann Wagner den zweiten Akt der ›Götterdämmerung‹; aber in der Befürchtung, Ludwig könnte versuchen, ›Siegfried‹ in München aufzuführen, wozu der König durchaus berechtigt gewesen wäre, berichtete der Komponist keineswegs wahrheitsgemäß über seine Fortschritte. Mit diesem Täuschungsmanöver, das der Verzögerungstaktik diente, wollte er die beiden letzten Teile des ›Rings‹ für Bayreuth aufsparen, denn er war jetzt fest entschlossen, den vollständigen Zyklus dort zur Uraufführung zu bringen.

Am 1. März schrieb er dem König einen langen Brief mit unbestimmten Äußerungen über seinen Entschluß, den ›Ring‹ anderswo als in München aufzuführen, und binnen wenigen Wochen erfuhr Ludwig, was viele andere längst wußten: daß sich Wagner für Bayreuth entschieden hatte.

Zu dieser Zeit dachte der Komponist immer noch daran, das alte Markgräfliche Opernhaus zu benutzen; aber ein Besuch in Bayreuth überzeugte ihn bald, daß dieser kleine Spätbarockbau, so entzückend er auch war, unmöglich den besonderen Erfordernissen seiner Opern angepaßt werden konnte, und am 12. Mai gab er seine Absicht bekannt, ein eigenes Theater zu bauen.

Der König gab sich über Wagner keinen Illusionen mehr hin: der Freund hatte beschlossen, von seinem großen Wohltäter abzufallen. Aber allmählich hatte Ludwig im Verlauf der letzten Jahre eine Möglichkeit gefunden, das Los seiner schmerzlichen Vereinsamung zu erleichtern: Er hatte zu bauen begonnen.

Der König und seine Schlösser

Bauen ist nicht weniger als Jagen die angemessene Beschäftigung – fast könnte man sagen, die Berufskrankheit – der Könige.

Es sei daran erinnert, daß Ludwig schon als Kind besonders gern mit Bausteinen gespielt hatte. Damals hatte er Luftschlösser geschaffen, jetzt aber war er König, und da er nach dem Tode seines Großvaters, das heißt seit 1868, einen noch größeren Anteil der Zivilliste bezog, sah er sich in der Lage, jene Schlösser auf Erden Wirklichkeit werden zu lassen. Obwohl es inzwischen feststand, daß Sempers Theater niemals realisiert werden würde, hatte es Ludwig doch große Freude bereitet, an der Planung anteil-zunehmen und mit den Modellen umzugehen, die Semper ihm gehorsam geliefert hatte; überdies gewann er bei den Umbauten in der Residenz, zuerst für seine eigenen Räume und dann für die Gemächer seiner Braut, wie auch bei der Errichtung des Wintergartens Geschmack an Innen-dekorationen und Gartenplanung. Sein Großvater hatte das neue München gebaut, sein Vater die vornehme Maximilianstraße geschaffen und die Schlösser Hohenschwangau und Berg restauriert; nun war er selbst an der Reihe. Doch im Gegensatz zu den meisten Königen, die, seit den Pharaonen, bauten, um Monumente zu errichten, die sie überdauern sollten, baute Ludwig um der reinen Befriedigung willen, seinen Träumen Gestalt zu verleihen; er kann anfänglich kaum begriffen haben, daß seine lange Suche nach einer von Wagner unabhängigen Form der Ausdrucksmöglich-keit zu einem Ziel geführt hatte; ebensowenig ahnte er, daß die bedenken-lose Beschäftigung mit seiner neuen Liebhaberei, verbunden mit der oft-maligen langen Abwesenheit von der Hauptstadt und mit der Vernach-lässigung der Regierungsgeschäfte, zu seinem Untergang beitragen würde.

Im Frühjahr 1867 besuchte Ludwig die Wartburg bei Eisenach, in deren Halle sich ja der Sängerkrieg der Oper ›Tannhäuser‹ abspielt, und im Sommer desselben Jahres wurde während seines Aufenthaltes in Paris auch seine Phantasie durch die Ausflüge nach Pierrefonds und Versailles angeregt. Die Wartburg und Pierrefonds entsprachen seiner Liebe zum Mittelalter: die Wartburg diente ihm als Inspiration für Schloß Neuschwan-stein; Versailles mit seinem Großen wie auch Kleinen Trianon entzündete Ludwigs Leidenschaft für die Bourbonen, die dann in Schloß Linderhof und in Schloß Herrenchiemsee Ausdruck fand. Mit dem Bau von Neu-schwanstein wurde 1869, von Linderhof 1870 begonnen, mit dem von Herrenchiemsee acht Jahre später; Linderhof war 1879 fix und fertig, aber die beiden andern Schlösser waren bei Ludwigs Tod im Jahre 1886 unvoll-endet und sollten es auch bleiben.

Es sei hier erwähnt, daß sich die Baukosten für die drei Schlösser auf rund einunddreißig Millionen Mark beliefen; das war ungefähr dieselbe Summe, die nach dem Krieg von 1866 als Entschädigung an Preußen bezahlt wurde, und zwar ohne Murren, weil man fand, daß Bayern großzügig behandelt worden war. Zur Entschädigungssumme müssen allerdings auch Gebietsabtretung und die Kriegskosten – nicht zu reden von den angerichteten Leiden – hinzugerechnet werden, wohingegen von den Kosten für die Schlösser die Millionen abzuziehen wären, die nun von den Touristen aus aller Welt als Eintrittsgebühr bezahlt werden. Ludwigs persönliche Schulden betrugen gegen Ende 1883 – die Summe, über die sich seine Minister so sehr entsetzten – nicht mehr als siebeneinhalb Millionen Mark.

In einem Brief, den Ludwig am 13. Mai 1868 an Wagner schrieb, finden wir den ersten Hinweis, daß er die Absicht hatte, im Schwangau ein Schloß im echten Stil der alten deutschen Ritterburgen zu erbauen, ein Schloß mit Reminiszenzen aus ›Lohengrin‹ und ›Tannhäuser‹:

Küchengrill in Neuschwanstein

Ich habe die Absicht, die alte Burgruine Hohenschwangau bei der Pöllatschlucht neu aufbauen zu lassen im echten Stil der alten deutschen Ritterburgen, und muß Ihnen gestehen, daß ich mich sehr darauf freue, dort einst (in 3 Jahren) zu hausen; mehrere Gastzimmer, von wo man eine herrliche Aussicht genießt auf den hehren Säuling, die Gebirge Tyrols und weithin in die Ebene, sollen wohnlich und anheimelnd dort eingerichtet werden; Sie kennen Ihn, den angebeteten Gast, den ich dort beherbergen möchte; der Punkt ist einer der schönsten, die zu finden sind, heilig und unnahbar, ein würdiger Tempel für den göttlichen Freund, durch den einzig Heil und wahrer Segen der Welt erblühte. Auch Reminiszenzen aus Tannhäuser (Sängersaal mit Aussicht auf die Burg im Hintergrunde) und Lohengrin (Burghof, offener Gang, Weg zur Kapelle) werden Sie dort finden; in jeder Beziehung schöner und wohnlicher wird diese Burg werden als das untere Hohenschwangau, das jährlich durch die Prosa meiner Mutter entweiht wird; sie werden sich rächen, die entweihten Götter, und oben weilen bei Uns auf steiler Höh', umweht von Himmelsluft.

In der Nähe von Hohenschwangau hatten früher vier Schlösser gestanden. Max II. hatte den Stammsitz der Herren von Schwangau, die Ruine Schwanstein, gekauft und daraus das Schloß gemacht, das von ihm dann in Hohenschwangau umbenannt worden ist. Von den drei andern waren nur noch Mauerreste eines ehemaligen Bergfrieds übriggeblieben. Die schönste Lage hatte die Ruine Vorderhohenschwangau; hier gedachte Ludwig zu bauen oder, wie er sich mit Vorliebe ausdrückte, »wiederaufzubauen«.

Die Planung des Schlosses wurde dem Baurat Eduard Riedel anvertraut, den König Max schon für die Umgestaltung von Schloß Berg beschäftigt hatte; aber zum Schluß beruhte der Entwurf größtenteils auf Ludwigs eigenen Vorschlägen – der König hatte in allen Phasen ein scharfes Auge auf jede Kleinigkeit – und auch auf der Mitarbeit Christian Janks, des Bühnenbildners vom Hoftheater, der die ersten Ansichten von Neuschwanstein zeichnete.

Riedels erster Entwurf, der sich nur mit dem heutigen oberen Teil des Schlosses befaßte, galt einem dreistöckigen spätgotischen Gebäude nach Nürnberger Vorbildern. Sein zweiter Entwurf vom Juli 1868 entsprach ungefähr dem Umfang des heutigen Schlosses; jetzt waren es fünf Geschosse, und das Gotische war zum größten Teil vom Romanischen verdrängt worden. Janks Entwurf, ein Jahr später entstanden, zeigt ein Gebäude, das von dem endgültig errichteten im wesentlichen kaum abweicht, nur im Verlauf der Arbeiten im Detail leicht verändert und vereinfacht worden ist.

1868 wurde die Ruine des alten Bergfrieds, der sich dem neuen Schloß nicht einverleiben ließ, abgetragen und Teile der Anhöhe weggesprengt, so daß man eine Plattform gewann, auf der gebaut werden konnte. Eine Straße wurde angelegt, über die man das Wasser aus dem Tal hinaufschaffte, und im Februar 1869 wurde mit dem Torbau begonnen, dessen rote Sandsteinfassade für viele Leute eine Farbdissonanz bedeutet. Am 5. September desselben Jahres wurde im Beisein des Königs der Grundstein zum eigentlichen Schlosse gelegt; der große Block aus Untersberger Marmor enthielt einen Bauplan, einige Münzen und ein Miniaturbild Ludwigs. Die Gründungsurkunde lautet: »Wir, König Ludwig II. von Gottes Gnaden König von Bayern etc., erklären hiermit, daß Wir beschlossen haben, für Uns und Unseren Hof ein neues Schloß zu bauen an der Stelle, wo einst die Schlösser Vorder- und Hinterhohenschwangau ihre Zinnen erhoben ...«

Der Krieg 1870/71 konnte dem Bauprogramm anscheinend nichts anhaben. 1871 war der Torbau unter Dach, und im folgenden Jahr begann man mit dem Bau des Kernstücks, des Palas. Im Jahr 1874 wurde Hofbaudirektor Riedel pensioniert; sein Nachfolger war Oberhofbaudirektor Georg Dollmann, der Schwiegersohn Leo von Klenzes. 1881 war der gesamte Palas im Rohbau fertig, und kurz danach wurde mit der Arbeit am Ritterhaus angefangen. 1884, zwei Jahre vor dem Tode des Königs, wurde Julius Hofmann der Nachfolger Dollmanns.

Weitaus besser als Worte vermitteln Bilder eine Vorstellung vom Äußeren und Inneren des Schlosses. Von weitem gesehen, sieht Neuschwanstein wie ein elfenbeinernes Schmuckstück aus, das aus den Händen eines mittelalterlichen Handwerkers hervorgegangen ist; das Schloß wirkt eigentlich klein. Tatsächlich ist der Gebäudekomplex nicht sehr groß; er bedeckt viel weniger Boden als die Westminster-Abtei oder die Wartburg, die dazu die Anregung gegeben hatte. Sein großer Zauber rührt von der herrlichen Lage über der Pöllatschlucht und den tannenbedeckten Hängen her, von seinem Silberweiß und seiner romantischen Silhouette. Es gehört zu den faszinierendsten Spielzeugen der Welt.

Die Innenarchitektur ist größtenteils im Stile der Neuromanik, hingegen sind Schlafgemach und Kapelle, die ersten, nach Entwürfen von Julius Hofmann, fertiggestellten Räume, in spätgotischem Stil ausgeführt. Das geschnitzte Nußbaumbett ist umgeben von einem »Wald kleiner gotischer Türme«, der ihm das Aussehen eines Grabes mit Baldachin verleiht; allein das Schnitzwerk dieses Raumes soll siebzehn erfahrene Holzschnitzer viereinhalb Jahre lang beschäftigt haben. In allen Wohnräumen sind dunkle Schnitzereien, an den Wänden Malereien oder gestickte Behänge mit der Darstellung der Sagen nach denen Wagner seine Opern geschaffen hat. Das Schnitzwerk der Möbel und Täfelungen, größtenteils von Hofmann entworfen, als er noch unter Dollmann arbeitete, ist von höchster Qualität.

Für alle Einzelheiten der Innenausstattung bezeigte Ludwig dasselbe sorgsame Interesse wie für die architektonischen Pläne. Seine Kritik war eher praktischer und historischer Natur als ästhetischer; zum Beispiel gab er August von Heckel Anweisungen über ein Lohengrin-Gemälde; darin heißt es: »S. M. wünschen, daß in dieser neuen Skizze das Schiff weiter

Schloß Neuschwanstein im Winter

entfernt vom Ufer ist, dann, daß die Kopfstellung Lohengrins nicht so schief ist, auch soll die Kette vom Schiff an den Schwan nicht aus Rosen sondern Gold sein, und soll die Burg in mittelalterlichem Stil gehalten sein.«

Die Wandmalereien im Arbeitszimmer des Königs stellen die Tannhäusersage dar, deren erotisches Element nicht übergangen worden ist. Daran schließt sich eine künstliche Grotte an, ganz offensichtlich als Venusgrotte gedacht; sie enthielt einen Wasserfall und einen künstlichen Mond, konnte aber je nach der Stimmung des Königs noch durch bunte elektrische Lampen erleuchtet werden. Hinter der Grotte kam ein kleiner Wintergarten mit einem maurischen Springbrunnen, der für einen geplanten, aber nie ausgeführten maurischen Raum bestimmt gewesen war. Hier gab es exotische Schlingpflanzen und Jasminsträucher, Orangenbäume in Kübeln, und »Kolibris flogen frei umher«.

Die beiden wichtigsten Räume in Neuschwanstein sind der Sängersaal und der Thronsaal; der erstgenannte ist natürlich die eigentliche ›raison d'être‹ des Schlosses. Der Thronsaal, der ganz auf Ludwigs Anregungen beruhte, nimmt zwei Geschosse des westlichen Flügels ein und ist einer byzantinischen Basilika nachempfunden. Die Wände sind durch je zwei übereinanderliegende Arkadenreihen gegliedert; der Fußboden ist als Mosaik gestaltet und zeigt Pflanzen- und Tiermotive, das Gewölbe täuscht einen blauen, bestirnten Himmel vor; Blau und Gold sind die vorherrschenden Farben. Die Wände schmücken Gemälde mit historischen und religiösen Themen, und mitten im Saal hängt ein prachtvoller Kronleuchter.

Entwurf für Neuschwanstein

An dem einen Ende des Raumes führen weiße Marmorstufen zu einer Apsis, wo der Thron hätte stehen sollen – ein Thron, der nie geschaffen wurde und der in einem Raum, in dem niemals Audienzen abgehalten wurden, ohnehin keinem praktischen Zweck gedient hätte; ja, die Apsis scheint eher für einen Altar als für einen Thron geschaffen zu sein, denn im Apsisgewölbe erscheint Christus im Glorienschein, und darunter reihen sich die Gestalten der sechs heiliggesprochenen Könige.

Der Sängersaal ist in der endgültigen Ausführung weit entfernt von seinem Vorbild auf der Wartburg. Wie der Thronsaal, verbreitet er eher sakrale denn profane Stimmung; die Wandgemälde stellen Szenen aus ›Parsifal‹ und aus der Gralssage dar. Trotz der feierlichen Thematik ist der Raum keineswegs düster; das gleißende Gold der stehenden und hängenden Leuchter, die Arabesken an den Wänden verleihen ihm eine Heiterkeit, wie man sie etwa in einem maurischen Palast finden kann. Hier gibt es eine Sängerlaube, auf der nie ein Sänger gesungen hat, und von den Fenstern des Sängersaals und des Thronsaals hat man eine herrliche Aussicht auf Wälder, Berge und Seen.

Das war Neuschwanstein; und obwohl Ludwig es nicht ganz fertig sah, mag er doch, wenn er das wunderbare Walhall betrachtete, das für ihn erbaut worden war, wie Wotan im ›Rheingold‹ gedacht haben:

Vollendet das ewige Werk!
Auf Bergesgipfel die Götterburg;
prächtig prahlt der prangende Bau!

Worauf Wotan fortfährt:

Wie im Traum ich ihn trug, wie mein Wille ihn wies, stark und schön steht er zur Schau; hehrer, herrlicher Bau!

Im lieblichen Graswangtal bei Garmisch stand ein kleines Jagdhaus, das ›Königshäuschen‹, ein bescheidenes Holzhaus, das Ludwig kannte und liebte, seit er es mit seinem Vater auf Jagdausflügen in die Ammergauer Berge benutzt hatte. Das Haus war nach einer alten Linde benannt, allerdings zweifelt man, ob die große Linde, die man in der Nähe der Jagdhütte immer noch sehen kann, tatsächlich noch der ursprüngliche Baum ist. Im Jahr 1869, gerade als der König mit dem Bau von Neuschwanstein begann, gingen seine Gedanken auch nach Linderhof, das er als sein Trianon sah.

Es gibt Entwürfe zu einem Versailles (1868–69) und einem byzantinischen Palast (1889–70), die beide als ›Linderhof‹ bezeichnet sind. Der erste Plan, dem Ludwig den seltsam verschlüsselten Namen ›Meicost Ettal‹ gab – er ist eine Buchstabenumstellung von des Sonnenkönigs stolzer Devise: ›L'état c'est moi‹ –, wurde später in Herrenchiemsee verwirklicht, der zweite nie. Aber schon Ende 1868 trug sich der König mit einem einfacheren und praktischeren Plan. Im November sprach er in einem Brief an Düfflipp von einem kleinen Pavillon ähnlich dem Lustschloß Grand Trianon in Versailles, einem bescheidenen Gebäude mit nicht zu großem Garten –»Das Ganze wird ganz allerliebst sich ausnehmen« –, und gab Auftrag, sogleich zur Zeichnung der Pläne zu schreiten. An die Baronin Leonrod schrieb er:»O, es ist notwendig, sich solche Paradiese zu schaffen, solche poetischen Zufluchtsorte, wo man auf einige Zeit die schauderhafte Zeit, in der wir leben, vergessen kann.«

1870 wurde an das vorhandene ›Königshäuschen‹ ein Schlafzimmer angebaut und das jetzige Schloß, eine Erweiterung des Jagdhauses, begonnen. Während des Baues ergaben sich Planerweiterungen; der nördliche Teil wurde zwischen 1870 und 1872 errichtet, alles übrige größtenteils in den folgenden drei bis vier Jahren. Eine einfache Holzkonstruktion bildete den Rahmen für das ganze Interieur; doch wurde sie 1874 durch Quaderstein ersetzt, während man das alte Jagdhaus abtrug und weiter westlich wieder errichtete. Bis 1879 arbeitete man an verschiedenen Teilen des Schlosses weiter, danach wurden keine Veränderungen mehr vorgenommen, nur das Schlafzimmer des Königs mußte dreimal vergrößert werden.

Linderhof ist, Ludwigs Absicht entsprechend, ein Trianon im Vergleich zu dem Versailles, das später auf Herrenchiemsee erbaut wurde. Äußerlich ist es ein geschlossen wirkender, heller Bau, von Dollmann in geziertem und stilistisch unreinem Barock entworfen, dem er aus verschiedenen Stilperioden und Ländern entliehene Züge beigemischt hat. Nach Heinrich Kreisels Meinung könnte Schloß Marly bei Versailles als Anregung, aber nicht als Modell für Linderhof gedient haben. Tatsächlich besteht keine Ähnlichkeit mit Marly, überhaupt gleicht Linderhof äußerlich, von ein paar Details abgesehen, keinem französischen Bauwerk des 17. oder 18. Jahrhunderts; der Ziergiebel kommt dem deutschen Barock viel näher, zum Beispiel der Würzburger Residenz. Französischer Einfluß läßt sich immerhin in den schwerfällig gebänderten Säulen erkennen, in den vier Hermen, die den Balkon über dem Eingang tragen (nach Pierre Pugets Hermen in Toulon, die ihrerseits italienischen Modellen nachgebildet sind) und in der geschwungenen Form des Daches (französischen Ursprungs, aber auch bei vielen deutschen Barockbauten vorkommend).

So reich ornamentiert die Fassade des Schlosses auch wirken mag, im Vergleich zum Interieur kann sie als Muster der Zurückhaltung bezeichnet werden. Denn drinnen schwelgt das Rokoko in blitzenden Spiegeln und glitzerndem Gold, in üppigen Wandbehängen und fröhlichen, aber mittelmäßigen Gemälden, in Samtplüsch, Kristalleuchtern, in Lapislazuli, Malachit und Porzellan. Der Baedeker von 1929 urteilt:»Die in die Bergeinsamkeit verpflanzte Rokoko-Architektur wirkt für den heutigen Geschmack unecht und überladen.«

Die blendendsten Räume sind der Spiegelsaal und das Schlafzimmer des

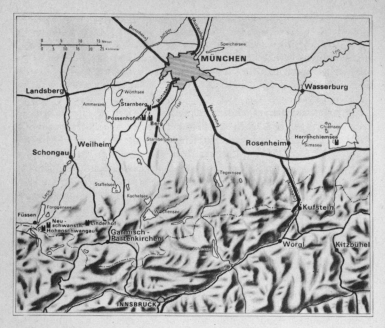

Karte von Südbayern mit Lage der erwähnten Schlösser

Königs, das vor Ludwigs Tod nach Entwürfen von Eugen Drollinger, die
ihrerseits wieder das von François Cuvilliés geschaffene Schlafzimmer in
den Reichen Zimmern der Münchner Residenz zum Vorbild nahmen, erweitert und umgestaltet worden ist. Im Speisezimmer war ein versenkbares
›Tischlein-deck-dich‹ angebracht, das dem König erlaubte, ohne die verhaßte Anwesenheit von Dienern zu essen. Vier kleinere Räume – das Gelbe,
Lila, Rosa und Blaue Kabinett – trennen die größeren Gemächer; die Farben
wurden so gewählt, daß der Besucher beim Durchschreiten der Raumfolge
überrascht und entzückt ist.

Franz Seitz und Christian Jank, beide vom Hoftheater, schufen unter der
Leitung von Dollmann viele Entwürfe für die Innendekoration. Da Linderhof Ludwigs geliebte Bourbonen – an die viele Gemälde und Statuen erinnern – preisen sollte, übte das französische Rokoko natürlich starken Einfluß aus; doch auch die Üppigkeit und Eleganz des bayrischen und fränki-
schen Rokokos spielten eine Rolle. Unter Dollmann arbeiteten Künstler und
Handwerker, die, wie alle, die für Ludwig beschäftigt waren, von jedem

Stück die genauesten Entwürfe dem König vorlegen mußten. Ludwig unterzog alles einer strengen Prüfung, und er erging sich in heftiger Kritik, wenn etwas nicht so ausfiel, wie er es angeregt oder sich vorgestellt hatte. Kennzeichnend dafür ist der folgende Brief, den er im Oktober Düfflipp zugehen ließ, weil seine Anweisungen nicht genau ausgeführt worden waren:

Seine Majestät der König seien sehr ungehalten, weil Majestät mit der Vollendung der Arbeiten hier so angeführt worden sind.

Daß die Genien über den Türen und am Plafond sowie die Bavaria im Arbeitszimmer weiß sind, sei von Hrn. Dollmann sehr geschmacklos, Majestät seien darüber sehr erstaunt und erzürnt und sollen obige gleich vergoldet werden.

Ebenso geschmacklos sei im Arbeitszimmer, daß der untere Teil desselben Goldverzierungen auf grünem Grunde habe, statt auf weißem; für solche Geschmacklosigkeiten existiere gar kein Ausdruck.

Die Genien ober den Türen, die das Wappen halten, seien nicht stilgemäß und sollen besser modelliert sein, woran auch die Überwachung von Seite des Hrn. Dollmann gefehlt habe.

Sei die Bavaria auch abscheulich, weil dieselbe nicht so ist, wie sie auf dem ersten Plan gezeichnet, und wie dieselbe auch am Plafond im roten Empfangssalon in München ist, während sie hier den Arm ausgestreckt hat.

In dem früheren Eßzimmer hier hat Majestät genau bestimmt, daß Venus mit Amor obern Kamin und Venus und Bacchus obers Fenster kommen sollen, was jetzt gerade das Gegenteil ist, dies ärgert Majestät am allermeisten, weil dasselbe nicht mehr geändert werden kann.

Daß die Figuren an diesem Plafond plastische Füße haben, will Majestät auch nicht gefallen, auch die Genien sollen nicht plastisch gemacht sein, sondern nur an den Plafond gemalt werden.

Die Armlehnen des Arbeitsstuhls sollen mehr gebogen sein, wie es stilgemäß ist, wenn es noch geändert werden kann...

Herr Maler Zimmermann hat versprochen, daß er das neue Bild sogleich beginnen wird, und daß er in sechs Wochen dasselbe fertig haben wird. Jetzt verlange derselbe drei Monate dafür; Euer Hochwohlgeboren möchten ihm daher diese Arbeit nehmen und einem andern geben, der es in sechs Wochen, ohne zu überhudeln, gerade so schön macht.

Schloß Linderhof verdankt seinen Reiz großenteils der wunderschönen Landschaft und den französischen Ziergärten, die der Hofgärtner Carl von Effner so genial angelegt hat, daß sie fast unmerklich in die grünen Berge übergehen. Im Gartenparterre vor dem Schloß befindet sich ein großes Wasserbassin mit einem fünfunddreißig Meter hohen Springbrunnen – also höher als irgendein Springbrunnen in Versailles, aber keineswegs vergleichbar mit der berühmten Fontäne des spanischen Schlosses La Granja –, und überall sind Statuen verteilt; es gibt dichte Hainbuchenhecken, Buchspyramiden, Wasserfälle, Pavillons, Tempel, Teppichbeete, Rasenflächen, und hinter den Gartenanlagen darf die freie Natur herrschen. Außerdem stehen im Park noch andere interessante

Gebäude. Da ist einmal, wie bereits gesagt, das ›Königshäuschen‹ sowie eine kleine Kapelle, die der Abt von Ettal im 17. Jahrhundert erbaut hat; am häufigsten aber werden heute die Grotte und der ›Maurische Kiosk‹ besichtigt.

Den Kiosk, aus Gußeisen mit perlmutteingelegten Wänden, kaufte Ludwig 1876 vom Besitzer des Schlosses Zbirow in Böhmen; wahrscheinlich stammt er aus Paris, wo der maurische Stil damals große Mode war. Er wurde im folgenden Jahr in leicht abgeänderter Gestalt bei Linderhof aufgestellt und mit einem spektakulären Pfauenthron versehen, den der König in Paris von Le Blanc-Granger herstellen ließ. 1878 ließ Ludwig auf der Pariser Weltausstellung noch ein kleines ›Marokkanisches Haus‹ erwerben, das jetzt in Oberammergau in Privatbesitz ist.

Die Hauptattraktion im Park ist zweifellos die künstliche Grotte, die 1876–77 im Berghang oberhalb des Schlosses angelegt wurde. Angeregt durch die ›Blaue Grotte‹ von Capri und Maximilians II. sehr kleine Grotte in Hohenschwangau, die Ludwig seit seiner Kindheit kannte, ließ er dieses Gebilde seines Traumlandes mit gipsernen Stalaktiten versehen und die Wände zementieren. Man betritt sie durch einen ›Sesam-öffne-dich‹-Felsen und erreicht durch einen langen Gang den Hauptraum, wo ein Wasserfall einen See speist und im Hintergrund ein Gemälde Tannhäuser im Venusberg zeigt. Die Grotte konnte durch eine Warmluftanlage geheizt werden, und mit dem elektrischen Licht, dem damals ersten in Bayern, läßt sich je nach gewünschter Stimmung verschiedene Beleuchtung erzielen, zum Beispiel Blau wie auf Capri oder Rot wie in der Venusgrotte im Hörselberg, wo Tannhäuser mit der Liebesgöttin schäkerte. Auf dem See konnten mittels eines unterseeischen Apparates Wellen erzeugt werden, auch zwei Schwäne schwammen umher. Hier ließ sich Ludwig in einem muschelförmigen Kahn, den Seitz entworfen hatte, von einem Diener rudern. Es soll ein Versuch gemacht worden sein, in der Grotte den ersten Akt des ›Tannhäuser‹ aufzuführen, aber das Rauschen des Wasserfalls und die verzerrte Akustik in der Grotte hätten es unmöglich gemacht, Sänger und Orchester zu hören; wahrscheinlich beruht diese Anekdote jedoch nicht auf Wahrheit.

Louise von Kobell erzählt, fünf verschiedenfarbige Beleuchtungen hätten sich je zehn Minuten lang abgewechselt, und zum Schluß wäre ein Regenbogen über dem Tannhäuserbild erschienen. Die Wirkung wäre phantastisch gewesen, wie sie selber zugibt, doch fährt sie fort: »Wer aber hinter die Kulissen blickte, fand eine melancholische Prosa, einen abgehetzten Elektrotechniker, sieben von Arbeitern ständig geheizte Öfen, welche die Temperatur von 16 Grad Réaumur [20° Celsius] hervorbringen und unterhalten mußten, und dazu die riesigen, von der blauen Grotte allmählich verschlungenen Summen. Aber der König wünschte keinen Geschäftsbericht, indem er sagte: ›Ich will nicht wissen, wie es gemacht wird, ich will nur die Wirkung sehen.‹«

Für Linderhof wurden noch weitere Pläne ausgearbeitet, jedoch nicht ausgeführt. So sollte die kleine Sankt-Anna-Kapelle durch eine Barockkirche ersetzt werden, für die Dollmann Entwürfe und Pläne vorbereitete. Interessanter und wichtiger wäre das Theater gewesen; es sollte zu Privatvorstellungen für den König dienen und ursprünglich ans Schloß angebaut und später an der Stelle errichtet werden, wo jetzt der Venus-

Pfau aus Sèvres-Porzellan im westlichen Gobelinzimmer von Schloß Linderhof

Die Venusgrotte in Linderhof

tempel steht. Der Entwurf stammte von einem jungen Architekten namens Julius Lange, der sich dabei das von Cuvilliés erbaute Residenztheater in München zum Vorwurf nahm.

In der Nähe von Linderhof lag die ›Hundinghütte‹, ein Blockhaus, das Dollmann 1876 nach Janks Bühnenbild für den ersten Akt der ›Walküre‹ schuf. Sie war rings um eine als Esche kaschierte Buche gebaut und mit Bärenfellen, Waffen und Jagdtrophäen ausgestattet; 1945 wurde sie niedergebrannt. Im Wald bei Linderhof ließ Ludwig außerdem die Einsiedlerhütte nach dem Vorbild der Einsiedelei des Gurnemanz im dritten Akt von ›Parsifal‹ errichten. Sie entstand 1877, wurde aber schlecht gepflegt und stürzte vor kurzem ein. Unweit des Ammerwaldes in Österreich wurde im letzten Regierungsjahr des Königs mit dem Bau des ›Hubertuspavillons‹ begonnen, einer Nachbildung der Amalienburg im Park von Nymphenburg; auch er wäre ein Juwel dieses bayrischen Neo-Rokokos geworden, aber er gedieh nur bis zum Rohbau und wurde nach Ludwigs Tod abgerissen.

Zu Ludwigs ersten Versuchen, in orientalischem Stil zu bauen, gehört das kleine Jagdschloß, das 1870 in 1867 Meter Höhe auf dem Schachen errichtet wurde, einem Aussichtspunkt im Wettersteingebirge südlich von Partenkirchen. Äußerlich ist es ein recht einfaches Holzgebäude mit Balkon, das auf den ersten Blick fast wie ein bayrisches Haus aussieht, das jedoch auch – was das Innere anlangt – ein Gegenstück an den Ufern des Bosporus hat. Wahrscheinlich war Dollmann der Erbauer. Innen ist es nach Entwürfen von Georg Schneider in türkischem Stile üppig dekoriert und mit Diwanen ausgestattet; in der Mitte hat es einen Springbrunnen. Photographien der damals vor kurzem erbauten Paläste von Beylerbey und Yldiz am Bosporus dienten als Vorlage. Das Königshaus am Schachen mit seiner herrlichen Aussicht auf die Zugspitze ist für Wanderfreunde von Garmisch-Partenkirchen aus in fünf Stunden erreichbar.

Neunzig Kilometer südöstlich von München liegt der Chiemsee, Bayerns größtes Gewässer, in einer gesegneten, von mildem, südlich anmutendem Himmel überglänzten Landschaft vor der Kulisse der hier fast unvermittelt aufragenden Chiemgauer Berge. Friedlich schwimmen in ihm drei Inseln: die stattliche Herreninsel mit dem sogenannten ›Alten Schloß‹, einem ehemaligen Augustiner-Chorherrenstift; die kleine Fraueninsel, deren 782 gegründetes Benediktinerinnen-Kloster jetzt ein Mädcheninternat beherbergt; und gleich daneben die winzige, unbewohnte Krautinsel, die der Überlieferung nach verliebten Mönchen und Nonnen als Stelldichein gedient haben soll. 1873 kaufte Ludwig II. die Herreninsel und entschied, hier das ›Versailles‹ zu bauen, das eigentlich für Linderhof vorgesehen war. Im folgenden Jahr reiste er nach Paris, um seine Bekanntschaft mit dem Schloß des Sonnenkönigs zu erneuern.

Erst im Mai 1878 wurde der Grundstein gelegt und mit dem Bau des letzten und größten der drei Hauptschlösser begonnen. Inzwischen war Dollmanns ursprünglicher Entwurf beträchtlich vergrößert und auf Befehl des Königs dutzendmal geändert worden. Für Ludwig hatte man 1874 im ›Alten Schloß‹ eine Zimmerflucht hergerichtet, so daß er nach Belieben auf der Insel übernachten konnte. Ihm schwebte ein Monument zum Preise des absoluten Königtums vor, ein Tempel zu Ehren seiner geliebten Bourbonen, insbesondere Ludwigs XIV. Die Haupträume, darunter eine ziemlich genaue Kopie des Paradeschlafzimmers und der Spiegelgalerie von Versailles, waren nicht zum Wohnen gedacht. Das Paradeschlafzimmer übertraf an Luxus sogar sein Vorbild in Frankreich, seine Ausstattung ist geradezu unglaublich prächtig: jeder Vorhang wiegt einen Zentner, und an der Bettdecke arbeiteten dreißig bis vierzig Frauen sieben Jahre lang. Die Räume, die der König benutzen wollte, kamen erst nach den Paradegemächern an die Reihe – das heißt nicht vor 1883 –; sie waren eine Nachbildung der Appartements Ludwigs XV. in Versailles und wurden hauptsächlich von Julius Hofmann, der 1884 Dollmanns Posten übernahm und schon unter ihm gearbeitet hatte, sowie von Franz Paul Stulberger und dessen Mitarbeitern geschaffen. Von Hofmann sagt Heinrich Kreisel:

Hofmann war ein gewiegter, ungemein geschickter und sehr phantasievoller Dekorateur, ein genialischer Zeichner, ein schneller und wendiger Arbeiter, kein ›Beamter‹, sondern ein Mann, der im Notfall auch etwas biegen konnte, um Unmögliches möglich zu machen. Er ritt in vielen Sätteln und er war in vielen Spielarten zu Hause. Seine Arbeitskraft scheint unerschöpflich gewesen zu sein. Männer, die noch unter ihm gearbeitet hatten, schilderten den bärtigen, drahtigen Mann, wie er in eine ständige Rauchwolke gehüllt am Zeichentisch sass und mit einer an Hexerei erinnernden Schnelligkeit Zieraten zeichnete.

Der oberflächliche Betrachter kann Herrenchiemsee leicht für eine Nachahmung von Schloß Versailles halten. Jedenfalls ist es Ludwigs auserlesenstes Schloß; man braucht nur die Gartenfassade und die Spiegelgalerie von Herrenchiemsee zu sehen, um zu erkennen, wie genau die Erbauer den französischen Architekten Le Vau, Mansart und Lebrun gefolgt sind. Die Treppe ist eine fast exakte Nachbildung der ›Escalier des Ambassadeurs‹, die 1752 zerstört wurde, aber aus Stichen bekannt ist. Viele Details der Innendekoration sind jedoch eher dem deutschen als dem französischen Rokoko nachempfunden. Hier wurde den Münchner Künstlern und Handwerkern – wie auch durch Linderhof und Neuschwanstein – ungeheurer Auftrieb gegeben.

Tischlein-Deck-Dich-Mechanismus in Schloß Herrenchiemsee

Um den ganzen Zauber von Herrenchiemsee zu empfinden, muß man einem der Abendkonzerte beiwohnen, die hier im Sommer an bestimmten Tagen veranstaltet werden. Dann erstrahlt das Schloß im Scheinwerferlicht, und die Räume werden von mehr als viertausend Kerzen erhellt; wenn man dann die Anwesenheit der andern Besucher zu vergessen vermag, kann man sich beinahe in die Zeit des beliebten Bayernkönigs zurückversetzt fühlen. So wird Ludwig, der zum Schluß ein Nachtleben führte, Herrenchiemsee wohl gekannt haben, in all der Pracht des strahlenden Kerzenscheines, der von hundert Spiegeln zurückgestrahlt wird – gekannt und geliebt.

Kein Versailles ist vollständig ohne die Gärten, und auch in dieser Beziehung folgt die Anlage dem Vorbild, freilich in vereinfachter Form, und auch nicht in Einzelheiten. Da gibt es ein Apollo-Becken und einen Latona-Brunnen, dann einen Großen Kanal, Statuen und Bosketts. Doch während das Schloß von Versailles heute ganz in der Nähe einer größeren

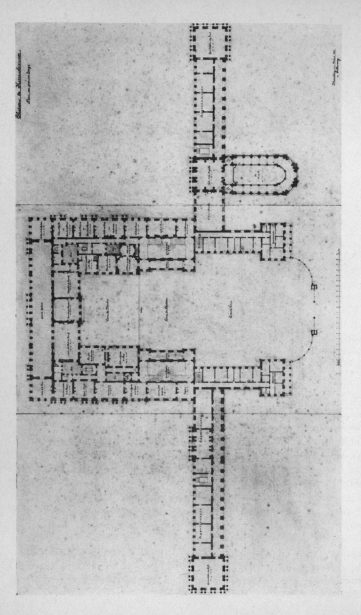

Architektenzeichnung. 1. Stock des Schlosses Herrenchiemsee

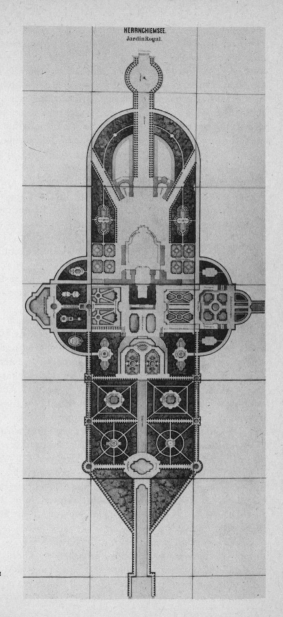

*Entwurf zum Garten
des Schlosses
Herrenchiemsee*

Stadt steht, erhebt sich Herrenchiemsee isoliert auf einem von Wasser umgebenen Eiland vor dem prachtvollen Hintergrund der bis in die Felsregion aufragenden bayrischen Berge.

Ludwig II. bewohnte Herrenchiemsee nur einmal: im Herbst 1885 für zehn Tage. Zur Zeit seines Todes waren erst der Mitteltrakt und ein Stück des linken Flügels – inzwischen wieder abgerissen – fertiggestellt, und schon beliefen sich die Kosten – über sechzehn Millionen Mark – höher als die Baukosten für Neuschwanstein und Linderhof zusammen. Seine Schlösser seien geweihte Stätten, sagte der König einmal, sie dürften vom Volk nicht gesehen werden, weil »der Blick des Volkes sie entweihen, besudeln« würde. Welches Glück, daß er die Zeit nicht voraussehen konnte, in der sie Hunderttausenden von Touristen zu Spaß und Vergnügen dienen sollten, all den vielen, die Jahr für Jahr aus aller Herren Länder herbeiströmen, mit müden Füßen durch die Räume ziehen und die ›Tollheiten‹ des ›verrückten‹ Königs anstaunen.

Zwei große Projekte, die beide nicht verwirklicht wurden, stammen aus den letzten Lebensjahren des Königs: am Nordrand der Allgäuer Alpen, zwanzig Kilometer westlich von Neuschwanstein, wollte Ludwig die Burg Falkenstein erstehen lassen, und am Plansee auf österreichischem Boden einen chinesischen Palast.

Die Ruine der mittelalterlichen Burg Falkenstein, die im 17. Jahrhundert größtenteils zerstört wurde, steht etwa dreihundert Meter höher als Neuschwanstein und über ebenso romantischen Abgründen. 1883 kam dem König zum erstenmal der Gedanke, den Berg mit einer Burg in gotischem Stile zu krönen. In diesem Jahr schuf Jank eine phantastische Zeichnung, und Dollmann erhielt Weisung, die Pläne und Aufrisse herzustellen; doch da er wußte, daß die königliche Schatulle zu dieser Zeit fast leer war, zeichnete er – wahrscheinlich einer seiner Gehilfen – etwas viel Bescheideneres und weniger Kostspieliges, das der König zornig ablehnte.

So wurde das Werk Max Schultze anvertraut, dem fürstlich Thurn- und Taxisschen Oberbaurat in Regensburg, der sich über den königlichen Auftrag freute und nicht ahnte, daß wenig Aussicht auf Verwirklichung irgendwelcher Baupläne bestand. Schultze zeichnete eine Raubritterburg, die eine pittoreske und vereinfachte Abwandlung des Jankschen Entwurfs darstellte, und gleichzeitig (1884) wurden die Straße zur Burg und die Wasserleitung angelegt.

Schultze merkte jedoch bald, daß man als Ludwigs Architekt nicht auf Rosen gebettet war. Wie stets, befaßte sich der König mit jeder Einzelheit für sein Schlafzimmer, das immerfort abgeändert und vergrößert wurde; die Gotik wurde durch einen profan-byzantinischen Stil abgelöst, und endlich entschied sich Ludwig für eine Art byzantinische Kirche mit

Apsis und Altar. Der verzweifelte Baumeister hielt es schließlich nicht mehr aus und trat 1885 zurück. Von da an lieferten Julius Hofmann – der soeben Dollmanns Stellung als Hofbaurat übernommen hatte – und ein anderer Baumeister namens Eugen Drollinger dem König fortlaufend Entwürfe; da beide wußten, daß doch nicht gebaut werden würde, gestalteten sie ihre Pläne so phantastisch, kostspielig und undurchführbar, wie es ihm beliebte. Als Drollinger gerade über der Arbeit am vierten Plan für das Schlafzimmer saß, das nun bunte Glasfenster und eine Mosaikkuppel erhalten sollte, erreichte ihn die Nachricht vom Tode des Königs.

Auch für den chinesischen Palast schuf Hofmann im Januar 1886 Entwürfe in dem Bewußtsein, daß er seiner Phantasie die Zügel schießen lassen durfte. Vorbild war der Winterpalast in Peking, und Ludwig betrachtete ihn als Dekorum für auserlesene chinesische Zeremonien, bei denen seine Hofleute chinesische Kleidung tragen sollten.

Solcherart waren die Schlösser, Paläste und Lustpavillons, die Ludwig baute oder zu bauen hoffte. In seinen letzten achtzehn Lebensjahren schenkten sie ihm ein Glücksgefühl, das er bei menschlichen Beziehungen, wenn überhaupt, höchstens flüchtig fand: das Bauen diente ihm als Ventil für seinen schöpferischen Drang, als Lebenszweck und als Fluchtmittel aus der rauhen Wirklichkeit, die er immer stärker verabscheute.

Der Märchenkönig

Es läßt sich nicht mit Sicherheit sagen, wann zum erstenmal in München geflüstert wurde, der Geist des Königs könnte im Ernst zerrüttet sein.

Schon bald nach seinem Regierungsantritt zeigte es sich, daß Ludwig exzentrisch, launisch und krankhaft menschenscheu war, und es ließ sich nicht leugnen, daß er seine Wagnerverehrung übertrieb. Nachdem Wagner entlassen und später Ludwigs Verlobung verkündet worden war, hoffte man, er habe sich in die Hand bekommen, und alles werde gut werden; aber nach der Auflösung der Verlobung standen die Zungen nicht still. Obwohl Ludwig jeden Vorwand zu Hilfe nahm, um der Hauptstadt zu entrinnen, zeigte er sich zu Beginn der siebziger Jahre doch immer noch ab und zu seinem Volk, etwa bei öffentlichen Anlässen wie der jährlichen Fronleichnamsprozession, und er fand immer ein gewisses Vergnügen an Zeremonien, besonders wenn sie mit ritterlichen Bräuchen zusammenhingen.

Er war Großmeister des Ritterordens vom heiligen Georg; auf einem Bild, das Friedrich Eibner zugeschrieben wird und etwa 1875 entstanden ist, erteilt er in der Hofkapelle der Münchner Residenz den Ritterschlag; offensichtlich hat er Freude daran. Die Bildhauerin Elisabeth Ney – eine der wenigen Frauen, denen Ludwig freundlich gesinnt war – schuf eine Statue des Königs im Ornat des Georgiritterordens, zwar nur in Ton; Friedrich Ochs in Berlin führte diese Statue später in Marmor aus. Außerdem gibt es das postume Bildnis Gabriel Schachingers von 1887, das den König im Ornat mit dem historischen Ritterschwert zeigt. Zum Zeremoniell des Georgiritterordens gehörte ein Bankett, bei dem man den König, wenn er ihm beizuwohnen geruhte, in heiterster Stimmung erleben konnte. Zum letzten Mal war er am Sankt-Georgs-Tag 1880 zugegen.

Nach der Mitte der siebziger Jahre war der König für seine treuen Untertanen buchstäblich unsichtbar, sogar während seines verfassungsgemäß gebotenen Aufenthalts in der Hauptstadt; eine Militärparade im August 1875, bei der ihm eine große Ovation dargebracht wurde, dürfte sein letztes öffentliches Auftreten in München gewesen sein. Er wollte nicht einmal am siebenhundertjährigen Jubiläum der Wittelsbacher Herrschaft in Bayern teilnehmen, das 1880 gefeiert wurde. »Man hat mich zwingen wollen, zur Wittelsbacherfeier zu kommen«, sagte er; »ich bin doch nicht gegangen; was konnte auch daraus erfolgen, daß ich es nicht tat. Revolution machen sie ja doch nicht.« Ludwig von Bürkel, der damalige Hofsekretär, beschreibt seine Bemühungen, den König zu einer Sinnesänderung zu bewegen:

Ich drang in ihn und schilderte ihm, wie ihn sein Volk liebe und mit welchem Jauchzen ihn München nach so langen Jahren empfangen würde. »Ich kann nicht! ich kann nicht!« erwiderte er mir, sich die Stirn reibend, »es ist entsetzlich, aber ich kann es nicht mehr ertragen, mich von Tausenden Menschen anstarren zu lassen, tausendmal zu lächeln und zu grüßen, Fragen an Menschen zu richten, die mich garnichts angehen, und Antworten zu hören, die mich nicht interessieren. Nein! nein! ich kann aus der Einsamkeit nicht mehr heraus!« Und leise und wehmütig flüsternd fügte er hinzu: »Manchmal, wenn ich mich müde gelesen habe und alles so stille ist, dann habe ich das unwiderstehliche Bedürfnis, eine menschliche Stimme zu hören. Dann lasse ich mir irgendeinen Lakai oder Vorreiter rufen, der muß mir von seiner Heimat und seiner Familie erzählen.« Und mit einer Trauer, die mir tief ins Herz schnitt, schloß er: »Ich würde ja sonst das Sprechen ganz verlernen.«

Sogar Ludwigs Bruder Otto wohnte der Parade von 1875 bei, obwohl er seit mehreren Jahren geistesgestört war; doch nicht lange danach wurde er für unheilbar krank erklärt. Er lebte seit 1871 in milder Haft in Nymphenburg, und sein zum Glück seltenes Erscheinen in der Öffentlichkeit verursachte bisweilen peinliche Situationen. Am Fronleichnamstag 1875 rief er in der Frauenkirche zu München einen öffentlichen Skandal hervor, indem er »im Jagdrock und hellwach« in die Kirche stürmte, sich auf den Altarstufen zu Füßen des Erzbischofs niederwarf und laut seine Sünden bekannte. Danach mußte er strenger bewacht werden, und als jegliche Hoffnung auf Genesung aufgegeben wurde, entzog man ihm die Freiheit.

Ottos Schicksal beeindruckte Ludwig tief, weniger aus persönlichen Gründen, denn die beiden hatten sich nie sehr nahe gestanden, sondern weil er sich die Möglichkeit eines gleichen Schicksals nicht länger verhehlen konnte; zweifellos bewirkte Ottos Zustand, daß er sich von 1876 an immer mehr von der Welt zurückzog. Zuerst besuchte er seinen Bruder noch ziemlich regelmäßig in Fürstenried, dem Schloß bei München, wo Otto in Gewahrsam gehalten wurde. Er hatte verboten, irgendwelche Gewalt anzuwenden, und er war der einzige Mensch, der Otto bei seinen Wahnsinnsausbrüchen zu beschwichtigen vermochte. Bald aber mußte der König diese Besuche aufgeben, weil sie ihn zu sehr belasteten.

Otto war nach dem Tode Ludwigs von 1886 an nomineller König von Bayern, bis 1913 sein Vetter als König Ludwig III. den Thron bestieg. Otto starb 1916, und zwei Jahre später wurde Ludwig III. entthront, womit die über siebenhundertjährige Herrschaft der Wittelsbacher in Bayern ein Ende fand.

Zu den ersten Absonderlichkeiten, die zu Gerede Anlaß gaben, gehörte die Gewohnheit Ludwigs II., die Nacht zum Tage zu machen. Sein geliebter Ludwig XIV. wurde Sonnenkönig genannt, Ludwig hätte man gut als Mondkönig bezeichnen können. Schon 1865 gab er Pfistermeister die Weisung, in seinem Schlafzimmer auf Hohenschwangau einen künstlichen

Mond und einen Regenbogen anzubringen; der Plafond war mit Orangen-bäumen auf blauem Himmelsgrund bemalt, ein plätschernder kleiner Springbrunnen verstärkte die Illusion, er schliefe im Freien. Im Juli 1878 erhielt Bürkel den Befehl, den Mond im Schlafzimmer Seiner Majestät reparieren zu lassen, weil »er nicht mehr so schön leuchtet wie früher«.

Und wie verbrachte der König seine schlaflosen Nächte? Einen Beleg dafür liefert ein Bericht des Grafen Trauttmansdorff vom Februar 1868, der die nächtliche Lieblingsbeschäftigung des Königs, das Reiten in der beleuchteten Hofreitbahn, beschreibt:

Der König erfaßt dabei den Gedanken, die Reise an einen bestimmten Orte zu Pferde zu machen, berechnet die Distanzen im Verhältnis zum Umfange der Reit-bahn und reitet dann mehrere Nächte hintereinander von 8 Uhr abends bis 2, 3 Uhr früh, gefolgt von einem Reitknecht, in der Bahn fort und fort rund herum, ein je-des Pferd so lang es gehen kann, hält nach einigen Stunden an und läßt sich in die Bahn ein frugales Souper bringen und reitet dann wieder weiter, bis er nach der Distanzberechnung an seinem Reiseziel angelangt ist... Der Reitknecht, der letzt-lich mit dem Könige in der Reitbahn »von München nach Innsbruck« geritten war, erhielt für diese Begleitung eine goldene Uhr mit Kette.

Der österreichische Diplomat fügt hinzu, daß dieses sonderbare Benehmen ein gut Teil des bösartigen Geredes in der Stadt hervorrief, daß er selbst darin aber nichts anderes sah als den Ausdruck der sehr lebhaften Phantasie des Königs.

Wenn sich Ludwig auf dem Lande aufhielt, brauchten sich seine nächt-lichen Ritte nicht auf die vier Wände einer Reitbahn zu beschränken, und bald erzählte man Geschichten von seinen mitternächtlichen Aus-flügen in die Täler der bayerischen Alpen und nach Tirol. Sogar mitten im tiefen Winter konnten die Bauern, die behaglich im warmen Bett lagen, die Schellen seines goldenen Rokokoschlittens und die vom Schnee gedämpften Huftritte galoppierender Pferde hören – der König hatte eine unserem heutigen Tempo gemäße Leidenschaft für Geschwindigkeit –, die unter ihren Fenstern vorbeipreschten. Und manchmal, wenn er vom Schneesturm überrascht wurde, suchte er Zuflucht in einer Holzfäller-hütte. Dann zog sich die Familie hastig an, Holz wurde im Ofen nachgelegt und Bier gebracht, während der König ungezwungen mit seinem Gast-geber plauderte; im Beisein einfacher Leute war er nie schüchtern oder in sich gekehrt. Ließ das Schneetreiben nach, so hüllte er sich wieder in seinen dicken Pelzmantel, stülpte sich den breitkrempigen Hut mit der brillantfunkelnden Agraffe auf und verschwand in die Nacht hinaus. Einige Tage später traf ein wenig passendes Geschenk als Dank für die empfangene Gastfreundschaft ein – etwa ein großer Lilienstrauß aus den Treibhäusern von Nymphenburg –, sichtbarer Beweis, daß der hohe Be-such doch kein Traum, sondern Wirklichkeit gewesen war.

Thomas Osterauer, ein im Jahre 1885 im Dienst des Königs beschäftigter Chevauleger, der den König bei diesen nächtlichen Exkursionen manchmal begleiten durfte, erzählt eine hübsche Anekdote. Gegen zwei Uhr kamen sie durch eine kleine Tiroler Ortschaft. Als der König nahe bei einer Wirtschaft eine Kegelbahn sah, stieg er aus und sagte, er wolle einmal das Kegelspiel probieren. Osterauer beschreibt, was daraufhin geschah:

Ich stellte die Kegeln auf, rollte die Kugel hinein, er schob drei- bis viermal hinaus, auf einmal hörte ich fluchen, der Wirt erschien in Unterhose mit einem großen Prügel und machte ein Mordsgeschrei. Der König war schon aus der Kegelbahn gesprungen und lief querfeldein. Ich sprang mit einem Kegel in der Hand vor, als mich der Wirt in vollem Glanze vor sich sah, ich war in Gala – sonn- und feiertags mußten wir in Gala sein –, riß er Mund und Augen auf, ließ den Prügel fallen, machte kehrt, rannte ins Haus und verschloß die Haustür. Ich lief dem König nach, der meinte, der Wirt sei hinter mir; erst durch längeres Zurufen beruhigte er sich … Am zweiten Tag kam eine Bittschrift um Verzeihung von dem Wirt.

Natürlich wurden auch öfters tagsüber Ausflüge unternommen. Ludwig Thoma, dessen Vater in der Vorderriß Oberförster war, gibt in seiner Autobiographie die Eindrücke wieder, die er als Kind empfing, wenn der König eines seiner vielen Jagdhäuser bezog. Oft meldete er sich nur ganz kurzfristig an: nur wenige Stunden zuvor erschien ein Vorreiter, worauf fieberhafte Tätigkeit entstand, damit alles beizeiten fertig wurde.

Der mit Kies belegte Platz vor dem Königshause wurde gesäubert, Girlanden und Kränze wurden gebunden. Für uns Kinder gab es viel zu schauen, wenn Küchen- und Proviantwägen voraus kamen, wenn Reiter, Köche, Lakaien diensteifrig und lärmend herumeilten, Befehle riefen und entgegennahmen, wenn so plötzlich ein fremdartiges Treiben die gewohnte Stille unterbrach. Die Forstgehilfen und Jäger mit meinem Vater an der Spitze stellten sich auf; meine Mutter kam festtäglich gekleidet mit ihrem weiblichen Gefolge … Das Gattertor flog auf, Vorreiter sprengten aus dem Wald heran, und dann kam in rascher Fahrt der Wagen, in dem der König saß, der freundlich grüßte und seine mit Bändern verzierte schottische Mütze abnahm. Meine Mutter überreichte ihm einen Strauß Gartenblumen oder Alpenrosen, mein Vater trat neben sie, und in der lautlosen Stille hörte man ein leise geführtes Gespräch, kurze Fragen und kurze Antworten.

Dem jungen Thoma machte es einen großen Eindruck, daß der Küchenmeister es nie versäumte, den Kindern Zuckerbäckereien und Gefrorenes zu schenken, »und das waren so seltene Dinge, daß sie uns lange als die Sinnbilder der königlichen Macht und Herrschaft galten«.

Im Verlauf der Jahre brachte der König den Regierungs- und Staatsgeschäften immer weniger Interesse entgegen. Dennoch mußten Papiere unterschrieben werden, und man kann sich leicht vorstellen, welche Mühe Ludwigs Minister hatten, ihn aufzuspüren, wenn er, wie es im Sommer oft geschah, nach Lust und Laune von einem Jagdhaus zum andern zog. »Ich möchte um nichts in der Welt mein eigener Kabinettssekretär sein«, soll er einmal gesagt haben. Es konnte vorkommen, daß ein Kabinettsmitglied nach wiederholter Bitte um eine Audienz endlich von einer Stunde auf die andere in irgendeinen entlegenen Bergwinkel gerufen wurde. Louise von Kobell erzählt, wie ihr Mann, August von Eisenhart, als Kabinettssekretär zum König in das Forsthaus in Altlach am Walchensee befohlen war.

Der Förster hatte ... Stühle und Tisch in eine Wiese gestellt, eine rote Wolldecke darüber gedeckt, einen riesigen Blumenstrauß darauf postiert, seine Dachshunde in die Hundshütte verbannt ... Da sprengte der König mit seinem Pferd- und Wagentroß daher, Eisenhart erschien mit seinem Portefeuille, und der Vortrag fand im Freien statt.

Die Szenerie war eigentümlich. Im Hintergrunde der Wiese lagerten die Reitknechte und reihten sich die Fahrzeuge aneinander. Der König setzte sich, die schottische Mütze auf dem Kopf, im Reisekostüm an den Tisch, rückwärts von ihm, stramm aufrecht, zwei Lakaien, vor ihm stand sein Kabinettschef im schwarzen Frack, den Claquehut unter dem Arm, und berichtete mit lauter Stimme über die von den verschiedenen Ministern eingesandten Anträge und Vorschläge; dann und wann mischte sich das Tönen einer Kuhglocke darein oder das Gekläff der über ihre Haft erbosten Hunde.

Nachdem der König die letzte Entschließung getroffen und die Unterschriften gefertigt hatte, verabschiedete er leutselig seinen Sekretär, gab ein Zeichen, und wie durch eine Zauberformel verschwand die ganze Gesellschaft.

Da der König Hunde nicht mochte, am wenigsten bellende, ist es verwunderlich, daß er nicht Befehl gab, die Dachshunde außer Hörweite zu bringen. Im allgemeinen aber war Ludwig tierliebend. Jagen und Schießen waren ihm von jeher zuwider, und nicht nur wegen der Knallerei durfte kein einziger Schuß abgefeuert werden, während er eines seiner sogenannten Jagdhäuser bewohnte. Er liebte seine Pferde, und man erzählt sich, daß er einmal seine graue Lieblingsstute Cosa Rara an seinen Tisch zum Essen einlud. Suppe, Fisch, Braten und Wein wurden aufgetragen; Cosa Rara fraß mit herzhaftem Appetit, und zum Dank für die erwiesene Ehre zertrümmerte sie dann das kostbare Porzellan. Es gibt noch eine Anekdote, die Ludwigs Nachsicht in solchen Dingen beweist. Als er sich eines Tages im Spiegelsaal von Linderhof befand, stürmte plötzlich eine Gemse herein und richtete in ihrem jähen Schrecken unter den Spiegeln und Möbeln beträchtlichen Schaden an. Ein Diener lief herbei, um das Tier zu verjagen, aber Ludwig verwehrte es ihm mit den Worten: »Wenigstens lügt es nicht.«

Am meisten von allen Tieren liebte er Schwäne und Pfauen, ja, mit ihnen trieb er sogar einen Kult. Einst gab es in seinen Schloßgärten überall Pfauen; vielleicht fühlte er sich diesen stolzen, schönen und scheuen Vögeln verwandt.

Der König kannte alle seine Förster und deren Angehörige beim Namen und sprach mit ihnen, als ob sie seinesgleichen wären. Mitunter verdutzte er sie mit einer fast übertriebenen Formlosigkeit, indem er an ihren einfachen Spielen teilnahm oder sich neben zwei junge Holzfäller ins Gras setzte, die gerade ihr Mittagessen einnahmen. Die Bauern liebten ihren romantischen, freundlichen, warmherzigen, unberechenbaren König, der mit ihnen ungezwungen über die Aussichten der nächsten Ernte sprach oder kennerhaft die guten Eigenschaften eines neugeborenen Kalbs lobte; sie nannten ihn den Märchenkönig. Dies aber war derselbe Mann, der in München so peinlich auf Etikette hielt, daß er einem Redakteur einen Verweis erteilte, weil das Fürwort ›er‹ mit Bezug auf Seine Majestät nicht groß geschrieben worden war, und der seinen Vetter Prinz Ludwig derart tadeln konnte:

Wie schon früher habe Ich auch bei Gelegenheit des jüngsten Besuches Euerer Kgl. Hoheit bemerkt, daß Dieselben mit Mir in einem zu freien und die verwandtschaftlichen Beziehungen unpassend hervorkehrenden Ton Sich bewegen, wie solcher vor dem König nicht angemessen erscheint. Ich bin der Überzeugung, daß Ew. Kgl. Hoheit in künftigen Fällen jene Form des Benehmens wählen, welche in Gegenwart des Königs von allen Untertanen beobachtet werden muß.

Sogar die Königinmutter, die er jetzt als »Witwe meines Vorgängers« bezeichnete oder mit ihrem Ehrentitel als »Oberst des Dritten Artillerie-Regiments«, wurde mit Bestimmtheit an ihren Platz verwiesen. »Je ne cesserai jamais de la vénérer«, ließ er eine ihrer Hofdamen wissen, »puisqu'elle a l'honneur d'être la mère du roi – Ich werde niemals aufhören, sie zu verehren, weil sie die Ehre hat, die Mutter des Königs zu sein.« Es gibt Momente, wo sie die Mutter als solche etwas zu sehr herausgekehrt und der König in ihren Augen zeitweise zu sehr in den Hintergrund zu treten scheint ... »Je suis le Souverain et elle n'est que la mère, en même temps sujette – Ich bin der Herrscher, und sie ist nur die Mutter, gleichzeitig Untertanin.«

Der König konnte einem Prinzen die kalte Schulter zeigen und dennoch mit einem Bauern brüderlich verkehren; er erlaubte einem Freund des Augenblicks, einen vertraulichen Ton anzuschlagen, konnte ihm jedoch unvermittelt diese Vergünstigung wieder entziehen. Ganz ungewöhnlich war es jedoch, daß er so aus sich herausging, wie es einmal einem Universitätsprofessor gegenüber geschah, dem er bisher noch nicht persönlich begegnet war.

Der Historiker und Dichter Felix Dahn, dessen Werke Ludwig zweifellos kannte, schildert einen bemerkenswerten Nachmittag, den er im August 1873 im Berghaus Schachen beim König verbrachte; bei dieser Gelegenheit unterhielt sich Ludwig mit ihm fast sechs Stunden lang ungezwungen

KÖNIG LUDWIG II.
IN DER BLAUEN GROTTE ZU LINDERHOF

Zeitgenössische Postkarte, Ludwig II. als Lohengrin darstellend

über verschiedene Dinge. Es machte Dahn großen Eindruck, festzustellen, daß »dieser schwärmerische Wagnerverehrer« über internationale Angelegenheiten genau unterrichtet und ein spitzfindiger Dialektiker war.

Zuerst redete er den König natürlich ehrerbietig in der dritten Person an, obwohl er gleich zu Beginn gesagt hatte: »Majestät müssen verstatten, wenn ich über diese Dinge sprechen soll, daß ich spreche wie Mann zu Mann; nicht wie Untertan zum König«, worauf Ludwig »Versteht sich, versteht sich!« geantwortet hatte. Bald aber gerieten beide in Erregung, und als Dahn, der nach Bayern übergesiedelte Preuße, mit seinen abweichenden Ansichten keineswegs zurückhielt, sprang der König auf und schritt schnell hin und her.

Ich folgte ihm selbstverständlich darin: oft blieb er plötzlich hart vor mir stehen, sprach dann sehr laut und schrill, und während ihm das Blut die anfangs fahlen Wangen dunkelrot färbte und ihm die Stirnadern anschwollen, blitzten die seltsamen Augen in unheimlicher Erregung. Gleichwohl hätte ich nicht geahnt, daß dieser scharfe, helle, wie gesagt: spitzfindig denkende Geist in die Nacht des Wahnsinns versinken werde.

Bald sagte Dahn nicht mehr »Euer Majestät«, und als Ludwig den preußischen Kronprinzen anzugreifen begann, rief Dahn frischweg: »Sie irren! Sie sind falsch unterrichtet. Sie täuschen sich selbst in Ihrem blinden Haß.«

Dahn wollte mehrmals aufbrechen, denn »mein Gegner wurde immer aufgeregter, sein Gesicht ganz blutrot: ich hielt einen Gehirnschlag für nicht ausgeschlossen: aber immer wieder hielt er mich fest: ›wir sind noch lang nicht fertig! ‹ rief er wiederholt«.

Es würde zu weit führen, diese erstaunliche Audienz – wenn man es eine Audienz nennen kann – in allen Einzelheiten wiederzugeben. Als Dahn bemerkte, in Norddeutschland bedaure man es, daß der König nicht vermählt sei, antwortete Ludwig: »Ich kann jeden Tag heiraten.« Von seinen Lehrern sagte er, er habe sie alle gehaßt; Dahn fährt fort: »Folgten Äußerungen über seine Eltern, die nicht wiederzugeben sind.« Als die Rede auf Richard Wagner kam, grollte er: »Es waren allerlei Hofschranzen, allerlei Höflinge und Adlige und Hofbeamte, die es mit bittrem Neid erfüllte, daß ich lieber mit dem genialen Meister verkehrte als mit ihnen in jenen öden Hofgesellschaften.« Bei der Erwähnung des Heeres sagte der König: »Ich hasse, ich verachte den Militarismus«, und als Dahn das Geständnis ablegte, er wäre viel lieber Offizier als Professor und Dichter, rief Ludwig: »Pah, ganz unbegreiflich!«

Dahn kämpfte tapfer, um den König bezüglich der Preußen zur Einsicht zu bringen; doch abgesehen von seiner Bewunderung für Bismarck, die Ludwig offen einräumte, wich und wankte er nicht. Der Kronprinz habe nach dem Einzug in München, nach der Siegesparade 1871, auf dem Bahnhof zu Augsburg zu seinen Offizieren gesagt: »Sehen Sie, meine Herren,

ein schönes Land. In ein paar Jahren werde ich das alles annektiert haben.«
Dahn erzählt weiter: »›Das ist nicht wahr‹, fuhr ich heraus. Er stampfte
heftig mit dem Fuß. ›Glauben Sie, mein Oheim, Prinz Karl, lügt?‹«

Es war halb zehn Uhr vorbei, als der König dem Gespräch ein Ende
machte:

»›Es ist spät geworden‹, sagte er. ›Sie können nicht mehr hinunter. Sie
sind mein Gast für die Nacht. So wie Sie hat noch kein Mann zu mir gesprochen. Ich danke Ihnen. Ich werde Ihnen das nie vergessen. Leben Sie
glücklich.‹

Ich ging, in heißer Erregung. So hatte er meinen schroffen Widerspruch
gegen seine Lieblingsgedanken echt königlich aufgenommen.«

Eine anschauliche Beschreibung von Ludwigs Erscheinung und Gang verdanken wir dem Schriftsteller Felix Philippi, der den König im August 1879
zufällig traf, als er auf dem Wege von Garmisch nach Partenkirchen war.
Philippi weidete sich müßig an der Schönheit des Sommermorgens, plötzlich wurde er durch Schritte aus seiner Träumerei geschreckt, er wandte
den Kopf und sah – den König! Es blieb ihm gerade noch Zeit, sich hinter
Gesträuch zu verstecken, von wo er seine Beobachtungen anstellen konnte:

Wer diesen Mann einmal gesehen hat, wird es nie vergessen! So absonderlich wie
sein Leben, sein Tun und Lassen, war sein Äußeres ... Er hätte gar nicht anders aussehen können! Alles an ihm war eigentümlich bis zur Groteske ... war theatra-
lisch ... war ganz und gar ungewöhnlich ... Er glaubte sich doch in diesem Augenblick vollständig unbeobachtet, er gab sich doch ohne Absicht und Effekthasche-
rei, und dennoch: welche Pose in Haltung und Gang bei jeder Bewegung und jeder Gebärde. Die Unnatur war ihm zur zweiten Natur geworden. Wenige Schritte
von mir blieb er stehen, er nahm den weichen Hut ab ... und ich sah diesen merkwürdigen Kopf mit dem sehr kunstvoll gekräuselten Haar und dem absichtlich
stilisierten Bart ... So stand er schwer atmend eine Weile da, den Kopf nach hinten
geworfen. Der ruhte auf einem Körper von ungewöhnlicher Größe und für seine
Jahre nicht minder ungewöhnlichem Umfang. Trotz der sommerlichen Wärme in
einen dicken Wintermantel gehüllt, ging er langsam weiter. Er ging eigentlich
nicht, wie andere Menschenkinder gehen, er trat auf wie ein Schauspieler, der in
einen Shakespeareschen Königsdrama im Krönungszuge erscheint, in scheinbar
einstudiertem Takt mit jedem seiner gewichtigen Schritte den weit nach hinten
gelehnten Kopf bald nach rechts, bald nach links werfend und mit ausladender
Bewegung den Hut vor sich haltend. Am Kirchhof in Partenkirchen stieg er in die
dort wartende goldstrotzende hellblaue Karosse, die gleich Zirkuspferden mit Fe-
derbüschen aufgeputzten und kostbar geschirrten vier Schimmel zogen an, und er
entschwand meinen Blicken.

Viele Geschichten erzählt man sich von Ludwigs Güte und Freigebigkeit,
besonders den Bauern gegenüber, denen er in schlechten Zeiten Arbeit
vermittelte, indem er im Sommer Straßenverbesserungen und im Winter

Ludwig II. im Jahre 1871

Schneeschaufeln anordnete. Eines Tages fragte ihn ein Hüterbub, der den König nicht kannte, wie spät es sei. »Hast du denn keine Uhr?« fragte Ludwig zurück. »Wie werd i denn an Uhr habn!« lautete die Antwort. Tags darauf erhielt der freudig Überraschte vom König eine schöne silberne Uhr.

Am glücklichsten war der König, wenn er Geschenke machte. Schon im November wurde Hohenschwangau alljährlich ein richtiger Basar, in dem sich, wie Louise von Kobell schildert, »Juwelen, Seide und Samt, Bücher, Photographien, Elfenbeinschnitzereien, Vasen und Flakons in reizender Mannigfaltigkeit ausbreiteten«. Aber es durften keine allzu großen Gegenstände sein, alles mußte auf dem weihnachtlichen Gabentisch Platz finden, und so bekam Otto einmal nicht das Pferd, das er sich, wie er offen verkündete, gewünscht hatte. Alle wurden bedacht, alle bayerischen Prinzen und Prinzessinen, die Hofdamen, die diensttuenden Adjutanten, der Kabinetts- und der Hofsekretär, der Leibarzt, der treue Stallmeister Hornig, der den König auf allen Fahrten und Ritten begleitete, und die gesamte Dienerschaft; auch die ungeliebte Mutter beschenkte er. Es machte ihm Vergnügen, durch eine kostbare oder unerwartete Gabe zu verblüffen, so etwa, wenn ein bescheidener Kutscher ein kostbares Kleinod bekam. Vor allem schenkte er gern Blumen. Graf Trauttmansdorff schrieb im Februar 1868 in einem Gesandtschaftsbericht: »Eine andere Manie sind gegenwärtig auch Blumenbouquets; er umgibt sich mit Massen derselben und schickt solche zahllos an ältere und jüngere ihm bekannte oder auch unbekannte Damen aus der Gesellschaft und vom Theater.«

Ebenso zahlreich waren die Bücher, die der König seinen Freunden schenkte; denn er las selbst leidenschaftlich gern und saß oft die ganze Nacht bis zum Morgen über einem Buch. »Viel schon habe ich gelesen«, schrieb er 1873 an Wagner, »wie überhaupt Lektüre mein höchster Genuß ist, ein Genuß, den ich fast zu häufig mir gönne, da ich ihn selbst im Wagen beim Durchfahren der herrlichsten Gebirgstäler nicht entbehren kann.« Und der Baronin Leonrod teilte er 1874 mit: »Im teuren, poesiedurchwehten Hohenschwangau, im lieben Berg, am Ufer des herrlichen Sees, auf den Gipfeln der Berge, in der einsam gelegenen Hütte oder in der Rokoko-Pracht meiner Gemächer im Linderhofe ist es mein höchster Genuß, der sich nie erschöpft, in das Studium fesselnder Werke mich zu vertiefen (hauptsächlich historischen Inhaltes) und darin Trost und Balsam zu finden für so manches Herbe und Schmerzliche, das die traurige Gegenwart, das mir sehr zuwidere 19. Jahrhundert mit sich bringt.«

Obwohl er in den deutschen Klassikern, in Geographie, Geschichte und Religion sehr belesen war, wandte er sich mit der Zeit doch immer mehr den Büchern zu, die vom Leben am Hof zu Versailles handelten. Seine Hof- und Kabinettssekretäre hatten die Aufgabe, ihm alle diesbezüglichen Werke zu verschaffen, längst vergriffene Bücher zu suchen und ihm darüber genau zu berichten. Als Friedrich von Ziegler Hofsekretär war, fand er diese Pflicht so lästig und zeitraubend, daß er die Hilfe seiner Frau in Anspruch nahm. »Schon die Titel all dieser unzähligen Werke füllen ganze Bände«, erzählt Walter von Rummel, Zieglers Schwiegersohn, und fährt fort:

Alle die französischen Ludwigs, der vierzehnte, fünfzehnte und sechzehnte, ihre Frauen und Mätressen, die Dauphins, der Prince de Condé, der Herzog von Berry, die Grafen von Artois und der Provence werden wieder aus ihrem Schlafe geweckt. Das gesamte prunkhafte Hofleben jener Zeit wird heraufbeschworen, diese in Versailles und Fontainebleau abgehaltenen fêtes galantes, Kavalkaden, Karussells, Ringstechen, großen Messen, Aufzüge, Illuminationen, Feuerwerke, Konzerte, Allegorien und ländlichen Schäferfeste. Dann das Theater, die tausend Tragödien und Komödien, bald lyrisch und bald heroisch, die divertissements, ballets héroiques, comédies, héroi-féeries, ballets pantomimes, proverbes dramatiques, ballets tragi-pantomimes, pastorales. Aber nicht nur die Namen und Titel, sondern auch die Handlung und der genaue Inhalt dieser Stücke mußte erörtert werden.

Diese lange Liste ergänzt Rummel mit weiteren Themen: Religion, Militär- und Hofwesen, Zeremonien und allem übrigen, das zum Glanz des ›Grand Monarque‹ und seiner beiden Nachfolger beitrug. Wie Ludwig selbst bekannte, weihte er auch dem Andenken der Königin Marie Antoinette »eine Art von religiösem Kult«, und nie konnte er »ihre Geschichte ohne Ergriffenheit lesen«.

So stark war diese Verehrung des Ancien régime geworden, daß er im August 1874 beschloß, der unvermeidbaren Öffentlichkeit gegenüberzutreten und nochmals Paris zu besuchen. Wieder reiste er inkognito, diesmal begleitet vom Grafen Holnstein, von Generaldirektor Schamberger und vier Dienern, und blieb eine Woche in der französischen Hauptstadt.

Da die Kriegswunden noch keineswegs verheilt waren, gaben sich seine Minister alle Mühe, ihm diese Reise auszureden; überdies bestand auch die Gefahr eines Cholera-Ausbruchs. Aber der König ließ sich von seiner Absicht nicht abbringen, und Bismarck stimmte schließlich ein wenig grollend zu. In Paris war Ludwig Gast des deutschen Botschafters, seines alten Freundes Prinz Hohenlohe. Abermals besichtigte er eifrig die Sehenswürdigkeiten, und natürlich verbrachte er viel Zeit in Versailles, wo man die ›großen Wasserkünste‹ zur Feier seines neunundzwanzigsten Geburtstags für ihn in Gang setzte – was der französischen Staatskasse fünfzigtausend Francs kostete. Seit seinem ersten Besuch hatte er das Schloß und die beiden Trianons genau studiert, und er setzte die Führer mit seinen Kenntnissen in Erstaunen. Er ging auch mehrmals ins Theater, wobei er das Glück hatte, den großen Schauspieler Benoit Constant Coquelin zu sehen, und hielt sich einen Tag in Fontainebleau auf.

Durch seine Größe und seinen ungewöhnlichen Gang, vor allem seiner Manier, die Beine wie ein Pferd hochzuheben und den Fuß niederzusetzen, »als wollte er einen Skorpion zermalmen«, fiel er auf, wohin er auch ging, und so war es kaum verwunderlich, daß er sehr bald erkannt wurde. Man hatte befürchtet, daß er in diesem Falle mit Rufen wie »A bas l'allemand!« oder ähnlichen Beleidigungen geschmäht würde; aber die einzige Unannehmlichkeit ergab sich, als ihm in Versailles einige Jugendliche folgten und auf der Straße seinen ›Königsschritt‹ nachäfften; sie wurden prompt festgenommen. Leichten Anstoß erregte es, daß er Marschall Mac-Mahon, dem Präsidenten der Republik, keinen Besuch abstattete; dem Präsidenten fehlte das Verständnis dafür, daß diese Unterlassungssünde eher von Menschenscheu als von Unhöflichkeit herrührte.

Sogar die Presse verhielt sich wohlwollend, nur der ›Événement‹ bedauerte im Hinblick auf die große Entschädigungssumme, die Deutschland bezahlt worden war, daß der König keinen Beitrag zu den großen Kosten »pour les grandes eaux à Ses frais« geleistet hatte. Es wurde allgemein anerkannt, daß Ludwig ein friedliebender, gutwilliger Mann war, der den Franzosen nichts Böses wünschte; wie der ›Figaro‹ es ausdrückte: »Il n'est point un méchant prince … Il n'a jamais accompagné ses soldats que sur le piano … On dirait que la Bavière l'a emprunté à un conte de fée.«

Am 28. August war der König wieder in Berg, ganz erfüllt von neuen Ideen für seine Schlösser, und bald versank er von neuem in seine Traumwelt.

Abgesehen von einem kurzen Aufenthalt in Reims – ein Jahr später mit Holnstein –, wo er trotz seines Inkognito von den Lourdespilgern angegafft wurde, als ob er die Kathedrale selbst wäre, unternahm er keine Reise nach Frankreich mehr.

1872 fand im Residenztheater die erste der sogenannten Separatvorstellungen statt, denen der König meistens allein beiwohnte, manchmal auch mit ein paar besonderen Freunden oder mit einem vorübergehenden Günstling, der dann in der Loge unter dem König saß. Alles in allem fanden nicht weniger als zweihundertneun Separatvorstellungen statt, die letzte ein Jahr vor Ludwigs Tod.

Diese Liebhaberei des Königs wurde von vielen als ein Zeichen geistiger Zerrüttung betrachtet. Man darf jedoch nicht vergessen, daß der Zuschauerraum damals während der Vorstellung hell erleuchtet blieb, und daß es dem König bei Anwesenheit des Publikums unmöglich war, sich trotz eigens angebrachter seidener Logenvorhänge allen neugierigen Blicken zu entziehen. Zu dem Schauspieler Ernst von Possart sagte er bei einer Privataudienz: »Ich kann keine Illusion im Theater haben, solange die Leute mich unausgesetzt anstarren und mit ihren Operngläsern jede meiner Mienen verfolgen. Ich will selbst schauen, aber kein Schauobjekt für die Menge sein!«

Die meisten Stücke, die für diese Privatvorstellungen ausgesucht wurden, befaßten sich mit dem französischen Hofleben unter Ludwig xiv., xv. und xvi. Manchmal wurde ein veraltetes Drama ausgegraben, manchmal erhielt ein Dramatiker – zum Beispiel Karl August von Heigel – den Auftrag, Schauspiele mit Stoffen aus jener Zeit zu bearbeiten oder neu zu schaffen. Die Titel sprechen für sich selbst: ›Ein Minister unter Ludwig xiv.‹, ›Die Gräfin du Barry‹, ›Die Kindheit Ludwigs xiv.‹, ›Der Fächer der Pompadour‹ und so weiter. Als Düfflipp, der bei der Aufführung des letztgenannten Lustspiels zugegen sein durfte, vom König nach seiner Meinung befragt wurde, antwortete er, es habe ihm nicht gefallen und er begreife nicht, wie Seine Majestät an dergleichen Gefallen finden könne. Darauf sagte der König: »Ich finde das Stück ja auch schlecht, aber es weht doch die Luft von Versailles darin.« Außer diesen Stücken aus dem Themenkreis der Bourbonenkönige wurden Werke von Byron, Racine, Victor Hugo, Schiller, Grillparzer und anderen gegeben. Es fanden vierundzwanzig Vorstellungen von Wagner-, Gluck-, Verdi- und Weber-Opern statt sowie elf Ballettabende.

Heigel gehörte zu den Bevorzugten, welche manchmal eine Separatvorstellung besuchen durften, die gewöhnlich um acht oder zehn Uhr abends anfing. Er berichtet von diesen Königsvorstellungen:

»Im Zuschauerraum war es so hell wie an jedem Theaterabend, und die völlige Leere wirkte nicht trostloser als das halbleere Haus bei einem modernen Trauerspiel . . . Der König blieb für seine Gäste, nicht aber für die Künstler unsichtbar. Wer auf der Bühne just nichts zu reden oder zu tun hatte, konnte den Eindruck, den das Spiel auf den König machte, wohl beobachten.«

In Mark Twains ›Zu Fuß durch Europa‹ kommt eine humoristische Beschreibung einer solchen Separatvorstellung im Hoftheater vor. Sie verdient Erwähnung, weil Heigel erzählt, er habe die Stelle dem König gezeigt und übersetzt, Ludwig habe darüber »herzlich gelacht«.

In dem riesigen Opernhaus in München gibt es irgendeine Apparatur, mit der man bei einer Feuersbrunst ungeheure Wassermengen hervorrufen kann. Damit ließe sich, so wurde uns gesagt, die ganze Bühne unter Wasser setzen. Als der König einmal der einzige Zuschauer war, ergab sich eine merkwürdige Szene. In dem Stück kommt ein gewaltiges Unwetter vor, der Theaterdonner rollte, der Theaterwind blies, das Geräusch niedergehenden Regens setzte ein. Der König wurde immer aufgeregter; er geriet außer sich. Er rief aus seiner Loge mit lauter Stimme: »Gut, sehr gut! Ausgezeichnet! Aber ich will echten Regen haben! Dreht das Wasser an!«

Der Direktor wagte zu widersprechen; er sprach von der Beschädigung der Dekoration, der Seiden- und Samtvorhänge und so weiter, aber der König wollte nicht hören. »Macht nichts, macht nichts! Ich will echten Regen haben! Dreht den Wasserhahn an!« Also geschah es. Das Wasser überschwemmte die Bühne, strömte über die gemalten Blumen, die gemalten Hecken und über die Sommerhäuser; die Sänger in ihren schönen Kostümen wurden von oben bis unten naß, bemühten sich aber, die Lage nicht weiter zu beachten, und da sie eingefleischte Schauspieler waren, gelang es ihnen. Sie sangen tapfer weiter. Der König war im siebenten Himmel; er klatschte in die Hände und schrie: »Bravo! Noch mehr Donner! Noch mehr Blitze! Laßt stärker regnen! Öffnet alle Schleusen! Mehr! Mehr! Ich werde jeden hängen, der sich untersteht, einen Schirm aufzuspannen!«

Aber nicht nur mit Lesen, Theaterbesuch und Bauen frönte Ludwig seiner Leidenschaft für das Ancien régime, es kam auch die Zeit, wo er sich mit dem Sonnenkönig identifizierte und seine Schlösser mit den Bewohnern des Hofes von Versailles bevölkerte. Davon erzählt Theodor Hierneis, damals Küchenjunge auf Linderhof:

Er [der König] will [beim Essen] niemanden um sich haben. Trotzdem müssen die Diners und Soupers immer für mindestens drei bis vier Personen ausreichen. Denn wenn auch der König sich immer allein zu Tisch setzt, so fühlt er sich doch nicht allein. Er glaubt sich in der Gesellschaft Ludwigs XIV. und Ludwigs XV. und deren Freundinnen, Madame Pompadour und Madame Maintenon. Er begrüßt sie sogar mitunter und führt mit ihnen Gespräche, als hätte er sie wirklich als Gäste bei Tisch.

Bei den winterlichen Nachtfahrten durch die Schneelandschaft im goldenen Rokokoschlitten mußten Kutscher, Vorreiter und Lakaien Kostüme aus der Zeit Ludwigs XIV. tragen, und manchmal vertauschte auch der König den wenig malerischen Anzug des 19. Jahrhunderts mit einem blauen Samtmantel und einem Samthut, den große weiße Straußenfedern schmückten.

Bei dem denkwürdigen Gespräch mit Felix Dahn im Jahr 1873 auf dem Schachen erklärte Ludwig, er könne jeden Tag heiraten. Das entsprach in gewissem Sinne durchaus der Wahrheit; aber längst hatte er erkannt, daß es ihm niemals möglich sein würde, eine glückliche Ehe zu führen.

Der Band ›Tagebuch-Aufzeichnungen von Ludwig II. König von Bayern‹, den Edir Grein 1925 in Liechtenstein herausgegeben hat, wirft weiteres Licht auf das Privatleben des Königs. Hinter dem Anagramm verbirgt sich der Herausgeber (Erwin) Riedinger; sowohl die Veröffentlichung außerhalb Deutschlands als auch die Benutzung eines Pseudonyms war zweifellos eine kluge Maßnahme. Newman bezeichnet das Buch als »eine bedauernswerte pseudo-psychiatrische Darstellung«. Die Eintragungen umfassen die Zeit vom Dezember 1869 bis wenige Tage vor dem Tode des Königs im Jahre 1886.

Die Geschichte des Tagebuchs soll sich folgendermaßen abgespielt haben. 1886 gelangte der bayrische Staatsminister Freiherr von Lutz auf seiner Suche nach einem Beweis für Ludwigs Unfähigkeit, zu regieren, zweifellos durch Bestechung eines königlichen Dieners, in den Besitz zweier Tagebücher Ludwigs, aus denen er bestimmte Stellen abschrieb. Diese Abschriften, die später im Geheimen Staatsarchiv hätten aufbewahrt werden sollen, wurden von Lutz zurückbehalten, als er sein Amt aufgab. Manche nehmen an, er habe so gehandelt, um einen Vergleich mit den echten Tagebüchern zu verhindern, weil ein solcher Vergleich ihn in schlechten Ruf gebracht hätte. Schließlich fanden die Abschriften den Weg ins Ausland, wo sie von Erwin Riedinger, Lutz' Stiefsohn, veröffentlicht wurden.

Seit der Herausgabe von Riedingers Buch haben fast alle Biographen Ludwigs II., auch so hervorragende und gewissenhafte Gelehrte wie Ernest Newman und Werner Richter, das darin enthaltene Material für wesentlich echt gehalten und mehr oder minder davon Gebrauch gemacht. Es muß jedoch erwähnt werden, daß einige deutsche Fachleute die Genauigkeit der Abschrift anzweifeln; aber diese Frage kann nie gelöst werden, weil die Originale eines Teiles der Tagebücher während des Zweiten Weltkriegs verbrannt sind. So gewarnt, mag der Leser selbst entscheiden, ob die hier folgenden Auszüge seines Erachtens den Stempel der Wahrheit tragen oder nicht.

Pfauenthron im Maurischen Kiosk. Linderhof

Das goldene Klavier. Linderhof

Elefantenuhr aus dem Arbeitszimmer in Herrenchiemsee, von Carl Schweitzer, 1884

Die Tagebücher, die in einem Durcheinander von Deutsch und Französisch geschrieben und da und dort mit Latein und Spanisch gespickt sind, erzählen die ergreifende Geschichte von Ludwigs verzweifeltem Kampf gegen seine homosexuelle Veranlagung, von seinen Fehltritten, den bitteren Selbstvorwürfen und seinen vergeblichen Vorsätzen.

Die veröffentlichte Abschrift beginnt mit dieser Eintragung:

Au nom du Père, du Fils et du Saint Esprit!
Ich liege im Zeichen des Kreuzes (Erlösungs-
tag unsres Herrn) im Zeichen der Sonne
(Nec pluribus impar!)* u. des Mondes
(Orient! Wiedergeburt durch Oberons Wunder
Horn. –) Verflucht sei ich u. meine Ideale,
wenn ich noch fallen sollte Gott sei Dank,
es ist nicht mehr möglich denn es schützt mich
Gottes heiliger Wille, des Königs erhabenes
Wort! – nur psychische Liebe allein ist gestattet
die sinnliche dagegen verflucht Ich rufe feier-
lich Anathema über sie aus:

Und wie so oft in den Tagebüchern, sucht er sich dann mit einem Ausspruch aus einer Wagner-Oper zu stärken, hier mit den Worten Wolframs aus ›Tannhäuser‹:

»Du nahst als
Gottgesandte, ich folg’ aus holder Fern, so fährst
du in die Lande, wo ewig strahlt dein Stern –

Er fährt dann fort:

Adoration à Dieu et la sainte
religion! Obéissance absolue au Roy
et à sa volonté sacrée. –
Fahrten im Rococo-Schlitten in (Martin Ranke)
gelesen. –
Wonne, Jubel nicht zu nennen
(unleserlich) und mir meine Ruh
Theurer ewig reich ich Dir, meine Hand, neu
zu entbrennen, stets nach Dir, gestatt’ es mir
Keine heftige Bewegung, nicht zu viel Wasser, Ruhe,
Schonung geschworen im Namen LW wenn
Erhörung
meines Flehens, Erfüllung meines Sehnens mir
wonnig erblüht   Amen!

Oben: Großer Galawagen, von Franz Gmelch 1870/71
Unten: Schloß Linderhof; Porzellantisch

Einen charakteristischen Ausschnitt aus dem ruhelosen Leben des Königs zeigt der folgende Eintrag aus dem Jahre 1880:

Am 16. Oktober Todestag der unvergeßlichen, erhabenen, edlen Dulderin, der Königin Marie Antoinette.

Trauer Abend Fahrt Ettal!

Oberamergau zur Kreuzigungs-Gruppe, Symbol der Stärke und Erlösung, Krone u. Kreutz.

Linderhof 1880.

Am 28ten bei herrlichem Sonnenschein nach Hochkopf, Er Miranda, ich Amor geritten zur Aussicht auf den Walchensee, gelesen (Scheffel) Ihm die Tischplätze gezeigt, dann zu Mittag, selige Stunden, um den Berg gegangen. Souper, viel erzählt, heiter und glücklich. (Er Concordia, ich über die Sammlung v. Wallace) spät zum größten Theil zu Fuß hinab, Mondensichel (Diana) $\frac{1}{2}4$ Uhr. Sehr gelungener Ausflug.

29. Regen. Cramelsberg unmögliche gefahren u. zu Fuß; zu Mittag Einlauf, noch viel beisammen, zugesagt morgen zu bleiben. Geblieben.

am 30ten, viel Schnee, geritten Hinterriß zu. Er Haidenau, ich Verolea. zurück gefahren. Mahl lebhaft u. frisch im Gespräch. wie immer spät zur Ruhe. Am 31 fort von lieben Aufenthalt Wallgau, Walchensee, Kesselberg geritten. Verolea, Miranda Thea Herzogenstand zu. Hütte zu Mittag. Er Concordia, ich über Molière gelesen, sehr gemütlich; heiter zu Fuß, dann Studienzeit erzählt) gefahren Kochl, Bichl x.x.

Nachricht. Richard Wagner da. Für Chiemsee Schloß bestimmtes betrachtet.

Lohengrin mit Richard Wagner der Vorstellung beigewohnt, sehr gelungen u. schön. Er anwesend, mit Ihm in der Wohnung, Wintergarten soupiert, lange beisammen.

Am 11ten um 5 Uhr kam er zu Tisch (Wintergarten) traute, theure Stunden. 8 Uhr ich Residenztheater. »Aus dem Stegreif«. Theure Erinnerungen an die Königin Marie Antoinette! An das Königliche Frankreich der Lilien! Am 12. Nachmittag 2 mal das wunderbar herrliche vom Schöpfer selbst dirigirte Vorspiel zu Parsifal gehört! Tief bedeutungsvoll.

Auch das Vorspiel zu Lohengrin Abends mit Ihm »aus dem Stegreif« beigewohnt, sehr gelungene Vorstellung. Ich habe immer sagen hören, daß zwischen einem Fürsten u. einem Untergebenen keine Freundschaft möglich ist. Wir wollen beweisen, daß zum Souper in den Wintergarten – 3 Uhr – Sonnabend d. 13ten $\frac{1}{2}4$ Uhr die Oper Aida mit ihm zusammen. betrübendes Familienereigniß, in dem Wintergarten, herrliche Vorstellung selig mit ihm $\frac{1}{2}7$ Uhr bald fort, mit Ihm über Nymphenburg zur Bahn, den theuren See, der Richtung von Berg erschaut (Mai) Stalldach Abschied herzlich u. traurig. Heil u. Segen auf Sein geliebtes Haupt – ich Mondschein

Letzter Fall nach der doppelten Jahreszahl der 18
Volljährigkeit u. zum größten Glück doch fast
$1\frac{1}{2}$ Jahre vor der doppelten Lebenszahl, der
Jahre des ersten Geburtsfestes als »König« 19
Nie mehr, nie mehr, nie mehr.
Neugeschworen in der Charfreitags-Oktave.
22, Ihm geschrieben wegen des 24. Juli, 6 Monde

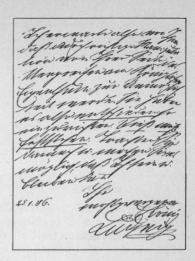

Einer der letzten Briefe Ludwigs
aus dem Jahre 1886

»Wir«, Linderhof, Fahrten, Ausflüge, Beleuchtungen, im goldenen Königsschlitten
(Ammerwald) Lektüre, (Heise, Hadrian, vor
her in Ebers »der Kaiser«) chateaux historiques
de la France: Chambord, 30 (Charles I!)
31. Hohenschw. wachsender Mond, Lektüre
(Madame de Sévigné en Bretagne!) Madame
Maintenon et de Villars) 10. Febr. das theure Schloß
verlassen, über Reutte, Lermoos.......
.... Er entgegen, Garmisch, Partenkirchen;
soupirt, Tags darauf noch geblieben,
Schnitzsachen, Bilder, zu Fuß Garmisch,
gef. Badersee, nach Tisch nach Griesen
souper, viel gespr. am 12. zu Fuß
durch Partenkirchen, gef. (unleserlich) Walchen
see, Uhrfeld, Diner, dann Kesselberg r
.... Penzberg, Bahn, souper, über
Nymphenburg! – Abschied. $10 + 11 = 21$
le nombre de terrible mémoire, ganz
ausnahmsweise aber $10 + 11 = 12$
(21)

Unser letzter Auszug aus den Tagebüchern handelt von Freiherrn von
Varicourt, einem jungen Kavallerie-Offizier, den Ludwig nach nur zwei-
tägiger Bekanntschaft zu seinem Adjutanten ernannte. Offenbar begeisterte

sich der König ebensosehr für den Namen, der ihn an die Bourbonen erinnerte, wie für den Menschen:

Am 21. März Freiherrn von Varicourt zum ersten Male
Gesprochen, am 23. Ihn zum Flügeladjutanten ernannt. –
Heil dem Träger eines solchen Namens.
Um diese Zeit (3ter April) mit Frh. v. Varicourt im Resi-
denztheater. Der Fächer der Pompadour und die geheime Audienz, dann im
Wintergarten (Grotte) mit Ihm soupiert (7 – 1 Uhr). Viel uns geschrieben –
Hoch über alles Zweifels Macht soll meine Freundschaft stehen. Nach
der Auferstehungsfeier auch mit ihm soupiert bis 2 Uhr. Am 27. April
Leonhard der Perückenmacher im Residenztheater. –

1873

8 Tage in Berg am 15ten mit Frh. v. Varicourt im Kiosk soupiert, dann Fahrt
im Mondenglanz längs des Sees von 10 Uhr bis $\frac{3}{4}$ 4 Uhr Morgens beisammen.

Es sind uns auch Briefe überkommen, die Ludwigs Begeisterung für Varicourt zeigen. Am 13. April schrieb ihm der König: »Edel und erhaben durch und durch ist Ihr Charakter, jedes Ihrer Worte bezeugte mir dies gestern aufs neue. Der schönste und begehrenswerteste Tod für mich wäre, für Sie zu sterben. O, könnte dies sich ereignen bald, bald! Dieser Tod wäre mir erwünschter als alles, was die Erde zu bieten imstande ist.«

Wie oft bei Ludwigs hektischen Freundschaften, fiel Varicourt ebenso plötzlich in Ungnade, wie er in der Gunst gestiegen war: ein paar Wochen später schlief er ein, als der König ihm vorlas. »Varicourt!« rief Ludwig entrüstet. »Du schläfst bei deinem König!« Ludwig sah ihn nie wieder.

Wenige von denjenigen, die ihm gedient haben, können ihn besser und länger gekannt haben als Richard Hornig, der in den Tagebüchern so viel erwähnt wird. Hornig, der vier Jahre älter war als der König, hatte seinen Herrn 1866 auf der Reise durch Franken begleitet und trat im folgenden Jahr in Ludwigs persönliche Dienste. Er hatte einen schweren, anstrengenden Dienst. Gottfried von Böhm schreibt darüber:

Bei Wind und Wetter mußte er vom Pferde steigen und entblößten Hauptes die Hermelindecke des Königs zurecht richten oder ihm eine Orange schälen. Ganze Nächte lang mußte er ihm zu Pferde folgen und unzählige Mal froren ihm die erstarrten Finger am Zügel an. Nur durch den reichlichen Genuß von Likören vermochte er sich oft im Sattel aufrecht zu erhalten. Erst gegen das Jahr 1878 wurde ihm gestattet, im Wagen nachzufahren.

Der König schenkte Hornig ein Stück Land am Starnberger See mit einer Villa, wo Ludwig zuweilen mit ihm Kaffee trank. Aber auf Gnadenbeweise folgten sehr häufig Verstimmungen. 1871 fiel Hornig arg in Ungnade, aber es folgte eine Versöhnung, die dazu führte, daß er zu all seinen Pflichten auch noch das Amt einer Art von persönlichem Assistenten und Sekretär übernehmen mußte. Anscheinend wurde es Hornig nie ganz verziehen, daß er sich verheiratete – das sei für ihn schwerer zu ertragen, soll der König gesagt haben, als der ganze Deutsch-Französische Krieg. Im August 1883 kam es in Herrenchiemsee zu einer bösen Szene, als Hornig den König hindern wollte, eine Statue, die statt in Marmor in Gips ausgeführt worden war, mit seinem Schirm zu zertrümmern. Zwei Jahre später wurde Hornig nach zwanzigjähriger Tätigkeit im Dienste des Königs auf Knall und Fall entlassen.

Bayreuth

Im Frühjahr 1871 befaßten sich Wagner und Cosima ernsthaft mit dem Plan der Bayreuther Festspiele. Es galt dabei nicht nur, einen geeigneten Standort für das Theater zu finden, sondern auch ein Haus, ganz zu schweigen von den Geldmitteln, die man dazu – nicht zuletzt aber auch für die Aufführung des ›Ringes‹ selber – zu erbetteln und zu erborgen hatte.

Zuerst mußte jedoch ein unangenehmes Hindernis beseitigt werden. Der ›Ring‹ gehörte Ludwig II.; und es erhob sich die Frage, ob er auf seine Rechte verzichten oder darauf bestehen würde, daß sowohl ›Siegfried‹ als auch ›Götterdämmerung‹ in München uraufgeführt würden. Wagner errang seinen endgültigen Sieg über den König nicht ohne ein gut Stück Schikane und ein paar unumwundene Lügen, so mit der fortgesetzten Weigerung, die ›Siegfried‹-Partitur herauszurücken, die schon im Februar fertig geworden war, während er vorgab, immer noch an der Arbeit zu sein. Was den König anlangte, so betrübten ihn zwar die Lügereien, die ihm kaum entgehen konnten, doch bewies er sein stets verzeihendes und großherziges Wesen, indem er nur leise seufzte und mit üblicher Freigebigkeit fünfundzwanzigtausend Taler zeichnete, eine Summe, die mit seinem Einverständnis später zum Erwerb eines Grundstücks und für Wagners persönliche Bedürfnisse zur Verfügung gestellt wurde.

In einem bewegenden Brief, den Ludwig am 3. Januar 1872 von Linderhof aus an Wagner schrieb, wünschte er dem »über alles teuren Freund« Glück zum neuen Jahr, das die Vollendung des großen Nibelungen-Werkes bringen möge:

Nie ist es möglich, daß mein Enthusiasmus für Sie und Ihre göttlichen Werke erlahme … Trotz aller oft scheinbaren Uns trennenden Stürme und sich zwischen Uns drängenden Wolkenmassen werden Unsere Sterne sich finden; selbst wenn das profane Auge den strahlenden Glanz derselben nicht durch den dichten Schleier zu entdecken vermag, werden Wir uns erkennen und, endlich am Ziele, dem heiligen, Uns von Anbeginn vorgezeichneten, angelangt, der Alles entzündenden, lebenverleihenden Central-Sonne der ewigen Gottheit, für die Wir litten und unerschrocken stritten, Rechnung ablegen für unsere Taten, deren Zweck und Inhalt waren, ihr Licht auf Erden zu verkünden, durch ihre heiligen Flammen die Menschheit zu läutern, zu vervollkommnen, auf daß sie ewiger Wonnen teilhaftig werde.

Inzwischen war Wagner unaufhörlich damit beschäftigt, die größeren Städte Deutschlands zu bereisen, um Unterstützung für seinen Bayreuth-Plan zu finden und Wagner-Vereine zu gründen, deren Mitglieder sich zur Übernahme einer bestimmten Anzahl von Eintrittskarten für die

um auf die Festspiele aufmerksam zu machen und Gelder aufzubringen; Festspiel-Vorstellungen verpflichteten. Er gab auch mehrere Konzerte, diese Konzerte waren für ihn sehr anstrengend und behinderten seine Arbeit an der ›Götterdämmerung‹. Es gab sogar Augenblicke, in denen er davon sprach, alles hinzuwerfen und sich mit Cosima nach Italien zurückzuziehen. Endlich aber fand die Suche nach einem geeigneten Bauplatz für das Theater ein Ende, Wagner erhielt ihn von der Stadt zum Geschenk, und er kaufte sich ein Grundstück, auf dem sein eigenes Haus errichtet wurde, die ›Villa Wahnfried‹. Im April 1872 verließ Wagner Tribschen, wo er sechs glückliche Jahre verbracht hatte, und am 22. Mai, seinem neunundfünfzigsten Geburtstag, wurde der Grundstein des Festspielhauses gelegt. Der Baumeister war Otto Brückwald aus Leipzig, der einiges von Sempers Plänen für das Münchner Theater verwertete.

Alle Hoffnungen, den ›Ring‹ 1873 aufzuführen – wie Wagner mit seinem üblichen Optimismus beabsichtigt hatte – waren längst geschwunden. Er verbrachte den Frühling größtenteils damit, wiederum Konzerte zu geben und noch mehr Propaganda zu machen; aber obwohl er sehr gefeiert wurde, waren die finanziellen Ergebnisse enttäuschend. Er wurde wieder mißgestimmt und niedergedrückt; zu seiner Ermunterung organisierte Cosima ganz im geheimen für seinen sechzigsten Geburtstag ein Konzert und andere Festlichkeiten; damit die Überraschung gelänge, ließ sie sogar besondere Zeitungen für ihn drucken, worin alle Hinweise auf die Veranstaltungen, von denen schon die ganze Stadt sprach, gestrichen waren.

Aber der Meister brauchte Geld, nicht Lustbarkeiten; obwohl er dem König im Juni mitteilte, alles ginge gut, wußte er genau, daß dem nicht so war. All seinen Bemühungen zum Trotz waren bisher nur hundertdreißigtausend Taler gezeichnet worden, etwa ein Drittel der benötigten Summe. Infolgedessen sah er sich genötigt, Ludwig im August demütig um Hilfe anzugehen. Durch Lorenz von Düfflipp wurde ihm mitgeteilt, daß der König durch seine eigene Bautätigkeit stark in Anspruch genommen und daher nicht in der Lage sei, ihm weiterhin beizustehen.

Wagner verzweifelte beinahe. Zu Beginn des folgenden Jahres 1874 bat er den Großherzog von Baden, die Angelegenheit dem Kaiser, seinem Schwiegervater, zu unterbreiten; aber der Großherzog wollte ihm nicht beispringen. Vielleicht kam es Ludwig zu Ohren, daß sich Wagner an Preußen um Beistand gewandt hatte; jedenfalls gab er unvermittelt nach. »Nein, nein und wieder nein! so soll es nicht enden!« schrieb er am 25. Januar an Wagner. »Es muß da geholfen werden! Es darf Unser Plan nicht scheitern.« (*Unser* Plan, wohlgemerkt!) »Parcival kennt seine Sendung und wird aufbieten, was irgend in seinen Kräften liegt.« Einen Monat später schoß Ludwig hunderttausend Taler vor, und es kam zwischen dem Verwaltungsrat des Bayreuther Theaters und dem Hofsekretariat ein

Vertrag zustande. Wagner erhielt den Bescheid, daß dies der endgültig letzte Beitrag des Königs wäre. Doch er genügte gerade – Bayreuth war gerettet!

Zwei Jahre vergingen, für Wagner und Cosima zwei Jahre unaufhörlicher Plackerei und nie endender Sorgen. Im August 1876 war alles endlich bereit für die langerwartete Uraufführung des ›Ringes‹. Ludwig hatte versprochen, zu kommen, aber gewisse Bedingungen gestellt oder Vorbehalte gemacht. In seinem Brief vom 12. Juli heißt es:

In Bayreuth will ich ganz dem Genusse der hehren Festspielaufführungen mich weihen. O wie freue ich mich darauf, nach so langer Trennungsfrist Sie endlich wiederzusehen, innigst geliebter, treu verehrter Freund! Alles, was an eine Ovation von Seite der Bevölkerung auch nur streift, wünsche ich fern gehalten; Tafeln, Audienzen, Besuch fremder Herrschaften wird hoffentlich mir erspart bleiben; alles dies hasse ich mit aller Macht der Seele. Ich komme, um an Ihrer großen Schöpfung mich zu laben, zu begeistern, um Geist und Herz zu erfrischen, nicht um neugierigen Gaffern mich zu produzieren und mich als Ovationsopfer herzu-

Die Bayreuther hatten natürlich einen festlichen Empfang vorbereitet; die Straßen waren beflaggt und illuminiert, den Bahnhofswartesaal füllten Blumen. Aber Ludwig überlistete die Leute. In der Nacht vom 5. auf den

Modell des Festspielhauses von Gottfried Semper 1866

6. August hielt sein Zug, wie mit der Eisenbahndirektion vereinbart, bei einem Bahnwärterhäuschen, ein Stück oberhalb des Rollwenzelschen Hauses, wo Jean Paul viele seiner Erzählungen geschrieben hatte. Es war eine warme, sternfunkelnde Nacht. Der König, Graf Holnstein und ein Flügeladjutant stiegen um 1 Uhr morgens aus, und Wagner, der schon vor Mitternacht hergekommen war, ergriff die Hand, die Ludwig ihm hinstreckte. Acht Jahre waren verstrichen, seit sie einander zuletzt gesehen hatten, und beide waren inzwischen gealtert; dem König aber hatten die Jahre am meisten zugesetzt. Er war nicht mehr der bestrickende Jüngling, dessen Schönheit Wagner einst bezaubert hatte; er trug jetzt einen Bart, hatte einen schweren Körper und seine Züge waren gröber geworden; mit einunddreißig Jahren sah er aus wie ein Mann in mittleren Jahren; doch seine Augen hatten ihr Feuer nicht verloren.

Ludwig und Wagner fuhren im Hofwagen zusammen zur Eremitage, dem ehemaligen markgräflichen Lustschloß aus dem 18. Jahrhundert, wo der König während seines Aufenthalts in Bayreuth wohnte. Es gab so viel zu bereden, so daß mehrere Stunden vergingen, bis Wagner, den die Arbeitslast der letzten Wochen sehr ermüdet hatte, sich endlich nach Wahnfried zurückziehen durfte.

Die Generalproben der vier ›Ring‹-Opern, die ja nacheinander aufgeführt werden sollten, fanden am 6., 7., 8. und 9. August statt; Ludwig wollte nur sie hören, damit der Genuß nicht durch neugierig starrende Blicke aus dem Zuschauerraum und banale Unterhaltung mit fürstlichen Gästen getrübt wurde. Die Generalprobe von ›Rheingold‹ war auf sieben Uhr angesetzt, aber schon lange vorher drängten sich Menschenmassen auf den Straßen, da die Leute hofften, wenigstens einen Blick auf ihren ihnen immer ausweichenden König zu erhaschen. Ludwig machte jedoch einen Umweg, und abermals enttäuschte er seine anhänglichen Untertanen.

Wagner, der mit ihm von der Eremitage hergefahren war, geleitete ihn in die Königsloge und saß während der Vorstellung neben ihm. Der Dirigent des gesamten Zyklus war Hans Richter, jener junge Rebell, der 1869 bei den Proben zur ›Rheingold‹-Uraufführung in München mit seiner Aufsässigkeit des Königs Zorn erregt hatte; den Wotan sang Franz Betz, der an den Intrigen beteiligt gewesen war; zweifellos hatte Ludwig den beiden verziehen, wenn er auch diese früheren Ärgernisse kaum vergessen haben kann.

Die vier ekstatischen Abende verstrichen für Ludwig allzu schnell. Bei den Vorstellungen ging alles gut; es gab nur ein paar kleine technische Pannen, die sich bei einem derartig gewaltigen, neuen und komplizierten Unternehmen gewiß nicht vermeiden ließen. Vor allem schlugen einige geplante schwierige Bühneneffekte fehl: in der ›Götterdämmerung‹ klappte es zum Schluß mit dem Rhein nicht, und in ›Siegfried‹ war kein Lindwurm zu sehen; er war in London in drei Teilen hergestellt worden, aber nur Kopf und Hinterleib gelangten rechtzeitig nach Bayreuth, der Vorderleib war nach Beirut fehlgeleitet worden. Derlei Kleinigkeiten konnten Ludwigs Begeisterung bei den Generalproben jedoch nicht dämpfen, ebensowenig beeinträchtigten sie den großen Publikumserfolg.

Bei der ›Rheingold‹-Generalprobe war das Theater leer, wie Ludwig es angeordnet hatte; dann aber besann er sich anders: er wollte prüfen, ob die Anwesenheit des Publikums die Akustik verbessere, und an den folgenden Abenden spielte man deshalb vor vollem Hause. Nach der ›Walküre‹ gab es im Garten der Eremitage bengalisches Feuer und man ließ die Brunnen springen; der König erging sich hier mit Holnstein und seinem Flügeladjutanten und summte in seiner Erregung Stellen aus der Oper. Auch nach der ›Siegfried‹-Generalprobe lustwandelte der König wieder im Garten, aber plötzlich erschallte Gesang: Wotan, Alberich und die drei Rheintöchter hatten sich hinter dem Gebüsch versteckt und brachten dem König ein Ständchen. Lilli Lehmann (Woglinde) erzählt: »Der König ging nicht weit von uns entfernt auf und ab ... Sonst herrschte tiefes Schweigen in dem wundervollen Garten, den der Mond hell bestrahlte ... Geräuschlos, wie wir gekommen waren, schlichen wir uns wieder fort.« Der König hatte Freude an dieser Überraschung und sandte den Künstlern sein Bild mit eigener Unterschrift.

Am Morgen nach ›Rheingold‹ hatte Ludwig in früher Stunde einen kurzen Dankes- und Glückwunschbrief an Wagner geschrieben; eine Stunde nach Beendigung der ›Götterdämmerung‹ fuhr er nach Hohenschwangau zurück, und sogleich schüttete er dem Freund sein Herz aus. Sein zehrender Durst, den ›Ring‹ zu sehen, sei noch nicht gestillt, sagte er, er müsse unbedingt nochmals nach Bayreuth kommen. Aber er bat Wagner, ihn »durch eine förmliche Wand von den allenfalls kommenden Fürsten und Prinzen in der Loge abzusperren und, sei es durch Gendarme, zu verhindern, daß jene auch in den Zwischenpausen« sich ihm nahten. Er fuhr fort:

Erst im Dezember habe ich in Gesellschaft meiner Mutter und der Erzherzogin Elisabeth und deren Kinder einer Lohengrin-Aufführung beizuwohnen nicht gut verhindern können: es war schauderhaft. In demselben Maße nun, in welchem der ›Ring des Nibelungen‹ ›Lohengrin‹ überragt, in demselben ungeheuren Maße würde meine Tortur verstärkt werden, wenn ich mit Leuten zusammenträfe, mit denen gepappelt werden muß ... Ich beneide jene bloß neugierigen, das Kommen für eine bloß äußere Pflicht haltenden Fürsten, welche den beiden ersten Serien beiwohnen werden. Ist *einer* darunter, der seit dreizehn Jahren nach dem Erleben dieser Festspieltage seufzt, wie ich es tat? der seit seiner frühesten Jugend in Begeisterung, die nie erlahmte, noch je erlahmen wird, und in unerschütterlicher Freundschaft und Treue an Ihnen hängt?

Zur dritten Folge der Aufführungen kam Ludwig abermals nach Bayreuth. Wagner hatte ihn gebeten, sich diesmal seinem Volk zu zeigen, das ihn liebte und wußte, wieviel der Komponist, ja die ganze Musikwelt ihm zu verdanken hatten. Nach der Aufführung der ›Götterdämmerung‹ befolgte der König den Rat Wagners und trat, obwohl es ihn viel Überwindung gekostet haben mußte, an die Logenbrüstung und applaudierte als Wagner vor dem Vorhang erschien. In seiner Dankesrede vergaß der Komponist seinen Wohltäter nicht und bezeichnete ihn in bewegten Worten als Mitschöpfer des Werkes. Der König wich auch der Ovation auf den Straßen nicht aus. Vielleicht wurde ihm zum erstenmal voll bewußt, was er auf Kosten so vieler Leiden erreicht hatte; vielleicht kam er in seinem ganzen schmerzenreichen Leben dem wahren Glücksgefühl nie näher als in diesem Augenblick.

Über vier Jahre sollten vergehen, bevor König und Künstler wieder zusammentrafen – es war ihre letzte Begegnung. Im Herbst 1879 mußte Wagner aus gesundheitlichen Gründen das rauhe Bayreuther Klima mit der Wärme Italiens vertauschen. Ein Jahr später verbrachte er auf dem Rückweg nach Bayreuth die beiden ersten Novemberwochen in München, hauptsächlich, damit Cosima und die Kinder die Aufführungen seiner Opern sehen konnten, die eigens für ihn im Hoftheater angesetzt worden waren. Am 10. November fand eine ›Lohengrin‹-Privatvorstellung statt, während der Wagner beim König saß, und zwei Tage später – ebenfalls im Hoftheater – ein Nachmittagskonzert für den König und einige eingeladene Gäste, bei dem zum erstenmal das Vorspiel zum ›Parsifal‹ unter Leitung des Komponisten gespielt wurde.

Der Maler Franz von Lenbach, der zu den privilegierten Gästen gehörte, schilderte seinem Freund, dem Schriftsteller Heinrich von Poschinger, das Ereignis. Demnach kam der König eine Viertelstunde zu spät, und mittlerweile war Wagner gereizt und das Orchester unruhig geworden. Wagners Stimmung besserte sich auch nicht, als Ludwig, von der Musik überwältigt, eine Wiederholung des Vorspiels verlangte. Als aber der König zum Vergleich mit ›Parsifal‹ auch noch die ›Lohengrin‹-Ouvertüre wünschte, gab Wagner den Taktstock an den Kapellmeister weiter und trat verärgert vom Pult ab.

So Lenbachs Mitteilung, wie sie von seinem Freund berichtet wird. Newman bezweifelt die Richtigkeit dieser Darstellung aus zweiter Hand. Jedenfalls hinterließ der Vorfall anscheinend weder bei Ludwig noch bei Wagner Verstimmung, denn der Briefwechsel wurde so herzlich wie zuvor fortgesetzt. Zwei Jahre später aber kränkte Ludwig dagegen Wagner schwer: mit der Begründung, unpäßlich zu sein, kam er nicht zur Uraufführung des ›Parsifal‹ nach Bayreuth. Zu seinem Geburtstag sandte ihm Wagner ein vierzeiliges Gedicht:

Verschmähest Du des Grales Labe,
sie war mein Alles Dir zur Gabe.
Sei nun der Arme nicht verachtet,
der Dir nur gönnen, nicht mehr geben kann.

Nun fühlte Ludwig sich wieder gekränkt: Wagner bezweifelte offenbar seine Aufrichtigkeit und glaubte ihm den Grund für sein Fernbleiben nicht. Ob der König wirklich krank gewesen war, wissen wir nicht; doch da er sich mehr denn je von der lauten Welt zurückgezogen hatte, ist es durchaus möglich, daß er schon bei dem Gedanken, die gleichen Umstände wie beim vorigen Besuch in Bayreuth wieder erleben zu müssen, krank wurde. Auf jeden Fall wollte er lieber warten, bis ›Parsifal‹ zu ihm kam.

Das geschah denn auch, aber erst nach Wagners Tod: im Jahr 1884 und dann nochmals 1885, als Ludwig jedesmal drei Privatvorstellungen im Münchner Hoftheater beiwohnte. Es war die Bayreuther Inszenierung mit den Hauptdarstellern als Gästen; die Bühnenausstattung wurde in zwölf Güterwagen nach München gebracht. Herman Levi, der auch die Uraufführung in Bayreuth dirigiert hatte, sagte von den Münchner Vorstellungen, sie seien tief bewegend gewesen.

Wagner starb am 13. Februar 1883 in Venedig. Er war seit vielen Monaten krank gewesen, dennoch kam sein Tod plötzlich. Ludwig geriet außer sich, als Hofsekretär Bürkel ihm die Nachricht brachte. »Entsetzlich, fürchterlich!« soll er gerufen haben. »Lassen Sie mich allein!« Es wird erzählt, in seinem Schmerz hätte er so stark mit dem Fuß aufgestampft, daß eine Parkettafel zerbrach. Als er sich von dem ersten Schrecken erholt hatte, befahl er Bürkel wieder zu sich und sagte zu ihm: »Wagners Leiche gehört mir; ohne meine Anordnung soll wegen deren Überführung nichts geschehen.«

Der Sarg wurde über München nach Bayreuth gebracht. Der Münchner Bahnhof war während des einstündigen Aufenthalts voller Trauernder, umflorte Fahnen und Fackeln senkten sich vor dem Zug, und Blumen wurden überreicht. Beethovens Trauermarsch klang durch die Halle, und den abfahrenden Zug begleiteten die Klänge des Trauermarsches aus der ›Götterdämmerung‹. Graf Lerchenfeld, der Flügeladjutant des Königs, überbrachte einen prachtvollen Lorbeerkranz, doch der König selbst war nicht erschienen; er saß allein in Hohenschwangau – allein mit seinen Gedanken und Erinnerungen. Er hatte Befehl gegeben, daß von nun an alle Klaviere in seinen Schlössern mit schwarzem Flor bedeckt sein sollten.

Am 18. Februar wurde Wagner in der von ihm bestimmten Gruft in Wahnfried beigesetzt. In der ›Encyclopaedia Britannica‹ (11. Ausgabe) steht in dem Artikel über Wagner: »Einige Tage später ritt König Ludwig allein nach Bayreuth, um in tiefer Nacht dem Meister seiner Traumwelt den letzten Tribut zu zollen.« Meines Wissens ist diese unwahrscheinliche Szene sonst nirgends verzeichnet.

Ludwig brauchte seinen Schmerz nicht zur Schau zu tragen – niemand konnte an ihm zweifeln. Nachdem er die ehrenden Nachrufe gelesen hatte, sagte er: »Den Künstler, um welchen jetzt die ganze Welt trauert, habe ich zuerst erkannt und der Welt gerettet.«

Ludwig II. und Josef Kainz auf der Schweizer Reise 1881

Die letzte Bindung

Das leidenschaftliche Interesse fürs Theater brachte Ludwig nicht nur mit Schauspielerinnen und Primadonnen, deren Stimmen ihn bezauberten, in nähere Berührung, sondern auch mit männlichen Bühnenkünstlern. Zum Beispiel erhielten die Sänger Albert Niemann und Franz Nachbaur viele Beweise seiner Gunst, desgleichen die Schauspieler Emil Rohde und Ernst von Possart.

Den Tenor Nachbaur hörte Ludwig schon in den sechziger Jahren in Darmstadt, wo der Sänger damals wirkte. Der König gab den Auftrag, Nachbaur nach München zu holen, wo er dann bei der Uraufführung der ›Meistersinger‹ den Walter sang. Bald wurde er vom König zu Privataudienzen und zu Soupers gerufen, und einmal sagte Ludwig, Nachbaur sei der liebenswürdigste, amüsanteste Mensch, den er kenne. Die Freundschaft hielt viele Jahre an, und Nachbaur bekam von Ludwig zahlreiche Briefe. Im Jahre 1872 erlebte er einen denkwürdigen Abend, als er vom König in den Wintergarten eingeladen wurde: »Wir bestiegen einen goldenen Nachen, den ein Diener schnell losband, um sofort hinter Buschwerk zu verschwinden, und zogen hin über die blauschimmernde Flut... Der König stand im Nachen hoch aufgerichtet und wunderbar anzuschauen; die Augen leuchtend, die Lippen fest aufeinandergepreßt, die Wangen bald leichenblaß, bald flammendrot.« Und einmal in einer wunderbaren Mondnacht drückte er einen Kuß auf die Stirn des Sängers. Dieses Vorkommnis erzählte Nachbaur dem Biographen Böhm »lediglich zum Beleg dafür, daß Ludwig gerade um einen halben Kopf größer war als er«. Übrigens war Nachbaur fünfzehn Jahre älter als der König.

Ernst Possart, einer der berühmtesten Schauspieler der damaligen Zeit, wurde 1864 ans Münchner Hoftheater engagiert und später zu dessen Direktor ernannt. Er hatte viel mit den Privatvorstellungen zu tun und korrespondierte ausführlich mit Ludwig über die historisch echte und künstlerische Inszenierung der Stücke. Der König bezeigte Possart viel Freundlichkeit, und nach der letzten Privatvorstellung im Jahr 1885 schrieb Possart einen betrübten Brief, in dem er sich beklagte, daß er von jetzt an nur vor dem banalen und oft ungebildeten Publikum spielen werde.

Doch von allen Freundschaften mit Schauspielern war Ludwigs Beziehung zu Josef Kainz am sensationellsten.
Es gibt eine häufig wiedergegebene Photographie, die zwei gegensätzliche Gestalten zeigt. Links steht König Ludwig II., groß und stattlich, angetan mit einem dicken Wintermantel und mit dem Hut in der Hand, und neben

ihm sitzt – jawohl, er sitzt! – ein ganz gewöhnlich aussehender, eher häßlicher junger Mann, der sich nicht recht gemütlich zu fühlen scheint; wahrscheinlich rührt seine Verlegenheit davon her, daß er genötigt wurde, in Gegenwart seines Königs zu sitzen. Es ist Josef Kainz, ein ungarischer Schauspieler, der letzte und – Wagner ausgenommen – vielleicht der geliebteste von Ludwigs Freunden.

Kainz kam im August 1880 nach München, um hier sein Glück zu suchen. Er hatte zwar in Berlin und Wien ein paar günstige Kritiken erhalten, aber daneben so negative, daß kein Vertrag zustande gekommen war. Ein so häßlicher Schauspieler werde niemals die Herzen des Wiener Publikums erobern, schrieb ein Kritiker, und Ludwig Ganghofer erklärte später, die schlechte Nase und die mangelhaften Waden des jungen Mimen seien damals von Publikum und Kritik viel deutlicher erkannt worden als sein verborgenes Genie. Merkwürdigerweise fanden ihn andere »auffallend hübsch«, übersahen seine Nase und lobten seine schönen Augen und seine ›Beauté du diable‹. Es gibt tatsächlich Bilder von ihm, die dies zum Ausdruck bringen. Eines zeigt einen gut aussehenden jungen Mann mit gelocktem Haar, mit Samtrock und breiter Binde – kaum zu glauben, daß es derselbe Mann ist, der so unbehaglich neben dem stehenden König sitzt.

Wie sind die zwei Gesichter dieser Persönlichkeit zu erklären? An sich nicht schwer. Wenn Kainz in höchster Form war, wurde er heiter, selbstsicher, funkelnd; aber wenn er müde, verwirrt oder gelangweilt war – und wie wir sehen werden, war er das alles nicht selten gleichzeitig –, wurde er wieder der recht uninteressante Sohn eines sehr uninteressanten kleinstädtischen Eisenbahnbeamten.

Nach Wien kam ihm München ziemlich trübselig vor. »Ich kann der Stadt kein Interesse abgewinnen, so langweilig ist sie …«, schrieb er seiner Mutter. »An jeder Ecke ein Monument und ein Museum, was 1 Mark Entrée kostet … Du mußt Dir München überhaupt nicht als großstädtisch denken. Es macht mir vielmehr den Eindruck einer kleinen spießbürgerlichen Landstadt, so wie Düsseldorf.« Doch gerade deswegen fand er München viel weniger beunruhigend als Wien. Seine Kollegen vom Hoftheater, wo er zu seinem Glück als erstes den Romeo spielte, erwiesen sich als schlichte, freundliche Menschen, die ihm Glück wünschten, als er auf seinen ersten Auftritt wartete. Er hatte entschieden einen seiner guten Tage. »Ich fühlte mich zum ersten Male als Künstler unter Künstlern«, berichtet er der Mutter. Das Publikum jubelte ihm zu, und man bot ihm einen Dreijahresvertrag an.

Kainz' günstigere Kritiken und zwei sorgsam ausgewählte Bilder wurden dem König vorgelegt, der beeindruckt war. Ludwig war gerade in einer Victor-Hugo-Phase; man hatte schon ›Ruy Blas‹ aufführen müssen, und da ›Cromwell‹ und ›Marion de Lorme‹ bereits übersetzt worden waren, suchte Ludwig einen Darsteller für den Didier – da erschien Kainz zu rechter Zeit. Am 30. April 1881 sah der König den jungen Schauspieler zum erstenmal in einer Separatvorstellung von ›Marion de Lorme‹. Allein in seiner Loge des leeren, dunklen Theaters, beobachtete er Kainz. Hier war zweifellos ein neuer Stern: noch nie hatte er ein so feuriges Spiel erlebt, noch nie ein so melodisches, volles Organ gehört. Er ließ Kainz einen mit Saphiren und Brillanten besetzten Ring zukommen und ordnete zwei Wiederholungen der Aufführung an.

Kainz' Zukunft war nun gesichert. Eine goldene Kette mit dem sinnbildlichen Schwan und eine brillantenbesetzte Uhr waren die sichtbaren Zeichen fortwährender königlicher Huld, und der junge Schauspieler genoß sogar das seltene Vorrecht, zwei Separatvorstellungen ansehen zu dürfen, in denen er nicht mitwirkte. Natürlich saß er dabei nicht in der Königsloge. König und Mime waren einander noch gar nicht begegnet, sie tauschten nur Briefe aus, freundliche von seiten des Königs, gestelzte von seiten des Schauspielers, ja so formell war Kainz' Stil, daß er den Wink erhielt, die Attribute ›allerdurchlauchtigst‹, ›allergnädigst‹, ›alleruntertänigst‹, ›allerhuldvollst‹ auf ein respektvolles Mindestmaß zu beschränken.

Eines Morgens wurde Kainz plötzlich während einer Probe von ›Richard II.‹ ins Direktionsbüro gerufen. Hier erwartete ihn Karl Hesselschwerdt, der Marstallfourier, mit der Weisung, am folgenden Tage für einen dreitägigen Aufenthalt nach Linderhof zu kommen. Die Einladung sollte geheimgehalten werden; nur auf Kainz' dringende Bitte wurde Generalintendant von Perfall eingeweiht, weil Kainz nicht ohne Grund den Proben fernbleiben konnte.

Kainz hat eine kurze, aber farbige Schilderung seiner auf Linderhof ausgestandenen Nöte und Ängste sowie seiner späteren Erlebnisse mit Ludwig II. hinterlassen. Von Anfang an gab es Schwierigkeiten. Unterwegs hatte er das Pech, einen Bekannten, den Dirigenten Hermann Levi, zu treffen, und um jeglichen Verdacht abzulenken, mußte er nach München zurückkehren; infolgedessen gelangte er erst am Abend nach Murnau, wo der Hofkutscher, der den Gast nach Linderhof bringen sollte, seit zehn Uhr morgens mit zunehmender Gereiztheit am Bahnhof gewartet hatte. Um zwei Uhr nachts kam Kainz todmüde, schwach vor Hunger, angsterfüllt im Schloß an; er gehörte zu den Menschen, die viel Schlaf brauchen, und er wünschte sich nichts sehnlicher, als schnurstracks zu Bett zu gehen und zehn bis zwölf Stunden der Ruhe zu pflegen.

Er wurde jedoch sogleich zur Grotte geführt – die in dieser Nacht blau beleuchtet war –, wo er den König, seine Schwäne mit Brotkrumen fütternd, vorfand. Mittlerweile kam ihm das ganze Erlebnis wie ein schlimmer Traum vor, und er benahm sich genauso, wie es unter diesen Umständen von ihm zu erwarten war. »Jawohl, allerdurchlauchtigste Majestät«, »Jawohl, allergnädigste Majestät«, »Jawohl, allerhuldvollste Majestät«, das war alles, was er hervorzubringen vermochte, und seine Stentorstimme, die durch die Grotte hätte widerhallen sollen, verebbte zu kaum hörbarem Geflüster.

Gegen Mittag wurde Hofsekretär Bürkel zum König gerufen. »Herr Kainz ist ein höflicher, sehr netter junger Mann«, sagte Ludwig, »über dessen Staunen [über die Wunder der Grotte] ich recht gelacht habe. Aber sein Organ hat mich völlig enttäuscht; er spricht ja ganz anders als auf der Bühne. Er interessiert mich nicht; Sie müssen ihn noch heute wieder nach München mitnehmen.«

Der junge Schauspieler, dessen Karriere dadurch wahrscheinlich ruiniert sein würde, tat Bürkel aufrichtig leid, und so bat er den König, doch Nachsicht zu üben und es sich noch einmal zu überlegen. Ludwig schwankte; doch da er nicht ungerecht sein wollte, willigte er schließlich ungnädig ein: »Nun, meinetwegen kann er ein paar Tage hierbleiben.«

Der Hofsekretär klärte Kainz auf: der König habe Didier aus ›Marion de Lorme‹ nach Linderhof eingeladen, nicht Kainz; wenn der Schauspieler Didier werden könnte, würde er Ludwigs Herz gewinnen. So wurde Linderhof eine Bühne, auf der sich Kainz mit theatralischem Gebaren und klingender Stimme die königliche Gunst zurückeroberte. Die drei Tage dehnten sich auf zwölf aus. König und Mime fuhren zusammen in die Berge – in einem glitzernden Wagen, den sechs Schimmel zogen. Nachts floß der Champagner bis in die frühen Morgenstunden; Ludwig bot Kainz das Du an und trank auf die Gesundheit der alten Frau Kainz, während ihr Sohn Stunde um Stunde unsterbliche, aber endlose Stellen aus Goethes, Schillers und Victor Hugos Werken deklamierte.

Ludwig war restlos bezaubert. Hier war endlich der Freund, den er, seit Wagner ihn verlassen, immerzu gesucht hatte. Wie bei Wagner, liebte er auch bei Kainz eher den Künstler als den Menschen. Er glaubte an den Schauspieler Kainz, und dieses Urteil sollte sich auch als richtig erweisen. Ludwig hatte Wagner gerettet, als die ganze Welt gegen den Komponisten gewesen war; nun wollte er es auch Kainz ermöglichen, seine hohe Berufung zu erfüllen. Er wollte mit ihm reisen, damit Kainz Schillers Dramen in den Ländern, in denen sie spielten, nacherleben könnte. Schon immer hatte er den Wunsch gehegt, Spanien zu besuchen, und in Spanien würden sie den Spuren des Don Carlos folgen. Dann in die Schweiz reisen, auf der Suche nach Wilhelm Tell. Nach Frankreich; nach Italien ... und Ludwig baute Luftschlösser, die noch phantastischer waren als die Schlösser, die er in den bayrischen Bergen gebaut hatte.

Eines Abends beim Souper brachte der König die Rede auf seinen Plan einer gemeinschaftlichen Reise nach Spanien. Jammerschade, daß er ihn

auf Vorstellungen des Hofsekretärs von Bürkel wegen der zu weit vorge-
schrittenen Jahreszeit habe aufgeben müssen. »Aber Bürkel ist ja doch nur
Ratgeber«, wandte Kainz ein; »Majestät sind doch Herr und König!«
Ludwig seufzte. »Jawohl«, sagte er, »aber König sein ist nicht immer so
leicht, wie es aussieht.« Darauf entfuhr Kainz »in erwachender Weinlaune«
eine Äußerung, die den König verstimmte. Wenn ihm das Regieren lästig
sei, antwortete er, »könnte er das Zepter ja anderen Händen überlassen«!
   Wie oft hatte Ludwig diesen Wunsch gehegt! Er dachte an die Zeilen
Ludwigs XIII. in ›Marion de Lorme‹:

Moi, le premier de France, en être le dernier!
Je changerais mon sort au sort d'un braconnier.
Oh! chasser tout le jour! en vos allures franches
N'avoir rien qui vous gêne, et dormir sous les branches!
Rire des gens du roi! chanter pendant l'éclair,
Et vivre libre aux bois, comme l'oiseau dans l'air.*

Aber Kainz mußte an seinen Platz verwiesen werden, und darum tadelte
ihn der König streng wegen seiner unvorsichtigen Ausdrucksweise.
   Ab und zu wurden die ruhigen Wasser ihrer Freundschaft durch plötzliche Stürme aufgerührt. Denn Kainz war jung und unerfahren; es fiel
ihm schwer, die Mischung von Vertraulichkeit und Achtung, die der
König von seinen Freunden erwartete, genau zu treffen. Er wagte zum
Beispiel viel, als er dem König sagte, Ludwig sei launisch, er solle seine
Lakaien nicht ohrfeigen, und er finde es nicht edel, wenn der König in
seiner Stellung nicht gut und wohlwollend wäre. Der König bedeutete ihm
daraufhin, das gehe ihn nichts an, und er fand Kainz grob.
   Trotzdem fuhr Ludwig fort, Reisepläne zu schmieden, und zwar dachte
er nun an eine Reise in die Schweiz. Wie er Kainz in einem Brief auseinander-
setzte, wäre diese Reise »ein kleines Praeambulum zu Unserer Reise nach
Spanien« im Herbst. Er hatte sein Herz an eine Neuinszenierung von Schillers ›Wilhelm Tell‹ im Hoftheater gehängt und wollte deshalb, daß Kainz
den geheiligten Boden betrat, der mit dem unsterblichen Sagenhelden
verknüpft war. Es sollte die gleiche Reise sein, die er schon vor sechzehn
Jahren gern mit Kainz' Vorgänger Emil Rohde gemacht hätte.
   Am 27. Juni 1881 abends traten die beiden Freunde die Reise an, begleitet von sechs Hofbeamten, drei Kammerdienern und zwei Mund-
köchen. Aus unbekannten Gründen hatte sich Ludwig eingeredet, sie
müßten Pässe haben, und sie vom Münchner Paßbüro ausstellen lassen,
einen für sich auf den Namen Marquis de Saverny und einen für Kainz
auf den Namen Didier, also auf den Namen des großmütigen aristokrati-
schen Gönners und den des jugendlichen, aus bescheidenen Verhältnissen
stammenden Genies in Victor Hugos Stück. Er hoffte, nicht erkannt zu
werden, wenn er inkognito reiste, oder wenigstens irgendwelchen Huldi-

gungen zu entgehen. Vergebliche Hoffnung! Binnen vierundzwanzig Stunden wußte die ganze Schweiz Bescheid!

Wer ein Grauen vor Tunnelfahrten hat, sollte nicht in die Schweiz reisen. In einem Tunnel wurde Ludwig unweigerlich von kindlicher Angst gepackt; er befürchtete eine Ermordung, er argwöhnte überall Dynamit. Um aufs beste bedient zu werden, hatte der König befohlen, den Direktor der Bundesbahnen als Lokomotivführer amten zu lassen – einen Mann, der auf diesem Gebiet wahrscheinlich gar keine oder nur wenig Erfahrung hatte –, und ihm außerdem aufgetragen, im Schneckentempo durch die Tunnels zu fahren. Auf diese Weise wurde die Qual nur verlängert; als sich die beiden Reisenden ihrem ersten Ziel, Luzern, näherten, war der eine in miserablem Nervenzustand, der andere vollständig erschöpft.

Um der Öffentlichkeit zu entgehen, beschloß Ludwig, in Ebikon, einer kleinen Ortschaft knapp zehn Kilometer vor Luzern, auszusteigen und dann im Wagen nach Kastanienbaum zu fahren, wo der Dampfer ›Italia‹ sie weiterbringen sollte. Unglückseligerweise verspätete sich das Schiff, und während sie am Landesteg warteten, sammelte sich eine große Menschenmenge an. Endlich legte die ›Italia‹ an. Die Besatzung, die des Anlasses wegen verdoppelt worden war, reihte sich in Gala auf dem Deck, und der Kapitän, noch festlicher angetan, forderte »Seine Majestät« zum Einsteigen auf. Ludwig eilte an Bord, nur darauf bedacht, der hochrufenden Menge zu entrinnen. Eine Zeitlang herrschte Ruhe und das Mittagessen wurde aufgetragen. Doch als sie sich Brunnen näherten, bot sich ein unheilvoller Anblick: Fahnen flatterten am Kai, eine blaue Reihe zeigte Polizei an, und auf dem Landesteg drängten sich Gestalten.

Ludwig weigerte sich, dort an Land zu gehen und ordnete die Weiterfahrt nach Flüelen an.

Als sie an der Tellskapelle vorbeifuhren, gab er unvermittelt den Befehl, hier anzulegen. Er erhielt den Bescheid, es gäbe hier keinen Landesteg. Darauf sagte er kurz und bündig, man solle eben einen herstellen.

Er selbst ging auch hier nicht an Land, sondern schickte Kainz aus, der ihm die Kapelle schildern mußte, die gerade von dem Baseler Maler Ernst Stückelberg mit Fresken zur Schweizer Geschichte ausgeschmückt wurde. Stückelberg hielt Kainz irrtümlicherweise für den König, und der Schauspieler klärte ihn nicht auf. Nach der Rückkehr erzählte er es dem König, der sich darüber sehr belustigte, bis Kainz sagte, es sei ihm peinlich gewesen, für den König gehalten zu werden. »Ist das so fürchterlich?« gab Ludwig traurig zurück.

Mittlerweile hatten Menschenmengen alle möglichen Landestellen gestürmt, und da Ludwig das Anlegen nicht ewig hinausschieben konnte, befahl er schließlich dem Kapitän, ihn in Föhnhafen an Land zu setzen.

Hier wurde ein Wagen aufgetrieben, der die Gruppe zum Axenstein brachte, wo alles zu ihrem Empfang vorbereitet worden war.

Ludwig sprach immer von »Schloß Axenstein«, und niemand hatte den Mut, ihm die schlimme Wahrheit zu enthüllen: Axenstein war ein Hotel! Diese Lage wäre eines Tartarin oder eines Don Quijote würdig gewesen.

Der Wagen erwies sich als echte Schweizer Antiquität; auf halbem Wege bergaufwärts brach die Hauptdeichsel, und dieses Mißgeschick machte es möglich, daß sich abermals eine Menschenmenge versammelte. Und dann kam der Gipfel des Schreckens bei der Ankunft: ein Hoteldirektor mit fliegenden Frackschößen, reihenweise katzbuckelnde Kellner, gaffende Gäste ...

Ludwig verkündete nicht nur, daß er am nächsten Tage abreisen werde, sondern lehnte auch die königliche Zimmerflucht ab und bestand darauf, seine Räume mit Kainz zu tauschen.

Diese kritische Lage wurde durch den Schweizer Verlagsbuchhändler Benziger behoben, der dem König sein Landhaus, die Villa Gutenberg in der Nähe des Mythensteins, zur Verfügung stellte. Tags darauf zogen sie ein, und »Hier gefällt es ihm endlich!« schrieb der arme Kainz, an dem der mißgestimmte König seine schlechte Laune ausgelassen hatte, der Mutter. In Anbetracht der unsanften Behandlung, die Ludwig seinen Lakaien zu Hause angedeihen ließ, ist es interessant, daß Benzigers Gärtner berichtet:

Rührend herablassend und freundlich war der König gegen seine Dienerschaft. Dies bewies er durch Blick und Wort, wie durch reiche Geschenke, die er so gerne verabreichte, und durch Aufforderungen zu Ausflügen. Gefiel ihm eine Landschaft, so dachte er daran, auch seinen Dienern den Besuch derselben zu gönnen. Er nahm sie oft alle mit sich ... Selbst seine Köche fehlten bei solchen Ausflügen nicht.

Nun begann das Wandeln auf den Spuren Tells allen Ernstes. Ludwig, der Besichtigungen von jeher geliebt hatte, war unersättlich; Kainz sollte nichts erspart bleiben. Jeden Tag, jede Nacht wurden die Stätten, an denen sich Schillers Drama abspielt, besichtigt und wieder besichtigt; und überall mußte der Schauspieler stundenlang pausenlos deklamieren. Jede Szenerie wurde Fels um Fels mit der Beschreibung des Dichters verglichen, und da Schiller nie in der Schweiz gewesen war – er hatte sich bei den szenischen Einzelheiten auf Goethes ziemlich unbestimmte Erinnerungen verlassen –, erwiesen sich die Beschreibungen als ganz ungenau. Dann entwickelte der König eine plötzliche Liebe zu Alphörnern. Alphornbläser wurden aus den Nachbarkantonen aufgeboten und mußten nachts von den Bergen herab ihr Instrument ertönen lassen. Der König hörte hingerissen zu, aber am linken Seeufer konnte kein Mensch schlafen.

Kainz war einem vollständigen Zusammenbruch nahe, als der König wieder einmal einen seiner unberechenbaren Einfälle hatte, die jedem außer ihm Unbequemlichkeit und Unbehagen verursachten. Zu den eindringlichsten Versen in ›Wilhelm Tell‹ gehören die Worte, mit denen Melchthal die Schrecken seines Marsches über den Surenenpaß mitten im Winter schildert:

> Durch der Surennen furchtbares Gebirg,
> Auf weit verbreitet öden Eisesfeldern,
> Wo nur der heisre Lämmergeier krächzt,
> Gelangt' ich zu der Alpentrift …

Die Rolle des Melchthal war Kainz zugedacht, wie aber konnte er sie spielen, wenn er nicht wenigstens einen Teil der Leiden Melchthals durchgemacht hatte? Nur schade, daß jetzt Hochsommer war; es mußte zwar ein Gletscher überquert werden, aber es lag nur wenig Schnee. Zudem war Melchthal gehetzt worden, litt Hunger und war sich selbst überlassen, »den Durst mir stillend von der Gletscher Milch«; Kainz hingegen durfte gemächlich mit vier kräftigen Gefährten, viel Proviant, einem Dutzend Flaschen Moselwein und einem halben Dutzend Flaschen Sekt zum Surenen hinaufsteigen. Aber wenigstens sollte er Schritt um Schritt denselben Weg wie Melchthal zurücklegen. Ludwig übernahm natürlich die Rolle des Heinrich von der Helden, das heißt, er wollte auf Kainz im Dorf Melchthal warten, eine lange, aber angenehme Wagenfahrt vom See entfernt.

Kainz und seine Begleiter brachen um vier Uhr morgens auf und machten auf des Königs ausdrücklichen Wunsch einen Umweg, um Walther Fürsts Haus in der Nähe von Attinghausen zu besichtigen. Um elf Uhr begann der eigentliche Aufstieg. Kainz, der noch nie einen Berg erklettert hatte, begann mit dem flotten Schritt des Neulings, aber bald schon ließ seine Begeisterung nach. Eine Rast wurde eingeschaltet und die erste Flasche Wein geleert. Danach verlangsamte sich das Tempo; die Sonne brannte heftiger hernieder, in immer kürzeren Zwischenräumen wurde die Stille der Berge vom tröstlichen Knallen eines Pfropfens unterbrochen. Es ging schon auf Mitternacht zu, als die Gruppe mit wunden Füßen bei der Pension Sonnenblick in Engelberg ankam, wo sie übernachten sollte.

Es war vereinbart worden, am folgenden Morgen um fünf Uhr weiterzuziehen, damit die Wanderer den Jochpaß überqueren und am frühen Nachmittag Melchthal erreichen konnten; aber keine Macht der Erde vermochte Kainz vor elf Uhr aus den Federn zu jagen. Er hatte Blasen an den Füßen, und die Knie taten ihm so weh, daß er keinen Schritt mehr tun wollte. Er erklärte sich bereit, in einem Wagen zum See hinunterzufahren, falls man ein Gefährt auftreiben könne; sonst käme nur das Bett wieder in Frage.

Inzwischen wartete Ludwig mit wachsender Ungeduld in Melchthal, wo er die Zeit damit totschlug, unter die erfreuten Dorfkinder Zwanzig-markstücke mit seinem Bildnis zu verteilen. Schließlich kehrte auch er zum See zurück, wo Kainz soeben eingetroffen war. Ein kritischer Augenblick.

»Nun, wie war es?« fragte der König gespannt.

»Scheußlich!«

Ludwig war tief enttäuscht. Obwohl sein unmittelbarer Ärger durch Kainz' rührende – und zweifellos übertriebene – Schilderung von den Mühsalen des Ausflugs bis zu einem gewissen Grade gemildert wurde, hatte er das Gefühl, vom Freund im Stich gelassen worden zu sein. Wenigstens wollte er ihm die Möglichkeit geben, es wiedergutzumachen. Kainz sollte, kaum zu Atem gekommen, nach seinen seelenaufrührenden Erlebnissen auf dem Surenen, noch in dieser Nacht bei Mondschein den Rütli ersteigen und abermals die Melchthal-Erzählung deklamieren.

Gegen Abend fuhren sie mit dem kleinen Dampfer ab, der für den Privatgebrauch des Königs gemietet worden war. Kainz wollte natürlich schlafen; Ludwig hingegen wünschte die vierzehn Alphornbläser zu hören, die während der Fahrt den Kuhreigen vortragen sollten. Aber sogar der König mußte zugeben, daß die Alphörner aus solcher Nähe zu lärmend und keineswegs romantisch waren; deshalb wurden die Bläser in Brunnen ausgeschifft. Danach schlummerte Kainz ein. Als er plötzlich erwachte, sah er eine Gestalt über sich. Entsetzen erfaßte ihn; es fiel ihm ein, daß es unverzeihlich war, in Gegenwart des Königs einzuschlafen. Doch Ludwig sah ihn nur vorwurfsvoll an, sagte: »Sie haben aber geschnarcht«, und machte auf dem Absatz kehrt.

Während Kainz tief weiterschlief, ging Ludwig an Land und erstieg allein den Rütli; er hatte eingesehen, daß es sinnlos gewesen wäre, Kainz mitzuschleppen. Quälende Zweifel gingen ihm durch den Kopf: war dies der langgesuchte Freund, oder hatte er sich wiederum getäuscht?

Eine Woche später, am 11. Juli, war es dann soweit. Da Ludwig immer noch entschlossen war, von Kainz die Melchthal-Szene bei Mondschein auf dem Rütli zu hören, schleppte er den jungen Mann nach einem anstrengenden Tag auf dem See um zwei Uhr nachts hinauf. Die Schönheit der Sommernacht, das funkelnde Wasser unter ihnen, der Mondesglanz auf den schneebedeckten Gipfeln, all das versetzte den König in ekstatische Stimmung. Er bat Kainz, sogleich anzufangen. Kainz erwiderte, er sei müde.

Der König bat nochmals, forderte, befahl; aber Kainz ließ sich nicht bewegen, er blieb bei seiner Weigerung, und binnen zweier Minuten war er im Gras fest eingeschlafen.

Ludwig ließ ihn an Ort und Stelle liegen und kehrte zur Villa Gutenberg zurück, fest entschlossen, nun mit ihm zu brechen. Tags darauf fuhr er nach München ab.

Sowie Kainz erfuhr, daß der König abgereist war, folgte er hinterdrein; jetzt erst, wo es zu spät war, erkannte er das Ausmaß seiner Unverschämtheit. In Luzern holte er Ludwig ein, erzwang sich den Weg zu ihm und bat um Verzeihung.

»Es ist schon gut«, antwortete der König, aber sein Ton klang wenig überzeugend.

Die beiden Männer verbrachten den Nachmittag damit, antike Uhren für die Sammlung des Königs zu kaufen. Schließlich ließen sie sich auf Ludwigs Vorschlag von einem Photographen aufnehmen. Aber die Atmosphäre blieb gespannt; beide wußten, daß die Flitterwochen vorbei waren. Kainz durfte im Salonwagen des Königs bis zur Grenze mitreisen; dann fuhr er allein nach München weiter, während Ludwig nach Linderhof zurückkehrte. Als der Augenblick des Abschieds kam, umarmte der König ihn herzlich und blickte ihm lange und liebevoll nach, während Kainz den Bahnsteig entlang ging.

Das war jedoch nicht das Ende ihrer Bekanntschaft; bis zum Tode des Königs empfing Kainz sogar noch viele Zeichen der königlichen Gunst. Aber Kainz hatte bewiesen, daß er doch nicht der langgesuchte Freund war; wieder sah sich Ludwig allein.

Die Verschwörung

Ludwigs Sturz war nicht etwa die Folge seines exzentrischen Verhaltens, sondern als Beweis seiner Geisteskrankheit dienten den Verschwörern seine Verschwendungssucht und die Vernachlässigung der von ihm als ›Fadaisen‹ bezeichneten Staatsgeschäfte; zweifellos war er nicht mehr imstande, zu regieren. In seinen letzten Lebensjahren müssen die Minister oft gewünscht haben, ihre Vorgänger hätten ihn bei seinem Verlangen, dem Thron zu entsagen, unterstützen sollen; jetzt dachte er nicht mehr daran, ihnen den Gefallen zu tun, denn ohne seine Herrschermacht und ohne die Kabinettskasse, die ihm nur durch den Thron zugänglich war, hätte er ja seine Baupläne nicht durchführen können.

Schon seit einiger Zeit war die finanzielle Lage des Königs trübe und mit jedem Jahr wurde sie trüber. Obwohl er von der Zivilliste jährlich viereinhalb Millionen Mark bezog, schuldete er im Frühjahr 1884 der Kabinettskasse siebeneinhalb Millionen. Nach bayrischem Gesetz konnten Gläubiger die Zivilliste einklagen, doch mochte es recht zweifelhaft sein, ob sie rechtliche Schritte unternehmen würden. Um einem möglichen Skandal vorzubeugen, nahm der Finanzminister Emil von Riedel zur Tilgung der Schulden bei der Bayrischen Staatsbank ein verzinsliches Darlehen auf, das im Verlauf von fünfzehn Jahren zurückgezahlt werden sollte. Man hoffte, daß man den König inzwischen bewegen könnte, seine Schloßbauten einzuschränken. Aber das Wort Sparsamkeit kam in Ludwigs Wortschatz ebensowenig vor wie in dem Wagners, und der König baute hemmungsloser denn je weiter; im Sommer des folgenden Jahres waren die Schulden auf fast vierzehn Millionen gestiegen. Für Ludwig bot die Lage noch kein Problem; er schrieb einfach an Riedel und trug ihm auf, ein weiteres Darlehen aufzunehmen.

Riedel fühlte sich verpflichtet, offen zu sprechen. Die Presse sei feindlich, erklärte er, die Monarchie bedroht; strengste Sparsamkeit sei geboten. »Der treugehorsamst Unterzeichnete«, schrieb er dem König, »kann bei dem besten Willen andere Schritte zur Besserung nicht bezeichnen als ... die strengste Vermeidung jeder Ausgabe, für welche nicht eine planmäßige Deckung vorliegt.« Ludwig war entrüstet, daß seine Befehle nicht befolgt wurden, und teilte dem Ministerratsvorsitzenden von Lutz mit, er brauche dringend einen neuen Finanzminister.

Ehe das Jahr um war, forderte Ludwig die runde Summe von zwanzig Millionen Mark; er trug sich mit Plänen für neue Schlösser, und sowohl Neuschwanstein als auch Herrenchiemsee waren immer noch unvollendet. Die Lage wurde bald unerträglich; es schien keinen andern Ausweg mehr zu geben, als Linderhof und Herrenchiemsee zur Befriedigung der Gläubiger gerichtlich beschlagnahmen zu lassen. Seinem treuen Flügeladjutanten Graf Dürckheim-Montmartin schrieb Ludwig am 28. Januar 1886, wenn dies nicht rechtzeitig verhindert werde, würde er sich entweder sofort töten oder jedenfalls das verfluchte Land, in welchem so Schauderhaftes geschähe, sofort und für immer verlassen. Er forderte Dürckheim zur Gewaltanwendung auf:

Ich fordere Sie nun auf, mein lieber Graf, und lege Ihnen dringend an das Herz, ein Kontingent zustande zu bringen, welches fest und treu zu mir steht, sich durch nichts einschüchtern läßt und das, wenn es wirklich zum Äußersten kommen sollte und die nötige Summe nicht fließt, das rebellische Gerichtsgesindel hinauswirft. Ich verlasse mich darauf, daß Sie dies auf geschickte Art und unter der Hand zustande bringen, denn Minister, Gendarmerie, mit der hier nichts anzufangen ist, Sekretäre (Klug, Schneider) dürfen nichts davon erfahren, das sind Beamte, die Furcht haben vor der Kammer, Gesetzesbestimmungen und öffentlichen Meinungen, sind folglich alte Weiber und keine königstreuen Untertanen, wie es sein soll.

Gleichzeitig schrieb er dem Innenminister Max von Feilitzsch, wenn er nicht mehr bauen könne, sei ihm die »Hauptlebensfreude« genommen; er müsse die zwanzig Millionen sofort haben. Feilitzsch antwortete, er könne nichts tun, eine weitere Anleihe komme überhaupt nicht in Frage: »Reiche Leute, die solche Summen ohne reale Sicherheit zur Verfügung stellen, sind nicht zu finden.«

Ludwig geriet in Verzweiflung. Er bot sogar Hesselschwerdt auf, den er nach Regensburg schickte, beim Fürsten Maximilian von Thurn und Taxis – der längst verstorben war – ein Darlehen aufzunehmen, und durch Vermittlung von Herzog Ludwig in Bayern sollte Hesselschwerdt die Hilfe des Kaisers von Österreich erlangen. Bald schmiedete der König immer unsinnigere Pläne, zu Geld zu kommen. Flügeladjutanten wurden nach Stockholm zum König von Schweden und Norwegen, nach Konstantinopel zum Sultan, nach Teheran zum Schah, nach Brasilien und Brüssel entsandt. Als letztes Mittel sollten Leute geworben werden, um bei den Banken in Stuttgart, Frankfurt, Berlin und Paris einzubrechen. Ludwig rechnete damit, daß mindestens vier seiner verschiedenen Unternehmungen Erfolg haben würden; er glaubte schon achtzig Millionen in der Tasche zu haben.

»Im Januar oder Februar 1886 kam Hesselschwerdt zu mir«, erzählt Dürckheim, »und brachte mir mündlich den Befehl des Königs, nach England zu reisen, um den Herzog von Westminster zu veranlassen, daß er ihm zehn Millionen leihe.« Dürckheim wies darauf hin, wie unklug ein solcher Schritt wäre und trug Hesselschwerdt auf, dem König zu melden, daß er den Auftrag erhalten habe und ihm über die Angelegenheit schreiben werde. »Darauf antwortete mir Hesselschwerdt: ›Herr Graf werden entschuldigen, aber ich kann heute nichts melden, ich bin nämlich eigent-

lich in Neapel!‹ – ›Wieso?‹ fragte ich. – ›Ja‹, erwiderte er, ›der König hat
mich nach Neapel geschickt, aber das nutzt doch nichts, dorthin zu reisen,
darum bin ich hiergeblieben; ich habe aber gesagt, ich ginge hin und käme
Mittwoch zurück, daher kann ich vorher dem Könige nichts melden!‹«

In Anbetracht dieser Lage ist es kaum verwunderlich, daß sich der Ministerpräsident und die übrigen Mitglieder des Kabinetts genötigt sahen, drasti-
sche Maßnahmen zu ergreifen: der König mußte gehen. Doch da sein
Bruder geisteskrank war, mußte sein fünfundsechzigjähriger Onkel Prinz
Luitpold, der nächste Thronfolger, überredet werden, die Regentschaft zu
übernehmen.

Es gab zwei Möglichkeiten, den König zu entfernen: entweder durch
konstitutionelle Mittel oder durch einen Staatsstreich – letzterer schien
der praktischere Weg zu sein. Zu diesem Zweck war in erster Linie ein
ärztliches Attest erforderlich, das Ludwigs unheilbare Geisteskrankheit
bescheinigte; denn er war immer noch beliebt, besonders bei den Bauern,
und öffentlicher Kritik mußte unter allen Umständen zuvorgekommen
werden. Das medizinische Gutachten war auch notwendig, weil Prinz
Luitpold, ein zurückhaltender Mann ohne persönlichen Ehrgeiz, sonst
sicher nicht für den Plan zu gewinnen war.

Schon im Januar 1886 leiteten Lutz und seine Kollegen die Verschwörung
ein. Obermedizinalrat und Professor der Psychiatrie Dr. Bernhard von
Gudden, damals eine anerkannte Autorität seiner Wissenschaft, erklärte
sich bereit, Beweismaterial zu sammeln, und nach anfänglichem Zögern
sicherte Prinz Luitpold seine Mithilfe zu, wenn das ärztliche Gutachten
unzweifelhaft feststünde. Bei nicht weniger als sechs Anlässen ließ sich
Lutz auch das Versprechen geben, daß er und seine Mitarbeiter unter der
neuen Regentschaft im Amt bleiben würden.

Gudden machte sich alsbald an die Arbeit und sammelte als Material
Klatsch und Geschwätz der Lakaien und Diener, vor allem jener, die beim
König in Ungnade gefallen waren. Beim Aufspüren der gewünschten Be-
weise stand ihm hauptsächlich Oberststallmeister von Holnstein bei –
Newman nennt ihn »einen brutalen, leichtsinnigen, gewissenlosen Aben-
teurer« –, der sich Ludwigs Unmut zugezogen hatte und infolgedessen
den Gebieter haßte, der einst so viel für ihn getan hatte. Da die meisten
Schloßbedienten von seinem Wohlwollen abhingen, hatte er leichtes
Spiel, und gegen Ende März war der Entwurf des berühmten ›Ärztlichen
Gutachtens‹ fertiggestellt.

Das Gutachten, ein langes Schriftstück, das in seiner endgültigen Form
aus neunzehn Druckseiten besteht, enthält hauptsächlich Aussagen ehemaliger und gegenwärtiger Hofbeamten und Diener. Mögen sie vielleicht

auch übertrieben oder aufgebauscht sein, können wir nicht bezweifeln, daß die meisten Äußerungen über die sonderbaren Vorgänge in den Schlössern, besonders während der letzten zwei, drei Jahre von Ludwigs Regierung, letztlich auf Tatsachen beruhten. Einige werden von Zeugen bestätigt, deren Königstreue über jeden Zweifel erhaben ist. Hornig mochte zwar wegen seiner Entlassung im Jahre 1885 Groll im Herzen tragen, aber er ließ sich nur widerwillig zu einer Aussage bewegen, und da er nur aus Pflichtgefühl Zeugnis ablegte, darf angenommen werden, daß er die Wahrheit sagte.

Gudden beginnt mit dem Ausdruck tiefsten Bedauerns, daß diese »peinliche« Aufgabe unternommen werden mußte. Es dürfe zunächst daran erinnert werden, daß in der königlichen Familie Geisteskrankheit erblich wäre; er weist auf Prinzessin Alexandra und natürlich auf den unglücklichen Otto hin. Schon in früher Jugend habe Ludwig an Halluzinationen sämtlicher Sinne, an motorischen Erregungen und an Scheu vor Begegnungen mit Menschen gelitten. Schon jahrelang sei es unmöglich gewesen, ihn zur Erledigung der Regierungsgeschäfte zu bewegen. In Berg habe er ein romantisches Kirchlein bauen lassen, um allein der Messe beiwohnen zu können, nicht zu vergessen seine privaten Theatervorstellungen. Mit jedem Jahr habe er sich immer länger auf seinen Schlössern aufgehalten, und wenn er es endlich über sich brachte, nach München zurückzukehren, sei er auf dem Bahnhof stundenlang unentschlossen und zögernd umhergegangen, um sich Mut zu machen, den Zug zu besteigen. München sei für ihn nach seinen eigenen Worten »eine Qual, ein Gefängnis«, und wenn sich der Zug der Stadt näherte, hätten sich die Zorn- und Wutausbrüche Seiner Majestät gesteigert.

Eine Qual waren ihm auch die Hoftafeln, die öfters im letzten Augenblick aufgeschoben oder abgesagt werden mußten. »Wochenlang vor einer Tafel war von diesem ›Unglück‹ die Rede … Seine Majestät konnten kein Ende finden, ergingen sich über die Tafelgäste in den aufgeregtesten, unglaublichsten Ausdrücken.« Einmal mußte ein Minister, der wegen eines wichtigen Vortrags gekommen war, drei Stunden lang diese aufgeregten Reden anhören, und er wurde entlassen, ohne die Möglichkeit gehabt zu haben, seinen Bericht zu erstatten. Acht bis zehn Glas Champagner seien jedesmal vor der Hoftafel getrunken worden, ehe Ludwig »zum Schafott« ging, wie er es nannte. »Seine Majestät befahlen auch, daß der Allerhöchste Platz derselben an der Tafel mit Aufsätzen, Blumen usw. so besetzt werde, daß man Allerhöchstdieselben so wenig als möglich sehen könne, auch wurde die lärmendste Musik absichtlich befohlen. Bei der Tafel selbst ließen Seine Majestät oft wilde Blicke umherschießen, stießen auch hier und da voll Wut mit dem Säbel auf den Boden.«

Stallmeister Hornig, der den König seit 1866, also zwanzig Jahre lang, gekannt hatte, sagte aus: Anfangs fühlte Seine Majestät noch ein größeres Bedürfnis nach dem Verkehr mit Menschen. »Es seien bei den nächtlichen Ritten, die meistens beim Mondscheine unternommen wurden, Feste im Walde veranstaltet worden, zu denen jüngere Bedienstete vom Marstallpersonale, auch Lakaien befohlen wurden. Unter Zelten wurde dann bis zum frühen Morgen gezecht und andere Unterhaltungen in kleinen Spielen, z. B. Ring verstecken, Schneider leihe mir deine Schere usw. gesucht. Später hörten diese Unterhaltungen auf, doch kam es noch in neuerer Zeit vor, daß gelegentlich des Aufenthaltes Seiner Majestät auf dem Schachen Stalleute im dortigen, im türkischen Stile eingerichteten Zimmer in orientalischer Weise sitzend, mit Seiner Majestät Sorbet trinken und aus türkischen Pfeifen rauchen mußten. Auch im sogen. beim Linderhof gelegenen Hundingshause kam Ähnliches vor, auf Fellen ruhend zechte das Personal aus großen Trinkhörnern Met.«

Das Gutachten fährt fort: »Notorisch dagegen ist, daß Seine Majestät seit einer längeren Reihe von Jahren persönlich nicht mehr mit den Inhabern der höchsten Hofstellen, mit dem k. Staatsministerium verkehren, daß (Äußerungen von Hesselschwerdt und Welker) Allerhöchstdieselben in den letzten Jahren sogar den Kabinettssekretär nur vielleicht zweimal, den Hofsekretär aber gar nicht mehr sahen. Der ganze persönliche Verkehr Seiner Majestät beschränkt sich gegenwärtig auf wenige Personen von der untergeordneten Dienerschaft, und bildet die fast kindlich hilflose Lage, in die Allerhöchstdieselben durch diese Isolierung geraten sind (Lakaien und Friseure auf der Suche nach neuen Ministern und einem neuen Kabinettssekretär) einen wahrhaft tragischen Kontrast zu dem... Bewußtsein... absoluter Machtfülle und Selbstherrlichkeit.«

Es ließe sich nicht mit voller Sicherheit behaupten, ob Seine Majestät an eigentlichen Halluzinationen leide. »Es sprechen dafür die Wahrnehmungen Hesselschwerdts, ... das geringste Geräusch erschrecke Seine Majestät. Bei den Spaziergängen (bei Tag und bei Nacht) äußerten Allerhöchstdieselben oft, Sie hätten etwas gehört, Tritte, Worte und dann zu ihm, der nichts gehört habe, gesagt, Du hörst eben nicht gut, Hesselschwerdt ... Wenn Seine Majestät allein im Zimmer sich befinden, ... sprechen und lachen Allerhöchstdieselben oft laut, so daß man glauben könnte, es sei große muntere Gesellschaft in demselben versammelt.«

Ziegler sagte aus: »Nicht einmal, sondern oft und oft argwöhnten Seine Majestät, ich hätte Allerhöchstdieselben beim Vortrage mit einem unziemlichen, besonderen Blick angesehen.«

Gudden führt abermals Hornig an: »... die Grenzen der Norm weit übersteigenden Grades, dürfte dagegen aufzufassen sein, was Stallmeister Hornig berichtet, Seine Majestät, bei einigen Graden Kälte und bei Schneegestöber im Freien essend, hätten sich ans Meergestade versetzt und von

Dr. Bernhard von Gudden

heißen Sonnenstrahlen beschienen geglaubt…« Der König litte an Ausschweifungen der Phantasie: » ›Jetzt habe ich in Gedanken – Worte Seiner Majestät – der Königin eine große Wasserflasche am Kopfe zerschlagen, habe sie an den Zöpfen auf der Erde herumgeschleift, ihr die Brüste mit den Absätzen zerstampft‹ … oder: ›jetzt war ich in Gedanken in der Theatinerkirche, habe den König Max aus dem Sarge herausgerissen und seinen Kopf beohrfeigt.‹ «

Hornig gegenüber hätte Ludwig den lebhaften Wunsch geäußert, »in einem von Pfauen gezogenen Wagen durch die Luft zu fliegen; der dem Maschinenmeister Brand erteilte Allerhöchste Auftrag, eine Flugmaschine zu Fahrten über den Alpsee bei Hohenschwangau anzufertigen, die Imitation der blauen Grotte auf Capri, um deren Blau zu studieren Stallmeister Hornig zweimal nach Capri geschickt wurde«, all das gehöre ins Gebiet überwuchernder, die Schranken der Wirklichkeit und Möglichkeit ganz außer acht lassender Phantasie.

Dann wären da noch die überschwenglichen Freundschaften des Königs, gekennzeichnet durch ihren wesentlich phantastischen Ursprung, ihre kurze Dauer und ihren jähen unmotivierten Abbruch. Wenn die Freunde in Ungnade gefallen waren, durften sie nur noch mit dem Anfangsbuchstaben ihres Namens bezeichnet werden.

Nach Mitteilung des Kammerlakaien Mayr müsse der König doch an Halluzinationen leiden. Mayr sagte aus: » ›Alles ertrage ich zwar, aber das ist zum Verzweifeln, wenn der König sich etwas einbildet und sich davon absolut nicht abbringen läßt, wenn er z. B. so anfängt, Tue das Messer (oder irgendeinen anderen Gegenstand) weg, und wenn ich sage, Majestät, es ist

keines da, so examiniert er stundenlang ununterbrochen fort, ›Es soll aber
eins da sein, wo wäre es denn hingekommen, du hast es weggetan, wo
hast du es hingetan, warum hast du es weggetan, gleich legst du es wieder
hin.‹ «

Gudden fährt in seinem Gutachten fort: »Einen Baum zwischen Berg und
Ammerland, nennen Seine Majestät den ›heiligen Baum‹, Hesselschwerdt
weiß nicht, weshalb – so oft Allerhöchstdieselben an diesem Baum vor-
übergehen, fahren oder reiten, verbeugen Sie sich tief davor. Ebenso wird
ein Zaun bei Ammerland ... gewissermaßen segnend begrüßt. Eine Säule
am Eingange in Linderhof umarmen Seine Majestät der König, so oft Allerhöchstdieselben das Schloß auf längere Zeit verlassen; dasselbe geschieht
bei der Rückkehr. Bei nur vorübergehendem Verlassen des Schlosses wird
die Säule nur berührt ...«

»Seine Majestät seien nicht selten aufgeregt, machten sonderbare tan-
zende und hüpfende Bewegungen, führen sich stoßend und ziehend in die
Kopf- und Barthaare, stellten Allerhöchst-Sich nicht selten vor den Spiegel,
mit verschränkten Armen und das Gesicht verziehend. (Hesselschwerdt
und Welker.) Stundenlang dauernde Wutausbrüche, die sich im Herum-
toben im Zimmer, in einer tanzenden, wiegenden Bewegung, Schütteln der
Hände in den Handgelenken äußerten, traten ein, auch ruhig sinnend auf
einen Fleck sehend, konnten Seine Majestät stundenlang mit einer Haar-
locke spielen oder das Haar mit einem Kamme in Unordnung bringen.«

»Seiner Majestät des Kaisers Büste in Hohenschwangau wurde von
Seiner Majestät im Vorbeigehen angespuckt (Hornig). Der Marstallfourier
Hesselschwerdt ... erhielt den Befehl, in Italien eine Bande zu werben, mit
derselben den deutschen Kronprinzen gelegentlich seines Aufenthaltes in
Mentone gefangen zu nehmen und ihn in einer Höhle bei Wasser und Brot
in Ketten verwahrt zu halten. Im Geiste malten Seine Majestät Allerhöchst-
Sich die dem Kronprinzen zugedachten Martern weitgehendst aus, weshalb auch eigens der Befehl erging, ja dessen Leben zu schonen, damit
seinem Leiden nicht ein zu schnelles Ziel gesetzt werde ... Oft mußte Ministerialrat von Ziegler hören ..., wie schön es wäre, wenn man das verfluchte Nest (die eigene Haupt- und Residenzstadt!) an allen Ecken anzün-
den könnte [eine Katastrophe, die sechzig Jahre später beinahe eingetreten
wäre], und Stallmeister Hornig führt als einen öfter von Seiner Majestät ausgesprochenen Wunsch an ..., daß das ganze bayerische Volk nur einen
Kopf habe, um es auf einen Streich hinrichten lassen zu können.«

Dauernd hätte der König Befehle erteilt, seine Feinde ins Burgverlies
einzusperren, durchzupeitschen oder aus dem Lande zu jagen. So befahl
er seinen Lakaien, Herrn von Ziegler und einen ehemaligen Flügeladjutanten zu greifen und zu töten. »Noch in neuester Zeit wurde von Seiner
Majestät befohlen, zwei Diener, den Kammerdiener Welker und den Vor-

reiter Bieller, die sich die Allerhöchste Unzufriedenheit zugezogen hatten, der eine, weil er ein beabsichtigtes Anlehen von nur 25 Millionen Mark nicht zustande gebracht hatte, der andere, weil er einen aus der Volière entkommenen Vogel nicht gleich einfangen konnte, nach Amerika zu transportieren... Vorreiter Bieller wurde bei dieser Veranlassung von Seiner Majestät am Halse gedrosselt.«

»Um nicht selbst in Strafe zu verfallen, meldeten die Diener, die Allerhöchsten Befehle seien vollzogen.« Ein leichtes Leben hatten sie gewiß nicht, denn die Stimmung des Königs war mehr als unberechenbar: »Kammerlakai Mayr wurde vor ungefähr 4 Jahren damit gestraft, daß er ein Jahr lang nur mit einer schwarzen Maske das Gesicht verdeckt, vor Seiner Majestät erscheinen durfte... Kammerlakai Sauer sollte in einem von Seiner Majestät besonders vorgeschriebenen auffallenden Kostüme auf einen Esel gesetzt und in der Umgebung von Hohenschwangau auf den Landstraßen herumgeführt werden... Kammerlakai Buchner, über dessen Dummheit sich Seine Majestät ärgerten, mußte ›ein Siegellacksiegel an der Stirn tragen‹ zum Zeichen, daß sein Gehirn versiegelt sei... Marker erhielt den Befehl, eventuell Leute zu nehmen und Herrenwörth in die Luft zu sprengen.«

Diener und Stallknechte wurden vom König oft sehr grob behandelt. »Mindestens gegen 30 Personen seien... mißhandelt worden«, und viele hätten sich durch Vorschützung von Krankheiten der verschiedensten Art dem persönlichen Dienst bei Seiner Majestät entzogen; sie wären im letzten Jahr durch Chevaulegers ersetzt worden. »Kammerdiener Welker berichtet sogar, daß der Vorreiter Rothenanger, ein junger, schmächtiger und kleiner Mensch, einmal wegen eines geringfügigen Vergehens von Seiner Majestät geschlagen, gestoßen und mit solcher Wucht an die Wand geworfen wurde, daß die im Vorzimmer befindlichen Leibjäger in der Besorgnis, der junge Mann werde totgeschlagen, nahe daran waren, in das Zimmer zu dringen, um Rothenanger zu Hilfe zu kommen. Es sei die Vermutung nicht ausgeschlossen, daß der nach Jahresfrist erfolgte Tod Rothenangers in ursächlichem Zusammenhange stehe mit den Mißhandlungen, welche derselbe zu erdulden hatte.«

Manchmal befahl der König in Form von Notizen die Bestrafung derjenigen Diener, die ihn beleidigt hatten. Zahlreiche derartige Notizen sind noch vorhanden, und wenn sie auch in dem Gutachten nicht vorkommen, sei hier doch ein kennzeichnendes Beispiel wiedergegeben:

Der Elende verdient gar nicht, kommen zu dürfen. Außer dem anderen Schlechten hatte er die Frechheit (und weiß doch längst, daß es untersagt ist), aufzuschauen

Links: Prunkvase für Ludwig II. von Bayern; Meißen 19. Jhd.
Rechts: Schreibzeug Ludwig II. mit Lohengrin-Motiven im Arbeitszimmer
auf Schloß Neuschwanstein

Schloß Linderhof; davor das große Bassin mit der Floragruppe

Der alte Gasthof Elmau auf dem Weg zum Schachen

und so hinauszugehen, ihn daher ein paar Sekunden (dies schadet nichts) drunter zu halten und ihm den Kopf unsanft an die Wand stoßen, die drei Tage lang muß er, so oft er vor Mich hintritt (außer beim Servieren), sich hinknien und den Kopf auf die Erde legen ... knien bleiben, bis Ich ihm erlaube aufzustehen, ihm dies sehr einpauken. Die drei Stunden, in denen er drei Tage lang eingesperrt ist, ihm selbst die Hände festbinden, ihm einschärfen, daß er sich diesem unterwürfig unterziehen muß, sonst ist es aus mit ihm, das Leben ihm verbittert.

Das Knien mit dem Kopf auf dem Boden und andere orientalische Gesten der Unterwürfigkeit – zum Beispiel auf allen Vieren kriechen – hatte der König einem Buch über das chinesische Hofzeremoniell entnommen.

Das ärztliche Gutachten befaßt sich ferner mit Ludwigs Leidenschaft für die absolute Monarchie der Bourbonenkönige Ludwig XIV., Ludwig XV. und Ludwig XVI. und für ihre Schlösser. »Ein ehemaliger Secondelieutenant der bayerischen Armee wurde mit dem Befehle betraut, eine ›Coalition‹ zu gründen, d. h. eine Schar Männer zu werben, mit deren Beihilfe es gelingen sollte, in Bayern das absolute Regierungssystem wieder herzustellen ... Seine Majestät dachten daran, ... gegen Vergütung einer hohen Summe das Land an Seine Königliche Hoheit den Prinzen Luitpold abzutreten [der es ja bald darauf umsonst erhielt] oder an Preußen zu verkaufen. Geheimrat von Löher wurde mit dem Auftrag betraut, sich nach einem anderen Königreiche umzusehen, in dem ein absolutes Regierungssystem möglich wäre, machte auf Kosten der Kabinettskasse weitläufige Seereisen, berichtete aber, daß der Auftrag unmöglich auszuführen sei ... Stallmeister Hornig berichtet, daß Seine Majestät Sich geheim in Kostüme der französischen Könige kleidete. Mit Krone und Zepter, welche kostbaren Gegenstände der Schatzkammer entnommen werden mußten, wurden nächtliche Spazierfahrten unternommen, auch der Gedanke, ein zweites Versailles im Graswangtale zu bauen, brach sich Bahn. Herr Ministerialrat von Ziegler erwähnt, daß Seine Majestät vor einer Büste der Königin Marie Antoinette, welche auf der Terrasse des Linderhofes steht, stets das Haupt entblößte und deren Wangen streichelte, und der Marstallfourier Hesselschwerdt gibt an, daß im Linderhofe ein Bild sich befände (Welker meint, es behandle einen Stoff aus der Zeit Ludwigs XIV.), vor welchem Seine Majestät niederzuknien pflege, vor welchem auch Hesselschwerdt ... niederknien mußte ...; auch Welker erzählte von dem Bilderkultus Seiner Majestät ... Seit der Entlassung des Herrn Ministerialrates von Ziegler [einst ein Günstling des Königs], damaligen Kabinettssekretärs, des letzten Mannes von Bildung, mit welchem Seine Majestät einen fortlaufenden Verkehr pflog und per-

Bühnenmodelle zu den Wagneraufführungen der Münchner Hofoper; oben: »Tristan und Isolde«, 1. Aufzug, von Angelo II. Quaglio, 1865; unten: »Tannhäuser«, 3. Aufzug, von Heinrich Döll, 1865

sönlich Dinge von ernstlicher Bedeutung behandelte, hörte der persönliche Vortrag in Staatssachen auf.«

Wichtige Schriftstücke sowie versiegelte Depeschen blieben ungeöffnet liegen und mußten schließlich durch die Diener erledigt werden. Tatsächlich war der König jetzt nur noch von Dienern und Lakaien umgeben, deren Los immer schwieriger und riskanter wurde. Sie durften nur durch die geschlossene Tür mit ihm sprechen oder ihm eine Mitteilung machen, indem sie in einem bestimmten Geheimcode an der Tür kratzten. »Von der Berücksichtigung der Autorität der höchsten Beamten, der obersten Hofchargen und der Minister, war keine Rede mehr ... Für Seine Majestät sind die k. Staatsminister Pack, Gesindel, Geschmeiß ...«

Zum Schluß bringt das Gutachten eine kurze Darstellung des körperlichen Zustands Seiner Majestät: Druck und Schmerz am Hinterkopf, Schlaflosigkeit, an der er litt und gegen die er Mittel einnahm. Es endet mit einer Beschreibung der häßlichen Tischmanieren des Königs, die durch Schlüssellöcher beobachtet oder nach dem Zustand seiner Kleider ermittelt worden waren. »Über die unordentliche, unappetitliche, ekelerregende Art des Speisens Seiner Majestät, um das hier noch einzuschieben, wie Allerhöchstderselbe dabei die Saucen und Gemüse herumspritze, seine Kleider damit beschmiere, berichtet Kammerlakai Mayr. Erschwert dürfte nach Herrn von Ziegler auch die Verdauung sein, da Seine Majestät keinen Zahn mehr im Munde habe, der zum Kauen tauglich sei.«

Die Zusammenfassung lautet:

1. Seine Majestät sind in sehr weit vorgeschrittenem Grade seelengestört und zwar leiden Allerhöchstdieselben an jener Form von Geisteskrankheit, die den Irrenärzten aus Erfahrung wohl bekannt mit dem Namen Paranoia – (Verrücktheit) bezeichnet wird;

2. Bei dieser Form der Krankheit, ihrer allmähligen und fortschreitenden Entwicklung und schon sehr langen, über eine größere Reihe von Jahren sich erstreckenden Dauer ist Seine Majestät für unheilbar zu erklären und ein noch weiterer Verfall der geistigen Kräfte mit Sicherheit in Aussicht;

3. Durch die Krankheit ist die freie Willensbestimmung Seiner Majestät vollständig ausgeschlossen, sind Allerhöchstdieselben als verhindert an der Ausübung der Regierung zu betrachten und wird diese Verhinderung nicht nur länger als ein Jahr, sondern für die ganze Lebensdauer andauern.

In Bezug auf den letzten Satz sei erwähnt, daß die bayrische Verfassung eine Klausel enthielt, nach der ein Monarch abgesetzt werden konnte, der aus irgendeinem Grunde länger als ein Jahr nicht zu regieren vermochte.

Soweit das Gutachten. Doch selbst wenn man es im wesentlichen als wahr gelten läßt, werden doch oft wenig überzeugende Schlußfolgerungen daraus gezogen. Newman schreibt: »Was dem oberflächlichen Beobachter Anzeichen der Verrücktheit zu sein scheinen, waren nichts anderes als gewöhnliche menschliche Eigenschaften, die sich in ungewöhnlichem Maße auswachsen konnten, weil der König fast unbeschränkte Macht hatte und auch ebenso frei war von den durch Klugheit gebotenen inneren Hemmungen und der Zurückhaltung, die den Durchschnittsmenschen veranlassen, seinen Wünschen nur in den gesellschaftlich wohlgezogenen Grenzen nachzugeben.« Im Theater wollte sich Ludwig ganz auf das Spiel konzentrieren, wollte nicht vom Publikum angestarrt werden; darum tat er, was viele Menschen gern tun würden, aber nicht können: er setzte Privatvorstellungen an. Bei Staatsbanketten, die er so unerträglich langweilig fand, wie sie zweifellos auch waren, schirmte er sich vor banalem Gespräch durch einen Vorhang von Blumen und laute Musik ab; es kam sogar die Zeit, wo er allem Zeremoniellen möglichst entrann. Derartige Extravaganzen wurden als Beweis für die Geistesgestörtheit des Königs gedeutet; in Wirklichkeit waren es Anzeichen eines ausgeprägten gesunden Menschenverstandes. Dem könnte man zwar entgegenhalten, daß er ja für eine Arbeitsleistung bezahlt wurde, und daß er sich nicht nur vor äußeren Belanglosigkeiten drückte, sondern mit der Zeit auch vor seinen wichtigen, wenn auch verhaßten Verpflichtungen. Wie einmal von einem nachlässigen Universitätsprofessor gesagt wurde: »Er dachte immer daran, daß er Anspruch auf ein Gehalt hatte, vergaß jedoch, daß er eine Pflicht erfüllen mußte.« Aber Nachlässigkeit ist noch lange nicht Verrücktheit.

Die Beschuldigung, daß Ludwig manchmal im Zorn seine Diener mißhandelte, läßt sich schwerlich entkräften, wenn sie der Wahrheit entspricht; doch darf man annehmen, daß die Berichte im ärztlichen Gutachten stark übertrieben sind. Im Jahr 1887, als es nicht mehr darum ging, ›Beweismaterial‹ gegen den König zu sammeln, erzählt ein ehemaliger Kammerdiener Herrn von Ziegler, daß er nie von irgendeiner groben Behandlung der Bediensteten gehört oder sie gar miterlebt habe, abgesehen von Ohrfeigen, die dann immer durch ein Geschenk, eine Uhr oder tausend Mark, wiedergutgemacht worden seien. Wie der langjährige Hofsekretär Ludwig von Bürkel schreibt: »Zwei Seelen wohnten in seiner Brust, die eines Tyrannen und die eines Kindes!« Untergebene, für die Ludwig eine Vorliebe hegte, wurden sogar richtig verwöhnt. Dem jungen Chevauleger Thomas Osterauer, der 1885 in den Dienst des Königs trat (sein Bericht von dem nächtlichen Erlebnis auf einer Kegelbahn wurde bereits wiedergegeben), widerfuhr nichts als Güte von seiten des Königs, der ihm persönlich alle Wunder von Linderhof zeigte. In die Zeit seines Aufenthaltes in Hohenschwangau fiel zufällig sein Geburtstag. Daran dachte er jedoch nicht, als er unvermittelt zum König gerufen wurde. Er erzählt weiter:
Majestät stand vor einem mit Blumen geschmückten Tisch, auf welchem ein Kuchen im Durchmesser von einem halben Meter, eine Mayonnaise mit zwei Hechten, zwei Flaschen Wein, zwei Kisten Zigarren und noch anderes sich befanden ... Ma-

jestät sagte: »So, lieber Kleiner, ich wünsche dir viel Glück zu deinem Geburtstag, behalte mich stets im Andenken, die Sachen gehören dir.« Ich war ganz paff, konnte kein Wort sagen und mußte meinen Dank schriftlich darbringen.

Rittmeister a. D. Paul von Haufingen schrieb 1886:

Als der König bei seinem letzten Aufenthalte in München im April 1885, durch die Musik eines vorbeireitenden Zuges Chevauxlegers aus dem Schlafe geweckt, an das Fenster trat, gefielen ihm vier Soldaten so sehr, daß er dieselben zu sich kommen ließ und sie zu seinen Kammerdienern machte; er nahm sie dann mit ins Theater, beschenkte sie mit Juwelen und anderen Kostbarkeiten, kurz sie durften nirgends fehlen und wurden mit Gaben und Geschenken überhäuft; auch mußte je einer der Soldaten mit dem König und dem Hoffriseur Hoppe Tarok spielen.

Soldaten, die so plötzlich vorgezogen wurden, konnten ebenso plötzlich entlassen werden. Sie kehrten dann zu ihrem Regiment zurück, wo sich bisweilen der sonderbare Anblick bot, daß ein Chevauleger mit einem kostbaren Brillant- oder Saphirring am kleinen Finger Offiziersstiefel putzte.

Ludwig ist mit William Beckford verglichen worden, dem englischen Schriftsteller und großen Sonderling, der ein riesiges Vermögen erbte und unter anderm Schloß Fonthill, Englands Neuschwanstein, baute. Aber Ludwig konnte weder komponieren noch malen, und noch weniger hätte er den Roman ›Vathek‹ schreiben können. Ludwigs Schlösser blieben immerhin stehen, wohingegen Beckfords Tollheiten zusammenbrachen. So exzentrisch Beckford auch war, niemand hätte daran gedacht, ihn einzusperren; und als Privatmann wäre Ludwig trotz seiner Schrullen, wie Bismarck es nannte, wahrscheinlich niemals in Gewahrsam genommen worden. Er wäre wohl bankrott erklärt worden; man hätte ihn vielleicht, wenn die Geschichten von den Mißhandlungen seiner Diener der Wahrheit entsprachen, wegen Körperverletzung angeklagt und zu einer Geldentschädigung oder zu einer kurzen Gefängnisstrafe verurteilt; aber sein Geisteszustand wäre niemals ernstlich in Frage gestellt worden. Unter den englischen und irischen Adligen gab es damals nicht wenige ebenso ausgeprägte Sonderlinge wie Ludwig, die aber unter der diskreten Überwachung eines vertrauenswürdigen Dieners frei herumlaufen durften.

Das ausführliche ärztliche Gutachten überzeugte Prinz Luitpold offenbar, und alles wurde plangemäß eingeleitet, als Ludwig Anfang April 1886 einen überraschend vernünftigen Schritt unternahm und Bismarck zu Rate zog. Der Kanzler, der noch 1883 die Bemerkung gemacht hatte, Ludwig verstünde vom Regieren mehr als irgendeiner seiner Minister und der nie aufgehört hatte, ihm wegen des ›Kaiserbriefs‹ dankbar zu sein, riet dem König, den Landtag um ein Darlehen anzugehen. Am 17. April gab Ludwig seinen Ministern diese Anweisung. Lutz war entsetzt, als er es hörte; Ludwigs Insolvenz war ja eine der stärksten Karten in der Hand des Staatsministers, und es war durchaus möglich, daß der königstreue Landtag Ludwig zu Hilfe kam.

Sogleich wurde durch Graf Lerchenfeld, den bayrischen Gesandten in Berlin, der mit den Verschwörern im Bunde war, dem Kanzler eine Abschrift des ärztlichen Gutachtens überbracht. Der Kanzler gab zuerst zu, er könne nicht bezweifeln, daß die Krankheit des Königs erwiesen sei; später aber äußerte er sich verachtungsvoll über das Durchstöbern der Papierkörbe und Schränke des Königs. Immerhin legte er unverzüglich den Finger auf die schwachen Stellen des Dokuments, fand einen Handstreich unklug und empfahl, die Frage der Entthronung offen dem Landtag zu unterbreiten. Konnte man die Aussagen von Lakaien, die Holnstein unter dem Daumen hatte, ein Mann, der für seinen Haß auf den König bekannt war, konnte man derartige Aussagen als unparteiisch betrachten? Was galt das Gutachten eines einzigen Arztes, der den Patienten nie selbst untersucht hatte? (Nach Ludwigs Tod, als sich die Minister und Ärzte scharfer Kritik ausgesetzt sahen, erklärte Guddens Schwiegersohn naiv, eine Untersuchung hätte eine Hinauszögerung der Aktion bedeutet!)

Lerchenfeld beantwortete Bismarcks Einwände mit feingesponnenen Ausflüchten und Spitzfindigkeiten, bis es dazu kam, daß der Kanzler mit der ganzen traurigen Angelegenheit nichts mehr zu tun haben wollte. Die Verschwörer, die um jeden Preis zu handeln gedachten, bevor der Landtag zusammentrat, versäumten keinen Augenblick mehr. Das Gutachten wurde entsprechend Bismarcks Einwänden erweitert und verändert und am Abend des 8. Juni nicht nur von Gudden unterzeichnet, sondern auch von seinem Schwiegersohn Professor Dr. Hubert von Grashey sowie von zwei anderen Ärzten. Mittlerweile hatte man den Widerstand der Öffentlichkeit durch ministeriell beeinflußte Artikel in verschiedenen bayrischen Zeitungen lahmgelegt und unverhohlen darauf hingewiesen, daß der König für seine Handlungsweise nicht mehr zur Verantwortung gezogen werden könnte. Anscheinend war jede denkbare Vorsichtsmaßnahme getroffen worden, als sich am 9. Juni eine Staatskommission auf den Weg nach Hohenschwangau machte, um den König festzunehmen.

Der Vorhang fällt

Die Staatskommission, die dem König die Einsetzung der Regentschaft und die Notwendigkeit seiner eigenen Internierung mitteilen sollte, setzte sich aus fünf Beamten und einer kleinen Ärztegruppe zusammen. Zu ihrem Führer war Freiherr Krafft von Crailsheim bestimmt, der Leiter des Ministeriums des königlichen Hauses und des Äußeren. Ihm zur Seite standen die Legationsräte Graf Törring und Dr. Rumpler sowie Oberstleutnant von Washington und Graf Holnstein. Dr. Gudden wurde von seinem Assistenzarzt Dr. Müller und mehreren Irrenwärtern unterstützt. Es war ein ernster Mißgriff, ausgerechnet den eben in Ungnade gefallenen und erbitterten Holnstein für diese Aufgabe auszuwählen.

Die Gruppe langte gegen Mitternacht in Hohenschwangau an, wo Vorkehrungen zum Übernachten getroffen worden waren, und ließ sich sogleich zu einem Souper mit sieben Gängen nieder, dessen Speisekarte der Nachwelt überliefert ist. Mit schier unglaublicher Taktlosigkeit trug sie die Aufschrift ›Souper de Sa Majesté le Roi‹, und eine Statistik verrät, daß während des Mahles vierzig Maß Bier und zehn Flaschen Champagner getrunken wurden. Nach dem Essen begab sich Holnstein zum Pferdestall, um die Verbringung des Königs nach Berg in die Wege zu leiten. Hier war der Kutscher Osterholzer soeben im Begriff, die Pferde an den Wagen zu spannen, in dem der König seine übliche Nachtfahrt zu machen pflegte. Holnstein befahl ihm, sofort auszuspannen, da ein anderer Kutscher den König in einem anderen Wagen fahren werde. Als sich Osterholzer weigerte und sich auf den Befehl Seiner Majestät berief, erwiderte Holnstein: »Der König hat überhaupt nichts mehr zu befehlen, sondern nur Seine Königliche Hoheit Prinz Luitpold.«

Der treue Osterholzer war geistesgegenwärtig; er erkannte die Gefahr für den König und handelte flink. Er entschlüpfte unbemerkt und lief auf Waldpfaden nach Neuschwanstein hinauf, wo er atemlos ankam und sogleich vor den König gelassen wurde, der sich gerade mit Hilfe des Lakais Weber für die Ausfahrt anzog. Osterholzer warf sich dem König zu Füßen und erstattete so unzusammenhängend Bericht, daß Weber die Worte klarstellen mußte. Dann beschworen beide den König, zu fliehen, solange noch Zeit blieb; Osterholzer werde einen anderen Wagen auftreiben.

Ludwig erfaßte den vollen Ernst der Lage zuerst nicht. »Fliehen? Weshalb?« entgegnete er. »Wenn eine wirkliche Gefahr vorhanden wäre, würde mir Karl schon geschrieben haben.« Er ahnte nicht, daß Karl Hesselschwerdt zum Feind übergegangen war. Immerhin willigte er ein, gewisse Vorsichtsmaßnahmen zu treffen. Gendarmerie und Feuerwehr wurden aufgeboten, die Portale geschlossen und der Befehl gegeben, keinen Unbefugten einzulassen. Dann telegraphierte Ludwig dem Flügeladjutanten Dürckheim, auf den er sich verlassen konnte, sofort herzukommen.

Mittlerweile hatte Crailsheim in Hohenschwangau Osterholzers Verschwinden erfahren, und da er die richtige Vermutung hegte, daß der Kutscher alles verraten hatte, sah er ein, daß sie unverzüglich handeln mußten. Er weckte seine Gefährten, und kurz nach drei Uhr fuhr die müde und leicht komische Kommission – sie hatten sich jetzt in Gala geworfen – bei Nebel und Regen durch den dunklen, feuchten Tannenwald nach Neuschwanstein hinauf. Nur Rumpler blieb als Protokollführer zurück.

Am Schloßportal wurden sie von mehreren Gendarmen mit aufgepflanztem Bajonett empfangen, die sich weder von höfischen Gewändern und glitzernden Uniformen noch von der schriftlichen Vollmacht zur Absetzung des geisteskranken Königs beeindrucken ließen. »Keinen Schritt weiter, oder ich gebe Feuer!« rief der Wachtmeister. »Der König hat uns befohlen, niemanden ins Schloß zu lassen, und wir gehorchen ohne Rücksicht auf die Folgen.« Die übrigen Gendarmen drängten vor, der Kolbenstoß des einen traf den zunächst stehenden Irrenwärter, dem ein Fläschchen entfiel; es zerbrach, und starker Chloroformgeruch verbreitete sich. Offenbar hatten sich die Kommissionsmitglieder auf alle Eventualitäten vorbereitet.

In diesem Augenblick schob sich eine kurze Posse in die Tragödie ein, denn es erschien plötzlich eine verstörte alte Dame, die drohend ihren Schirm schwenkte. Es war die Baronin Spera von Truchseß, eine gebürtige Spanierin, die in Rußland aufgewachsen und die Gattin des ehemaligen bayrischen Gesandten in St. Petersburg war.

Die Baronin war sehr liebenswürdig und reich, aber als periodisch Geisteskranke hatte Gudden sie öfters in seiner Irrenanstalt behandeln müssen. Wenn es ihr Zustand erlaubte, führte sie in München, wo jeder sie kannte, ein großes Haus. Schon seit Jahren verehrte sie den König, und sie hatte sich in Hohenschwangau eine Villa bauen lassen, nur um manchmal einen Blick auf ihn zu erhaschen, wenn er vorbeifuhr. Was in den beiden Schlössern vorging, das wußte die Baronin, fast ehe es geschah, und zweifellos hatten ihre Späher ihr mitgeteilt, welche Vorbereitungen für den Empfang der Kommission getroffen worden waren. Bei Morgengrauen war sie mit der Nachricht geweckt worden, daß sich eine seltsame Kavalkade auf dem Wege nach Neuschwanstein befand; darum ließ sie sofort ihren Landauer anspannen, sprach ein Gebet und fuhr eiligst, nur mit einem Schirm bewaffnet, begleitet von zwei Zofen und ihrem Schoßhund, zur Rettung ihres geliebten Königs.

Die Kommissionsmitglieder sahen erschrocken die Ankunft der streitbaren Dame, die an den Fingern die zwölf »Verräter« abzuzählen begann und sie der Reihe nach schmähte. »Graf Törring, Ihre Kinder müssen sich ja dereinst Ihrer schämen! – Minister von Crailsheim, nie wieder spiele ich mit Ihnen Klavier!« Dann gelang ihr, was den Verrätern nicht geglückt war – sie erzwang sich den Zugang zum Schloß, indem sie sich ihres Schirms wie einer Toledo-Klinge bediente.

Als sich Ludwig nach kurzem Schlummer in seinem Schlafzimmer anzog, vernahm er nebenan Geräusche. Im nächsten Augenblick stürzte die alte Dame herein und fiel in tiefem Hofknicks auf die Knie; sie sei gekommen, erklärte sie, um ihn in Sicherheit nach München zu bringen. Der König half ihr auf und beteuerte ihr freundlich, er brauche ihre Dienste nicht; ob er nicht ihren Gatten rufen solle, damit er sie heimführe? Zu Dürckheim sagte er später: »Wenn die Situation nicht zu ernst wäre, könnte ich wirklich über die gute Baronin lachen.« Ein Augenzeuge der Szene berichtete, von den beiden sei es gewiß nicht der König gewesen, der den Eindruck eines Verrückten gemacht habe. Doch als Ludwig erfuhr, daß der Kommission sowohl sein Minister Crailsheim, als auch Holnstein, der jahrelang einer seiner besten Freunde gewesen war, angehörten, befahl er in jähem Wutausbruch die sofortige Verhaftung der ganzen Gesellschaft.

Inzwischen waren aus der Umgebung die Bauern – Männer, Frauen und Kinder – herbeigeströmt und rückten drohend gegen die Kommission vor. Zornig, gedemütigt, bis auf die Haut durchnäßt erkannten die Kommissionsmitglieder, daß ihnen keine andere Wahl blieb, als nach Hohenschwangau zurückzukehren. Kaum aber waren sie dort beim Schloß angelangt, da erschien die Gendarmerie. Sie wurden festgenommen und nach Neuschwanstein zurückgeführt. Diesmal mußten sie den Weg zu Fuß machen, mußten Spießruten laufen zwischen feindlichen, johlenden Landbewohnern, und man hörte, wie eine Bäuerin ihrem Kind zurief: »Schau, wenn du einmal groß bist, kannst du sagen, daß du auch einmal Verräter gesehen hast.«

In Neuschwanstein wurden die Verhafteten in spärlich möblierte Einzelzimmer gesperrt, die sonst für die Dienerschaft bestimmt waren. Holnstein versuchte das Gesicht zu wahren, indem er laut nach einem guten Frühstück verlangte; aber niemand beachtete ihn – er hatte zu gehorchen, nicht zu befehlen. Sogar der Gang zur Toilette bedurfte einer Bewilligung und erfolgte unter bewaffneter Begleitung.

Holnstein, gewiß kein Feigling, erklärte später, er habe zwei Duelle durchgestanden, doch lieber würde er noch zehn weitere ausfechten als eine einzige Stunde in derartiger Lage verbringen. Alle hatten ehrlich Angst, allerdings nicht grundlos, denn zur selben Zeit befahl der tobende, wutschnaubende König seinen Gendarmen – so heißt es –, den Kommissionsmitgliedern die Augen auszustechen und sie bis aufs Blut zu peitschen. (Zwei Tage später stritt Ludwig ab, jemals derartige Befehle erteilt zu haben, und auf jeden Fall wußte Holnstein, daß sich die Diener immer nur den Anschein gaben, als führten sie Ludwigs Todes- und Strafurteile aus.) Crailsheim bestach in seiner Angst einen Diener, der Rumpler die hastig hingekritzelte Meldung zusteckte: »Höchste Eile tut not; wir sind in höchster Lebensgefahr. Der König hat befohlen, uns zu töten, bringen Sie so schnell als möglich Hülfe.«

Es erwies sich als falscher Alarm. Die Wut des Königs legte sich ebenso plötzlich, wie sie ausgebrochen war, und mittags wurden die Kommissionsmitglieder einer nach dem andern unversehrt freigelassen; sie konnten nach Hohenschwangau zurückkehren und von dort nach München fahren. Der Vorhang fiel nach dem ersten Akt des Dramas.

Durch die Schlappe der Kommission hatte Ludwig wertvolle Zeit gewonnen, und in Dürckheim, der in fliegender Eile aus München herbeikam, erstand ihm ein wertvoller Ratgeber. Es war nicht Dürckheims Schuld, daß die Zeit verschwendet und sein Rat nicht befolgt wurde.

Dürckheim riet dem König vernünftigerweise, sofort nach München zu fahren und sich seinem Volk zu zeigen. Ludwig aber war jetzt müde und schien sich zu keiner Tat aufraffen zu können; acht weiße Elefanten, wie er zu sagen pflegte, vermöchten ihn nicht in die verhaßte Stadt zu bringen; das Ganze sei nur eine Geldfrage; wenn ihm jemand hier auf den Tisch ein paar Millionen Mark legte, wollte er sehen, ob man ihn für wahnsinnig halten würde. Da München offenbar nicht in Frage kam, flehte Dürckheim ihn an, nach Tirol zu fliehen. Auch auf diesen Vorschlag antwortete der König ausweichend: »Ich bin müde; ich kann jetzt nicht fahren; was soll ich in Tirol machen?«

Immerhin willigte er ein, daß Dürckheim teils in Hohenschwangau, teils in dem österreichischen Grenzort Reutte Depeschen aufgeben ließ, um die in Kempten stationierten Truppen zum Kommen aufzufordern und verschiedene Personen, darunter auch Bismarck, um Unterstützung anzugehen. Das Telegramm nach Kempten wurde abgefangen, hingegen gelangte die Nachricht zu Bismarck. Der Kanzler antwortete mit demselben Rat, den Dürckheim dem König gegeben hatte: Ludwig solle nach München gehen. »Ich rechnete so«, äußerte sich Bismarck vier Jahre später in einem Gespräch mit einem Redakteur, »entweder ist der König gesund, dann befolgt er meinen Rat. Oder er ist wirklich verrückt, dann wird er seine Scheu vor der Öffentlichkeit nicht ablegen. Der König ging nicht nach München, er kam zu keinem Entschluß, er hatte die geistige Kraft nicht mehr und ließ das Verhängnis über sich hereinbrechen.«

Sobald in München bekannt wurde, daß sich Dürckheim beim König in Neuschwanstein befand, befahl der Kriegsminister dem Offizier, sofort in die Hauptstadt zurückzukehren. Dürckheim antwortete, er könne den König nicht verlassen. Aus München kam ein zweites Telegramm, diesmal im Namen des Prinzen Luitpold, mit der Drohung, im Falle des Ungehorsams würde der Graf als Hochverräter angesehen werden. Nun tat Ludwig einen Schritt, der zwar auf den ersten Blick bedeutungslos erscheinen mochte, aber Dürckheim doch zeigte, daß der König nicht mehr kämpfen wollte, daß er sich dem Feind ergeben hatte. Er sagte: »Sie wissen ja, wie gern ich Sie bei mir behielte. Telegrafieren Sie das meinem Onkel und fragen Sie ihn, ob er Sie mir nicht läßt.« Soweit war es also gekommen! Ludwig bat den »Prinzrebell«, wie er ihn nannte, um Erlaubnis, seinen eigenen Flügeladjutanten behalten zu dürfen.

Von Luitpold kam kein Trost; die Antwort aus München lautete hart: »Es bleibt bei dem Befehl des Kriegsministeriums.« Dürckheim erzählte später dem preußischen Gesandtschaftssekretär Graf Eulenburg:

Ich mußte von diesem Telegramm dem König Kenntnis geben, und sein Bitten, ihn nicht zu verlassen, war herzerschütternd! Aber er sagte auch: »Ich sehe ein, daß Sie zurückkehren müssen, sonst ist Ihre Karriere und Zukunft verloren.« Dann verlangte er Gift von mir und kam trotz meiner Ablehnung immer wieder darauf zurück! Wo solle ich das Gift hernehmen? sagte ich – wenn ich überhaupt die Hand zu einem solchen Verbrechen reichen wollte. Der König antwortete: »Aus der nächsten Apotheke – überall gibt es Gift – und ich kann nicht mehr leben.«
Es waren fürchterliche Momente! Endlich reiste ich ab – ich sah, daß nichts zu machen war.

Dürckheim verließ Neuschwanstein wahrscheinlich am 11. Juni frühmorgens. Bei seiner Ankunft in München wurde er auf dem Bahnhof verhaftet, und zuerst war die Rede von einer Anklage wegen Hochverrats. Man ließ jedoch den Einwand gelten, daß er von der Proklamation des Regenten keine offizielle Kenntnis erhalten habe, und so wurde er einige Tage später aus der Haft entlassen. Seine militärische Laufbahn erlitt keine Einbuße durch seine Königstreue, im Laufe der Zeit stieg er zum Kommandierenden General des II. bayerischen Korps auf.

Doch noch immer bestand Hoffnung. Die Bauern, die ihren König liebten, wollten ihn retten und ihn unter bewaffnetem Schutz – denn die Chevaulegers hielten treu zu ihm – über die österreichische Grenze bringen. Ihre Abgesandten, Osterholzer und Weber, kamen zu Ludwig und beschworen ihn, seine Einwilligung zu geben: er brauche nur den Befehl zu geben, und man würde ihn abholen. Aber der König weigerte sich; er wolle nichts tun, sagte er, was zu Blutvergießen führen könnte. Ob es nicht vielleicht daran lag, daß er nicht mehr imstande war, einen aktiven Schritt zu tun? Er wollte sich nicht selbst helfen; er wollte sich nicht von andern helfen lassen – er war verloren. Und bald gab es keine Möglichkeit mehr. Wie

Ratten ein sinkendes Schiff verlassen, so liefen die meisten Lakaien zum Feind über und verließen das Schloß. Die Gendarmen am Burgtor wurden von Luitpolds Leuten abgelöst; die Feuerwehren zerstreuten sich, und an den Hausmauern von Hohenschwangau klebte Luitpolds Regentschafts-Proklamation. Abgesehen von zwei, drei treuen Dienern war Ludwig allein – allein mit seinen furchtbaren Gedanken.

Fortwährend dachte er an Selbstmord. Zu dem treuen Weber sprach er: »Sage Hoppe, wenn er morgen kommt, um mich zu frisieren, er möge meinen Kopf in der Pöllat suchen.« Immer wieder fragte er Mayr nach dem Schlüssel zum Turm, aber Mayr erriet seine Absicht und erwiderte jedesmal, der Schlüssel sei nicht zu finden. Er konnte stundenlang in dem noch unvollendeten Thronsaal auf und nieder schreiten; bisweilen trat er auf den Balkon hinaus und betrachtete ruhig, wortlos das herrliche Panorama, als ob er von ihm Abschied nähme.

Ein Diener – meistens Weber – hielt sich stets diskret in der Nähe, und zuweilen drehte sich Ludwig um und richtete wie im Selbstgespräch das Wort an ihn. »Glaubst du an die Unsterblichkeit der Seele?« fragte er einmal. Weber bejahte. »Ich glaube auch daran«, antwortete der König. »Ich glaube an die Unsterblichkeit der Seele und an die Gerechtigkeit Gottes. Ich habe viel über Materialismus gelesen. Er befriedigt nicht; er ist nicht erhaben, denn da stände der Mensch ja auf gleicher Stufe mit dem Tiere.« Ein andermal sagte er: »Von der höchsten Stufe des Lebens hinabgeschleudert zu werden in ein Nichts – das ist ein verlorenes Leben; das ertrage ich nicht. Daß man mir die Krone nimmt, könnte ich verschmerzen, aber daß man mich für irrsinnig erklärt hat, überlebe ich nicht. Ich könnte es nicht ertragen, daß es mir ergeht wie meinem Bruder Otto, dem jeder Wärter befehlen darf.«

Ein andermal sagte er zu Weber: »Ertrinken ist ein schöner Tod... Keine Verstümmelung... Aber ein Sturz von der Höhe...«

Zweifellos hegte er die Absicht, sich zu ertränken, als er an diesem Nachmittag unvermittelt verkündete, er wolle einen Spaziergang zum Alpsee machen. Man sagte ihm, er könne das Schloß nicht verlassen. Als es dunkelte, wurde er noch tatkräftiger und gab Befehl, den Kutscher Osterholzer rufen zu lassen; er war jetzt doch dafür, nach Tirol zu fliehen. Es war jedoch zu spät: Osterholzer, dem man gedroht hatte, man werde ihn sofort verhaften, wenn er die Befehle von Luitpolds Anhängern nicht befolge, hatte Hohenschwangau verlassen.

Ob denn sein Volk nichts zur Befreiung seines Herrschers tun würde, fragte Ludwig.

»Das Volk, Majestät, ist waffenlos«, antwortete der Diener.

Der König schritt noch einmal durch alle Räume. Er sagte: »Um halb eins bin ich geboren, um halb eins will ich auch sterben.«

Während der langen schrecklichen Tagesstunden war er verhältnismäßig ruhig gewesen; als es Nacht wurde, begann er zu trinken – eine ganze Flasche Rum mit Gewürznelken und eine Flasche Champagner –, und wie stets machte ihn der übermäßige Alkoholgenuß nicht betrunken, sondern ungestüm und aufgeregt. Er wußte, daß es nur noch eine Frage der Zeit war, bis sie – die Handlanger des »Prinzrebellen« – ihn holen kamen. Er mußte sich Mut antrinken, um seinem Schicksal ins Antlitz sehen zu können.

Weber war bei ihm; seine Treue mußte belohnt werden. In einem Bericht heißt es:

Er rief ihn in sein Arbeitszimmer, entnahm dem Schreibtisch 1200 Mark in Goldstücken und legte sie dem Soldaten hin: »Hier hast du mein letztes, du hast es verdient, du warst mein Getreuester. Nimm es nur, ich brauche kein Geld mehr.« Und als der Bursche zu weinen begann, schenkte er ihm auch noch eine seiner Hutagraffen, nicht ohne ihm, höchst klar und logisch, gleichzeitig eine Anweisung auf 25 000 Mark Entschädigung auszustellen, für den Fall, daß die Agraffe von der Schatzkammer, in die sie gehörte, zurückgefordert werden sollte.

An diesem Nachmittag hatte eine zweite Kommission München verlassen; gegen Mitternacht erreichte sie Neuschwanstein. Gudden war von Anfang für eine Ärztekommission statt einer staatlichen gewesen, und diesmal hatte er seinen Willen durchgesetzt: Die neue Gruppe bestand aus zwei Ärzten – Gudden selbst und Dr. Müller –, mehreren Irrenwärtern, einem Gendarmerie-Offizier und einem Stallmeister. Müller berichtet:

Kaum aber waren wir in Schwanstein ausgestiegen, da stürzte uns der Kammerdiener Mayr, ein langjähriger treuer Diener des Königs, entgegen und beschwor uns, wir sollten sofort in die Gemächer des Königs gehen. Wenn wir nicht sofort hinaufgingen, dann würde sich der König, der in großer Aufregung sei, zum Fenster hinausstürzen; er wisse, daß etwas gegen ihn im Werke sei, und habe ausgesprochene Selbstmordgedanken. So habe er schon verschiedene Male den Schlüssel zum Turme verlangt ...

Hier galt kein langes Zaudern. Der Wagen [der Ludwig nach Berg bringen sollte] war zwar erst um 4 Uhr bereit, aber man mußte bis dorthin den König vor sich selber schützen. Und Gudden war auch rasch entschlossen.

Er heckte einen Plan aus: Mayr sollte dem König den Schlüssel bringen und sagen, er sei soeben gefunden worden. Inzwischen ging die Kommission, verstärkt durch einige Gendarmen, in zwei Gruppen vor; ein Teil der Pfleger erstieg eine Wendeltreppe, die in den Turm hinaufführte, um dem König den Weg abzuschneiden; die übrigen versteckten sich so, daß sie ihm den Rückzug vereiteln konnten.

Der König, der Mayr vertraute, ging in die Falle:

Der Kammerdiener ging mit dem Schlüssel hinein zum König, und für uns, die wir außen warteten, waren es Augenblicke höchster Spannung und großer Erregung. Ich selbst hatte ja den König überhaupt noch nie gesehen.

Plötzlich hörten wir feste Tritte, und ein Mann von imposanter Größe stand unter der Korridortür und sprach in kurzen, abgerissenen Sätzen mit einem in tiefster Verbeugung dastehenden Diener. Die Pfleger von oben und unten, ebenso wir gingen gegen die Türe zu und schnitten ihm den Rückzug ab. Mit großer Schnelligkeit hatten die Pfleger den König an den Armen untergefaßt, da trat Gudden vor und sprach: »Majestät, es ist die traurigste Aufgabe meines Lebens, die ich übernommen habe; Majestät sind von vier Irrenärzten begutachtet worden, und nach deren Ausspruch hat Prinz Luitpold die Regentschaft übernommen. Ich habe den Befehl, Majestät nach Schloß Berg zu begleiten, und zwar noch in dieser Nacht. Wenn Majestät befehlen, wird der Wagen um 4 Uhr vorfahren.«

Der König stieß nur ein kurzes, schmerzliches »Ach« aus und sagte dann immer wieder: »Ja, was wollen Sie denn? Ja, was soll denn das?«

Die Pfleger führten ihn nun in das Schlafzimmer zurück ... Im Vorzimmer roch es stark nach Arrak, den der Kranke vorher in ziemlicher Quantität zu sich genommen hatte. Dies merkte man auch, als der König im Schlafzimmer, wo die Pfleger rasch die Fenster ... sicherten, frei dastand. Er schwankte leicht nach vorne und hinten und nach den Seiten, auch an der Sprache zeigten sich gewisse kleine Unsicherheiten. – Es darf nicht vergessen werden, daß der Kranke durch das Mitgeteilte naturgemäß bis ins Innerste getroffen war, und man kann ja auch dieser Erregung die Schuld an den eben geschilderten Symptomen geben.

Im Schlafzimmer stellte Gudden alle einzeln vor und erwähnte, er hätte schon 1874 die Gnade einer Audienz gehabt, worauf Ludwig antwortete: »Ja, ja, ich erinnere mich genau.« Er erkundigte sich nach dem Zustand seines Bruders Otto. Dann sagte er plötzlich: »Wie können Sie mich für geisteskrank erklären, Sie haben mich ja vorher gar nicht angesehen und untersucht?«

Das war eine durchaus angebrachte Frage. Gudden erwiderte, es wäre nicht notwendig gewesen, das Aktenmaterial sei geradezu erdrückend.

»So? So? Also Prinz Luitpold hat es jetzt glücklich soweit gebracht, dazu hätte er nicht so einen Aufwand von Schlauheit gebraucht, hätte er nur ein Wort gesagt, dann hätte ich die Regierung niedergelegt und wäre ins Ausland gegangen. Nun, wie lange wird die ›Kur‹ wohl dauern?«

»Majestät, in der Verfassung steht, wenn der König länger als ein Jahr durch irgendeinen Grund an der Ausübung der Regierung gehindert ist, dann tritt die Regentschaft ein, also würde ein Jahr vorläufig der kürzeste Termin sein.«

»Nun, es wird wohl rascher gehen, man kann es ja so machen wie mit dem Sultan, es ist ja leicht, einen Menschen aus der Welt zu schaffen.«

»Majestät, darauf zu antworten, verbietet mir meine Ehre.«

Die Pfleger, die sich um Ludwigs persönliche Bedürfnisse für die Fahrt gekümmert hatten, stellten nun einige Fragen. Der König wandte sich an sie: »Warum gehen Sie denn nicht aus dem Zimmer? Ich möchte allein sein; es ist doch zu unangenehm!« Die Leute erklärten unisono: »Der Herr Obermedizinalrat hat es so angeordnet.«

Kurz vor vier Uhr nahm der König totenblaß von seinen wenigen übriggebliebenen Dienern Abschied und dankte ihnen huldvoll für ihre Treue. Dem Kammerdiener Mayr, von dessen Verrat er nichts wußte, flüsterte er eine rührende Bitte um Gift zu. Man hörte ihn zu einem andern sagen: »Stichel, leben Sie wohl, bewahren Sie diese Räume als Heiligtum, lassen Sie es nicht profanieren von Neugierigen, denn ich habe darin die bittersten Stunden meines Lebens durchgelebt.«

Ehe das Jahr zu Ende ging, entweihte schon der erste Neugierige das Heiligtum, und seither sind die Touristen zu Tausenden durch die Privatgemächer des Königs gezogen. Vielleicht ist es ein Glück, daß Ludwig es nicht erlebte, wie bald seine Bitte mißachtet wurde.

Man hatte Schloß Berg als Verwahrungsort für den König dem Schloß Linderhof vorgezogen, weil es für Gudden, der seine Anstalt in München hatte, leichter zu erreichen war. Die achtzehnstündige Fahrt dorthin, immer bei strömendem Regen, verlief ohne besondere Ereignisse. Der König durfte im zweiten der drei Wagen allein sitzen, aber die inneren Türgriffe waren entfernt worden, und zwei Irrenpfleger, einer auf dem Kutschbock, der andere auf dem Rückbrett, fuhren mit. In Seeshaupt am Starnberger See, wo zum letztenmal die Pferde gewechselt wurden, bat der König um ein Glas Wasser. Die Posthalterin, die es ihm brachte, hat das Glas als Familienerbstück aufbewahrt.

Gegen Mittag langten die Wagen beim Schloßtor an, wo Ludwig einen Augenblick stehen blieb, um dem Gendarmeriewachtmeister Sauer ein freundliches Wort zu sagen; dann betrat er das Schloß und ging wie gewohnt durch die Räume, alles mit kritischem Auge besichtigend. Dr. von Grashey, Guddens Schwiegersohn, hatte die Aufgabe gehabt, die Gemächer des Königs für die Aufnahme eines Geisteskranken herzurichten, und Ludwig kann es nicht entgangen sein, daß die Türen Gucklöcher aufwiesen und daß man in die Fensterrahmen Löcher gebohrt hatte, um Gitterstäbe anbringen zu können. Er machte jedoch keine Bemerkung und verhielt sich im Schloß, das er von jeher so sehr geliebt hatte, ruhig, schicksalsergeben, eiskalt höflich.

Bei Tisch hatte man die scharfen Messer durch stumpfe Goldobstmesserchen ersetzt. Der König fragte sofort, als er die Goldmesser sah: »Ja, das Obst kommt doch nicht am Anfang?« Der Diener antwortete, das sei Befehl; er sei auch angewiesen worden, Wein und Likör streng zu rationieren. Denn Gudden war entschlossen, den König dazu zu bringen, ein normaleres Leben zu führen: er sollte wenig trinken, mehr mit Menschen zusammenkommen und statt am Tage des Nachts schlafen. Als der König um drei Uhr schlafen ging und den Wunsch äußerte, um Mitternacht geweckt zu werden, wurde der Befehl widerrufen.

Ludwig wachte von selbst mitten in der Nacht auf und erhielt auf seine Frage, wieso man ihn nicht geweckt habe, wiederum die Antwort, es sei so ›befohlen‹ worden. Er wünschte aufzustehen und sich anziehen zu lassen; aber seine Kleider waren weggenommen worden – auch auf Befehl –, und nachdem er eine Zeitlang im Nachthemd hin und her gewandert war, fror es ihn, so daß er sich bereitwillig wieder zu Bett legte.

Sein letzter Lebenstag fing ganz ruhig an. Wenn er überhaupt bemerkte, daß seine gewohnten Diener bis auf einen nicht anwesend waren, so ließ er sich nicht anmerken, ob er sie vermißte und hielt wortlos still, als ihn ein fremder Friseur rasierte und ihm die Haare lockte. Er widersprach auch nicht, als ihm gesagt wurde, er dürfe, obwohl es Pfingstsonntag war, nicht zur Messe gehen. Er nahm ein vorzügliches Frühstück zu sich, und da der Regen endlich aufgehört hatte, teilte er Gudden mit, er wolle einen Spaziergang machen.

Die beiden Männer ergingen sich am See; in diskretem Abstand folgten ihnen zwei Wärter. Obwohl Gudden von den endlosen Fragen des Königs zermürbt war, sah er das Experiment als durchaus geglückt an, so daß er sich höchst optimistisch äußerte, als sich die Ärzte beim Mittagessen berieten. Der König mache einen ganz vernünftigen Eindruck, scheine normal zu sein, er werde sicher keine Schwierigkeiten bereiten. Müller war jedoch weniger zuversichtlich, und Washington, der zugegen war,

Der tote König auf dem Paradebett, Pastell von Josef A. von Koppay, 1886

erinnerte an einen Lieblingsausspruch des Königs: »Den müssen wir einseifen.« Darauf erwiderte Gudden, »einseifen« wolle er sich ja lassen, aber nicht »rasieren«. Er fügte hinzu: »Er ist wie ein Kind.«

Nachmittags hatte der König ein langes Gespräch mit Zanders, danach ließ er Müller holen. Er unterzog jetzt jeden, der in Reichweite war, endlosen Fragen. Assistenzarzt Müller sagte später aus, im Verlauf einer Dreiviertelstunde sei er mehr gefragt worden als bei seinem Staatsexamen. Um halb fünf Uhr verlangte Ludwig, trotz Guddens Einspruch, zu essen; er vertilgte ein ungeheures Mahl und trank dazu ein Glas Bier, zwei Gläser gewürzten Wein, drei Gläser Rheinwein und zwei Gläschen Arrak. Offenbar wurden Guddens Anordnungen nicht streng befolgt.

Kurz nach sechs Uhr ließ der König Gudden daran erinnern, daß sie einen abermaligen Spaziergang vereinbart hätten. Gudden hatte keine große Lust, zu Washington sagte er: »Wenn mich Seine Majestät nur von dem Spaziergang weglassen würde! Der Herr strengt einen so fürchterlich an mit seinen vielen Fragen!« An Minister Lutz gab er ein Telegramm auf: »Hier geht es bis jetzt wunderbar gut«, und mit den Worten: »Um acht Uhr zum Souper« verabschiedete er sich von Washington. So sehr glaubte Gudden an die Gefügigkeit seines Patienten, daß er die Anordnung traf, es solle diesmal kein Pfleger folgen. Die beiden Männer brachen also allein auf. Beide trugen Überzieher und nahmen Schirme mit.

Als es acht Uhr wurde, ohne daß sich der König und Gudden blicken ließen, nahm Müller an, sie hätten irgendwo Schutz gesucht, weil es mittlerweile stark regnete. Er schickte einen Gendarmen auf die Suche, kurz darauf zwei weitere; er war jetzt leicht besorgt, aber noch nicht ernstlich beunruhigt. Als die Zeit verstrich, ohne daß eine Nachricht eintraf, wurde aus der Sorge panische Angst, und die Nachforschungen wurden verstärkt, bis alle verfügbaren Männer mit Lampen oder Fackeln – denn die Dunkelheit war bereits hereingebrochen – den Park durchstreiften.

Der Weg, den die beiden Männer vermutlich eingeschlagen hatten, führte an manchen Stellen nahe am See vorbei, und um zehn Uhr bemerkte ein Hofoffiziant, der sich an der Suche beteiligte, in der Nähe des Ufers etwas Schwarzes im Wasser. Der Fund erwies sich als Überrock und Leibrock des Königs, und eine halbe Stunde später fand man Ludwig und Gudden zwanzig bis fünfundzwanzig Schritte vom Ufer entfernt im seichten Wasser. Sie waren schon seit einigen Stunden tot, denn Ludwigs Uhr war um 6 Uhr 54 stehengeblieben. Guddens Uhr stand auf 8; aber man wußte, daß er ständig vergaß, sie aufzuziehen.

So endete der Märchenkönig. Da er aber seine märchenhaften Träume – wenigstens einige – in die Tat umsetzen konnte, lebt die Erinnerung an ihn weiter fort. Alljährlich besucht mehr als eine halbe Million Menschen seine Schlösser, über deren Pforten die Verse von William Butler Yeats, des englischen Romantikers, stehen könnten: »Treat softly, because you tread on my dreams – Geh leise, denn du gehst auf meinen Träumen.« Jährlich hören auch Tausende die späten Opern Richard Wagners, die höchstwahrscheinlich nie entstanden wären, wenn nicht Ludwig im Augenblick höchster Not dem Komponisten zu Hilfe gekommen wäre. Es sind nicht immer die gewaltigen Herrscher, die ›großen‹ Könige der Geschichte, die am meisten zum kulturellen Fortschritt der Menschheit beitragen!

Viele Versuche sind gemacht worden, genau zu ergründen, was sich an jenem regnerischen, traurigen Pfingstsonntagabend am Starnberger See zugetragen hat, und sogar in den letzten Jahren ist neues, doch ebensowenig beweiskräftiges Material ans Licht gekommen. Hatte Ludwig den Vorsatz gefaßt, zu fliehen oder Selbstmord zu begehen, und wollte Gudden ihn tapfer daran hindern? Ist Gudden, den der König sicherlich haßte und verachtete, ermordet worden; beging Ludwig daraufhin Selbstmord, oder erlag er einem Herzschlag? Das Rätsel bleibt, und es kann niemals gelöst werden.

Daß ein guter Schwimmer in seichtem Wasser Selbstmord verüben kann, läßt sich schwerlich glauben; eher mag die Theorie vom Herzschlag einleuchten. Ernest Newman gelangt jedoch zu einem andern Schluß. Er schreibt: »Für uns heute scheint die Mord- und Selbstmord-Erklärung die richtige zu sein; aber sie beweist nicht etwa, daß König Ludwig II. geisteskrank, sondern sie beweist, daß er vollständig normal war. Er wußte, daß er vom Leben nichts mehr zu erwarten hatte – und darum beschloß er, stelle ich mir vor, ihm ein für allemal ein Ende zu machen.« Newman war ein leidenschaftlicher Verfechter der Theorie, daß Ludwig ganz und gar nicht geisteskrank war, und darin wird er vielleicht von der einzigen Zeitgenossin des Königs unterstützt, die ihn wirklich verstand. Kaiserin Elisabeth weilte in Possenhofen zu Besuch bei ihrer Mutter, als ihr die Nachricht vom Tode des Vetters überbracht wurde. Sie rief in ihrem Schmerz: »Der König war kein Narr, nur ein in Ideenwelten lebender Sonderling. Man hätte ihn mit mehr Schonung behandeln müssen!«

MICHAEL PETZET
König Ludwig II. und die Kunst

Sieht man von der Zeit des Prinzregenten, in der ›München leuchtete‹, ab, so ist König Ludwig II. der Inbegriff der letzten glanzvollen Epoche in dem jahrhundertelangen Ablauf bayerischer Geschichte und bayerischer Tradition. Seine hier in einer größeren Zahl von Farbtafeln und Schwarz-Weiß-Aufnahmen vorgestellte Kunst ist jedoch keine spezifisch bayerische Erscheinung, sondern Teil der weltweiten Kunst des Historismus, der seine besondere Note durch die Persönlichkeit des Königs erhält. Wie diese früher vielfach verkannte Kunst aus ihren eigenen Gesetzen heraus verstanden sein will, ist auch ein Ludwig II. nur aus seiner Zeit heraus zu verstehen, und viele scheinbar einzigartige Züge finden sich genauso bei anderen seiner europäischen Fürstenkollegen, zum Beispiel die Flucht aus der Öffentlichkeit bei Königin Victoria, die nach Alberts Tod jahrelang nicht mehr öffentlich auftrat, oder bei Pius IX., der sich als ›Gefangener im Vatikan‹ von der Welt zurückzog. Heinrich Kreisel, der als erster die Bedeutung der Königsschlösser für die Kunst- und Geistesgeschichte des 19. Jahrhunderts erkannt hat, sieht die Bauten Ludwigs II. unter dem Gesichtspunkt dreier, das Weltbild des Königs bestimmender Stoffkreise, die sich mit den Überschriften Gral, Sonne und Mond umschreiben lassen: im Zeichen des Grals ›mittelalterliche‹ Burgen (Neuschwanstein und Falkenstein), im Zeichen der Sonne Bauten im Stil des Spätbarock und Rokoko (Königswohnung in der Residenz München, Linderhof mit Hubertuspavillon und Theaterprojekt, Herrenchiemsee), im Zeichen des Mondes Bauten im orientalischen Stil (Schachen, Maurischer Kiosk und Marokkanisches Haus bei Linderhof). Auf zwei dieser Symbole beruft sich der König selbst: »Im Zeichen der Sonne (Nec pluribus impar) und des Mondes (Orient! Wiedergeburt durch Oberons Wunderhorn)...«

Die Welt des Mittelalters hat der König schon vor seiner Bekanntschaft mit Wagner in Hohenschwangau erfahren, dem Stammsitz der Herren von Schwangau, den sein Vater Maximilian II. erworben hatte, um ihm 1833 nach Plänen des Bühnenbildners Domenico Quaglio »seine ursprüngliche mittelalterliche Gestalt wiederzugeben«, wie sie Prinz Ludwig in einer seiner Kinderzeichnungen skizziert. Als Zwölfjähriger las er zu Füßen der Burg »auf dem Spiegel des Alpsees« den ›Ring des Nibelungen‹ und schon lange vor seiner ersten schicksalhaften Begegnung mit Wagners ›Lohengrin‹ war ihm die Sage durch die Wandgemälde der väterlichen Burg vertraut. Als er dann hier aus den Prinzenzimmern in die Wohnung seines

Vaters umzog, verwandelte er das mit Gestalten aus Rinaldo und Armida ausgemalte königliche Schlafgemach durch einige inzwischen wieder verschwundene Zutaten von 1864–65 in ein kleines ›Raumkunstwerk‹, das bereits charakteristische Züge seiner späteren, immer in Wechselbeziehung zur Bühne stehenden großen Kunstunternehmungen aufweist: an der mit einem nächtlichen Himmel bemalten Decke richtete Theatermaschinist Penkmayr die »einen Mond darstellende Nachtbeleuchtung« ein, die später durch Sterne und eine Regenbogenmaschine ergänzt wurde, dazu einen ›Felsbrunnen‹ und drei künstliche Orangenbäume. Da er sich bald in Hohenschwangau–»diesem Paradies der Erde, das ich mir mit meinen Idealen bevölkere und dadurch glücklich bin«–durch die ›Prosa‹ seiner Mutter gestört fühlte, plante er seit 1868 an der Stelle der Ruine Vorderhohenschwangau eine Burg »im echten Styl der alten deutschen Ritterburgen«. Die typisch spätromantische Idee eines ›Wiederaufbaus‹, die noch einmal 1883 in den Plänen für die Burg Falkenstein auftaucht, verbindet sich mit der Idee einer neuen Burg des Schwanenritters, dessen Wappentier ja schon in der alten, die Kunst Ludwigs in vieler Hinsicht vorbereitenden Burg des Vaters in den verschiedensten Formen von der Malerei bis zum Kunstgewerbe sich wiederholt – denn auch Maximilians Lieblingstier war der Schwan.

Der Stil des Projekts für die ›Neue Burg Hohenschwangau‹, die erst seit dem Todesjahr des Königs – seit sie mit seinen anderen Schlössern ab 1. August 1886 zur öffentlichen Besichtigung freigegeben war – den Namen ›Neuschwanstein‹ trägt, wandelte sich nach den Wünschen Ludwigs von einer kleinen ›Raubritterburg‹ mit an Nürnberger Vorbildern orientierten spätgotischen Details zu einer monumentalen ›romanischen‹ Burg, deren fünfstöckiger Palas etwas an den Palas der Wartburg erinnert, die der König 1867 in Vorbereitung der Neuinszenierung des ›Tannhäuser‹ besucht hat. Doch Neuschwanstein, heute merkwürdigerweise in aller Welt der Inbegriff einer ›mittelalterlichen Burg‹, ist keine Kopie nach einem bestimmten mittelalterlichen Bau geworden, sondern eine eigenartige Schöpfung des Historismus. Höchst aufschlußreich ist dazu die Begründung, mit der der Vorschlag eines Malers abgelehnt wurde, der das Schloß im Sinn der älteren Romantik aus verschiedenen, nach mittelalterlichen Bauten kopierten Teilen zusammengesetzt wissen wollte: »Nach dem allerhöchsten Willen Seiner Majestät des Königs soll das neue Schloß im romanischen Stil gebaut werden. Da wir nun gegenwärtig 1871 schreiben, so sind wir über jene Zeitperiode, welche den romanischen Stil entstehen ließ, um Jahrhunderte hinausgerückt, und es kann doch wohl kein Zweifel darüber bestehen, daß die inzwischen gemachten Errungenschaften im Gebiet der Kunst und Wissenschaften uns auch bei dem unternommenen Bau zugut kommen müssen … ebensowenig möchte ich zugeben, daß wir uns ganz in die alte Zeit zurückversetzen und auf Erfahrungen verzichten sollen, welche sicherlich schon damals verwertet worden wären, wenn sie bestanden hätten.«

Wie genau der König auch in der Innenausstattung auf den rechten ›Styl‹ achtete, kann seine Kritik an einer Zeichnung von Julius Hofmann zum Bettbaldachin des Schlafzimmers zeigen: »Die Ausführung selbst ist nicht fein genug, Seine Majestät denken Sich die Holzschnitzereien viel zierlicher, filigranartiger. Der Baldachin selbst soll in seinem Mittelpunkt am höchsten sein, die Verzierungen sollen nach vorn und hinten und nach beiden Seiten abfallen.« Einen ›spätgotischen‹ Stil mit Möbeln, die sich in ihren vergleichsweise ›historischen‹ Formen deutlich von der »in den Geist des Stils noch nicht eingedrungenen« biedermeierlichen Neugotik von Hohenschwangau absetzen, zeigt nur das auf einen Entwurf Peter Herwegens zurückgehende Schlafzimmer und die anschließende Kapelle. Die übrige Ausstattung, in der wie ein Leitmotiv immer wieder der Schwan erscheint, wurde im ›romanischen‹ Stil entworfen. Julius Hofmann, der in seiner Jugend mit seinem Vater für Erzherzog Maximilian in Schloß Miramare bei Triest gearbeitet hatte und 1864 den Auftrag erhielt, für den zukünftigen Kaiser das Rathaus von Mexico in eine Residenz zu verwandeln, erweist sich in Neuschwanstein als ein höchst virtuoser, jeden ›Styl‹ beherrschender Entwurfskünstler. Dazu kam ein Team von Historienmalern, die mit ihren Wandbildern das von Ludwig zum Teil in Zusammenarbeit mit dem Gelehrten Dr. Hyazinth Holland, einem Spezialisten in mittelalterlicher Ikonographie, entwickelte Programm zu erfüllen hatten. Natürlich waren für die Burg, die einmal ein ›Tempel‹ Wagners werden sollte – ein Tempel, den der Komponist nie betreten hat –, fast nur Themen aus dem Umkreis der Wagnerschen Opern vorgesehen, jedoch mußten die Bilder entsprechend einem Befehl des Königs von 1879 »nach der Sage und nicht nach der Wagnerischen Angabe« gemacht werden. Ludwig, der – ganz im Gegensatz zu seinem Großvater – nur ein einziges Gemälde von Bedeutung angekauft hat, Feuerbachs ›Medea‹, wünschte dazu keine eigenwilligen Künstlerpersönlichkeiten, sondern »nur solche Maler, welche die mittelalterliche Poesie genau studieren«, das heißt Historienmaler, die sich genau an die auf Grund literarischer Studien gewonnene geistige Konzeption des Königs hielten, deren oberster Grundsatz eine echte oder vermeintliche ›historische Wahrheit‹ in poesievoller Verklärung war. Während zur gleichen Zeit in Bayern ein Wilhelm Leibl malt, kommt es dem König also nur auf das ›Was‹ an, weniger auf das ›Wie‹, obwohl mit seinen scheinbar nur Äußerlichkeiten betreffenden Angaben und Kritiken immer auch ein bestimmter Stil evoziert wird. Denn da er genau sehen will, was dargestellt ist, lehnt er jede ›ungenaue‹ Darstellungsweise ab, bezeichnet in flüchtiger, malerischer Manier gehaltene Bilder als ›gehudelt‹ und verdammt jede Übertreibung als ›karikiert‹. Natürlich ist auch für alles ›Gewöhnliche‹ kein Platz in dieser Historienmalerei, die durch die vom König im Bewußtsein der eigenen Würde geforderte ›erhabene‹ und zugleich ›natürliche‹ Darstellungsweise nicht erträglicher wird. Die mit am schwersten erfüllbare Forderung des Königs war schließlich stets der von ihm »bei der bekannten Langweiligkeit der Künstler« ohne jede Rücksicht festgesetzte Vollendungstermin. Der Termin, den die Maler Hauschild, Spieß, Piloty, Aigner und Ille in den Wohnräumen von Neuschwanstein in verzweifelter Tag- und Nachtarbeit einzuhalten verstanden, war der erste Weihnachtsfeiertag 1881.

Die an sich zweitrangigen Schöpfungen dieses Malerteams erhalten ihre Bedeutung nur im Rahmen des Gesamtkunstwerks Neuschwanstein, dessen grundlegende erste Ansichten seit 1868 nicht von einem Historienmaler, sondern von einem Bühnenmaler geschaffen wurden, Christian Jank. Denn zur Grundkonzeption dieses dann unter Leitung des Architekten Eduard Riedel und seiner Nachfolger Georg Dollmann (seit 1874) und Julius Hofmann (seit 1884) von einer Armee von Künstlern und Kunsthandwerkern geschaffenen Werkes gehören bestimmte Bühnenbild-Vorstellungen, wie sie dem besonders an der szenischen Realisierung der Opern Wagners interessierten und hierüber zuerst anläßlich der Neuinszenierung des ›Lohengrin‹ sogar mit dem ›Meister‹ in Konflikt geratenden König vertraut waren. Ludwig, der sich später auch gelegentlich selbst als Lohengrin zu verkleiden liebte, hatte 1865 mit der Darstellung der Ankunft des Schwanenritters auf dem Alpsee zu Füßen der alten Burg schon Jahre vor der Grundsteinlegung den »am Ufer der Schelde« spielenden ersten Akt realisiert. Das Bühnenbild des zweiten Akts von ›Lohengrin‹, ›Hof der Burg von Antwerpen‹, verwendete dann Christian Jank zu seinen Ansichten des Burghofs, die ganz offensichtlich aus den Entwürfen Angelo II Quaglios für den Burghof der Münchner ›Lohengrin‹-Inszenierung von 1867 abgeleitet sind. Schließlich ist auch der Entwurf zu einem aus dem Brautgemach des dritten Akts entwickelten Schlafgemach für die Neuschwansteiner Kemenate vorhanden.

Die neue Burg sollte jedoch nach dem Willen ihres Erbauers nicht nur die Burg Lohengrins, sondern gleichzeitig die Burg Tannhäusers sein: Wie Heinrich Döll, der Landschaftsspezialist unter den Münchner Bühnenbildnern, das historisch getreue Bild der Wartburg im Hintergrund des Wartburgtales aus einem System von Versatzstücken erscheinen läßt, wollte der König seine Burg in der überwältigenden Szenerie der bayerischen Berge aus dem zerklüfteten Felsen über der Pöllatschlucht aufwachsen lassen. Von Anfang an war mit dem Projekt auch ein Sängersaal nach dem Vorbild des erst 1867 vollendeten Festsaals der Wartburg verbunden, dessen Plan schon 1858 auf ausdrücklichen Befehl König Friedrich Wilhelms IV. für das Bühnenbild des zweiten Akts der Berliner Erstaufführung des ›Tannhäuser‹ gedient hatte. Als Wagner für die Münchner Neuinszenierung von

1867 die nach seinen Angaben gefertigten Pariser Entwürfe vorschrieb, trug ihm Hofrat Düfflipp die Bedenken des Königs vor, daß hier »nur der Wartburgsaal im gotischen Stil gehalten, was S. M. für einen nicht gerechtfertigten Anachronismus ansehen, da zur Zeit, welcher die Tannhäuser-Sage angehört, nicht die gotische, wohl aber die byzantinische Bauart bekannt gewesen wäre«. Während der König in der Frage des Bühnenbilds nachgab, da Wagner auf dem in Formen englischer Gotik gestalteten Pariser Festsaal bestand, ließ er in Neuschwanstein Christian Jank aus dem Festsaal der Wartburg und der Sängerlaube des Sängersaals der Wartburg einen neuen Sängersaal zusammenstellen, der seinerseits wieder als Vorbild für spätere Bühnenbilder des ›Tannhäuser‹ gedient hat.

In Neuschwanstein, das auf diese Weise alle Bühnenbilder aus ›Lohengrin‹ und ›Tannhäuser‹ vereinigt, sollte statt des später im Anschluß an das Arbeitszimmer angelegten kleinen Grottenraumes ursprünglich ein großes Felsenbad eingerichtet werden, nachdem schon Maximilian im Erdgeschoß des Löwenturms von Hohenschwangau ein höchst originelles Bad in Form einer Felsenhöhle aus rotem Marmor hatte einbauen lassen. In Ermangelung eines geeigneten Platzes wurde die Idee der großen Grotte dann durch einen Erlaß vom 15. Dezember 1875 auf eine von Hofgartendirektor Effner im Park von Schloß Linderhof geplante Grotte übertragen und das Werk von dem ›Landschaftsplastiker‹ August Dirigl bis 1877 vollendet. Mit der Grotte des Hörselberges aus dem ›Tannhäuser‹ wollte Ludwig hier die ›Blaue Grotte‹ verbinden, die er sich gleichzeitig in den Separatvorstellungen als Bühnenbild vorführen ließ. Die Begeisterung des Königs für die Blaue Grotte ist typisch für die auf Ausstellungen, ebenso im Bau großer Aquarien, sich auslebende allgemeine Grottenfreudigkeit der Zeit, und Stallmeister Hornig wurde sogar eigens zweimal nach Capri geschickt, um sich das richtige Blau einzuprägen. In der Vereinigung von Bühnenbild, Natur und Architektur mit den in Ausstellungen und in Gewächshäusern, wie in Ludwigs Münchner Wintergarten, spürbaren Tendenzen erscheint die Grotte als eine höchst charakteristische Schöpfung des 19. Jahrhunderts, die die verschiedensten Aspekte nicht nur der Kunst Ludwigs II. sichtbar macht. Dieses ›totale‹ Theater bot dem einsamen Besucher die vollkommene Illusion einer Bühne, die zugleich Zuschauerraum ist, eine letzte Steigerung der Guckkastenbühne, in der nicht wie in den Separatvorstellungen der dunkle Abgrund des leeren Zuschauerraums Beschauer und Bühne trennt, sondern der Beschauer – inmitten der Bühne in dem über das Wasser fahrenden Kahn oder auf verschiedenen ›Logenplätzen‹ am Rande – die hier nur im Wechsel der Farben und in dem durch den Wechsel des Standorts bestimmten Wechsel der Bilder bestehende ›Handlung‹ erlebt. Die rot angestrahlte Grotte des Hörselberges mit dem von August Heckel gemalten Bild der Venusbergszene verwandelte sich in die Blaue Grotte mit einem

Wasserfall, ja selbst ein von der Grotte gerahmter Ausblick in die freie Natur oder auf das nahegelegene Schloß wurde geboten.

Hinter der Illusion der von einem Skelett aus Eisen gehaltenen künstlichen Felsen aber standen die modernsten technischen Mittel: eine weit verzweigte Wasserleitung zur Versorgung des Sees und des Wasserfalls, eine Wellenmaschine, eine Warmluftheizung, die ständig eine Temperatur von 16° Réaumur aufrecht halten mußte, und eines der ersten Elektrizitätswerke Bayerns mit einer Reihe der soeben erfundenen Dynamos, die neben den Bogenlampen eine Regenbogenmaschine betrieben. Der König, der einmal gesagt haben soll »ich will nicht wissen, wie es gemacht wird, ich will nur die Wirkung sehen«, war mit den Erfolgen seines Beleuchters, des oft völlig verzweifelten Theatermalers Otto Stoeger, nie ganz zufrieden. Er verlangte von den Technikern selbst das Unmögliche. So erteilte er dem Bühnentechniker und Regisseur Friedrich Brandt einmal den Auftrag, eine Flugmaschine in Form eines Pfauenwagens zu konstruieren, in dem man über den Alpsee fliegen könne. Wie er seine Hoftheaterbühne mit den modernsten Beleuchtungs- und Verwandlungsmaschinerien ausstatten ließ, mußten auch seine scheinbar so unzeitgemäßen Fahrzeuge und seine Schlösser immer mit den neuesten technischen Errungenschaften versehen werden. Es ist bezeichnend, daß er sogar dem allgemein verkannten Erfinder des Unterseebootes, Wilhelm Bauer, einen Auftrag der bayerischen Regierung vermittelt hat.

Im Wald bei Linderhof stand noch ein weiteres in die Natur versetztes Bühnenbild, die 1876 erbaute Hundinghütte, »ein Gemach aus roh gezimmertem Holz gleich der Dekoration des 1. Akts der Walküre«, für das nicht die Bayreuther Dekoration, sondern der Entwurf Christian Janks zur Münchner Uraufführung Vorbild war. Den dem Entwurf entsprechenden knorrigen Stamm, um den das Gemach erstehen sollte, hat der König bei seiner großen Vorliebe für Bäume sicher selbst ausgesucht. Daß es sich in den Linderhofer Wäldern nur um eine Buche handeln konnte, war nicht anders zu erwarten und leicht zu korrigieren: »Doppelbuche mit Eschenstamm-Umhüllung« vermerken die Baupläne. Hierher zog sich der König auch in späteren Jahren gern auf sein Bärenfell-Lager zu einsamer Lektüre zurück, die er durch das Bild eines mit den Dienern inszenierten »Metgelages im altgermanischen Stile« verlebendigt haben soll. Um sich in die Welt des ›Ringes‹ zu versetzen, den er schon vor der Vollendung der Komposition seit 1864 in den Fresken Michael Echters im ›Nibelungengang‹ der Münchner Residenz hatte darstellen lassen, bedurfte er außer dieser gelegentlich auftretenden Statisterie keiner weiteren gebauten Bühnenbilder. Denn die Dekorationen zum zweiten und dritten Akt der ›Walküre‹, das ›wilde Felsengebirge‹ und den ›Gipfel eines Felsenberges‹, sowie die übrigen Landschaften des ›Ring‹ lieferte ihm bei seinen Spaziergängen und

Fahrten in der Umgebung Neuschwansteins und Linderhofs freigebig die Natur seiner geliebten Berge. Und wie der König die Natur durch Feuerwerke, Illumination von Wasserfällen und szenische Darbietungen auf dem Alpsee zu überhöhen suchte, erstrebte er auch mit den von ihm gelegentlich in die Natur versetzten Bühnenbildern seines Hoftheaters nicht einen banalen Naturalismus, sondern »die Verwirklichung des höchsten, gewissermassen die Natur in märchenhaftem Schimmer widerspiegelnden Ideals«, ein Ideal, in dem sich Historismus und Naturalismus begegnen.

Nahe der Hundinghütte erstand 1877 ein weiteres Bühnenbild, die Einsiedelei des Gurnemanz aus dem dritten Aufzug des ›Parsifal‹. Die Dichtung des ›Parsifal‹, in die sich der König hier an der vom Hofgärtner durch »mit Blumen reichlich versehene Rasenstücke« geschaffenen »blumigen Karfreitagsaue« versenken wollte, ist unmittelbar durch einen Brief Ludwigs angeregt worden. Das Bühnenbild zu ›Parsifal‹ beschäftigte ihn schon Jahre vor der Aufführung, und 1876 ließ er sich von Eduard Ille eine aus der Hagia Sophia abgeleitete Gralshalle im byzantinischen Stil entwerfen. Aus dieser Gralshalle entwickelte er den Gedanken eines Thronsaals in Neuschwanstein. Durch den in seiner endgültigen Form erst 1881 von Julius Hofmann entworfenen Thronsaal wandelt sich die für den jungen König entworfene ›Wartburg‹ in die ›Gralsburg‹ Parsifals, in der der alternde König um seine Erlösung ringt. Fürsprecher und Vorbilder eines reinen Königtums von Gottesgnaden sind ihm die sechs heiliggesprochenen Könige in der Apsis, deren Taten in den vor allem von Wilhelm Hauschild ausgeführten Fresken des Saales geschildert werden, an der Spitze der heilige Ludwig, den der König auch in den Kapellen von Neuschwanstein und Linderhof nicht vergaß. Der anschließende Sängersaal sollte nun in Abänderung des ursprünglichen Programms auf den Thronsaal vorbereiten und erhielt 1883–84 Wandgemälde nach Wolfram von Eschenbachs ›Parzival‹. In der Sängerlaube erscheint Parzival als König des Grals, gegenüber der Aufbruch seines Sohnes Lohengrin von der Gralsburg, womit das Thema wieder in den am Anfang der Entstehung Neuschwansteins stehenden Schwanenritterstoff mündet.

Der Thronsaal von Neuschwanstein, der im Todesjahr Ludwigs II. vollendet werden sollte und nie seinen Thron erhielt, ist das einzige ausgeführte byzantinische Projekt des Königs, der sich schon 1869 von Dollmann und noch einmal gegen Ende seines Lebens 1885 von Hofmann große byzantinische Paläste entwerfen ließ, in denen sich, wie in anderer Form in Herrenchiemsee, sein Königtum von Gottes Gnaden manifestieren sollte. Auch eines der letzten Projekte, die nach einem ersten Entwurf Christian Janks seit 1884 von dem fürstlich Thurn- und Taxisschen Oberbaurat Max Schultze aus Regensburg für den König geplante spätgotische ›Raubritterburg‹ Falkenstein, sollte als Heiligtum ein Schlafzimmer im Stil des Thronsaals von Neuschwanstein erhalten. Als die Geldnot immer größer wurde, verlangte der König nur noch die Ausführung dieses einzigen, immer größere Dimensionen annehmenden Raumes, zu dem als letztes unvollendetes Dokument ein von Eugen Drollinger gezeichneter Schnitt erhalten blieb. Er lag gerade auf dem Reißbrett, als die Nachricht vom Tode des Königs eintraf.

»Tausende wallen von Fern und Nah zum nationalen Feste«, begeistert sich derselbe König für die zukünftigen Festspiele in Sempers nie gebautem Theater auf den Isarhöhen, der sich am Ende seines Lebens den ›Parsifal‹ nur als Separatvorstellung geben ließ. Die Separatvorstellungen, bei denen Gäste genauso unerwünscht waren wie in den Schlössern Ludwigs, zeigen wohl am deutlichsten diese Abkehr von einer für die Allgemeinheit bestimmten zu einer dem König allein vorbehaltenen Kunst, zugleich die zeitweilige Abkehr von Wagner und der Welt des Mittelalters zu jenen »anderen Idealen«, die den König ebenfalls seit früher Jugend beschäftigten, ohne daß sie in der Korrespondenz mit dem – diesen Idealen seines ›göttlichen Freundes‹ verständnislos gegenüberstehenden – Komponisten je erwähnt würden. König Ludwig selbst bestimmte den sehr originellen Spielplan seiner im allgemeinen in die Monate April, Mai und November fallenden Vorstellungen, die ihm die verhaßten ›Zwangsaufenthalte‹ in seiner Residenzstadt erträglich machen sollten. Seit 1872 fanden insgesamt zweihundertneun Separatvorstellungen statt, darunter seit 1878 vierundvierzig Opern, nicht nur von Richard Wagner, sondern auch von Giuseppe Verdi, Meyerbeer, Auber und anderen. Hauptthema aber blieb die französische Geschichte im Zeitalter der Bourbonen. Der König, dem die tägliche Lektüre höchster Genuß war – »ein Genuß, den ich fast zu häufig mir gönne, da ich ihn selbst im Wagen beim Durchfahren der herrlichsten Gebirgstäler nicht entbehren kann« –, kannte auf diesem Gebiet sämtliche geschichtlichen Werke, Memoiren und Reisebeschreibungen und ließ sich alle in Frage kommenden französischen und deutschen Stücke vorlegen. Sein Lieblingsstück war Albert Emil Brachvogels ›Narziß‹, das als einziges Stück insgesamt zwölfmal gegeben wurde, jeweils am 9. Mai, dem Todestag Ludwigs XV. Der König ließ das schon länger auf dem allgemeinen Spielplan stehende Stück neu ausstatten und für die Rolle der Pompadour Jahr für Jahr eine andere Gastschauspielerin nach München holen, während die Titelrolle immer mit dem späteren Intendanten Ernst von Possart besetzt blieb, der mit dem König über die richtige, durch historische und kunsthistorische Studien vorbereitete Auffassung seiner Rollen zu korrespondieren pflegte.

Wenn dem König ein historisches Thema besonders geeignet erschien, ließ er es von einem seiner ›Hofdichter‹ wie August Fresenius, Hermann von Schmid, Ludwig Schneegans oder Karl von Heigel dramatisieren. Oberster Grundsatz des Königs, der sich sogar die vom Dichter benützten Geschichtsquellen vorlegen ließ, war auch hier die historische Treue, und gelegentlich verlangte er sogar, Stichvorlagen als einzig authentische Bildquelle in die Bühnenhandlung zu übertragen. Manche Dramen hat er offenbar nur bestellt, um bestimmte Schauplätze auf der Bühne zu sehen, und einzelne Bühnenbilder wurden überhaupt ohne Zusammenhang mit einem Stück angefertigt, um vor oder nach einer Vorstellung gezeigt zu werden, oft, wie die Linderhofer Grotte, bei wechselnder Beleuchtung. Auch seine Bühnenbildner – Angelo Quaglio, Christian Jank und Heinrich Döll – mußten historische Studien treiben und wurden des öfteren an die betreffenden Schauplätze geschickt, vor allem nach Versailles, aber auch nach Reims für das Dombild der ›Jungfrau von Orleans‹, in die Schweiz für ›Wilhelm Tell‹. Das gleiche Bemühen um historisch getreue Schauplätze findet sich damals nur noch auf der Bühne des mit Ludwig gelegentlich korrespondierenden Herzogs von Meiningen, während im übrigen selbst an größeren Bühnen viele Dekorationen einfach aus dem Fundus zusammengesetzt wurden.

Es bestand zeitweise die Absicht, den Schauplatz der Separatvorstellungen nach Schloß Linderhof zu verlegen, bis Ludwig angesichts der bedenklichen Lage seiner Finanzen 1875 auf ein mit dem Schloß verbundenes Theaterprojekt verzichtete und stattdessen den weniger kostspieligen Rundtempel errichten ließ. In den ovalen Kabinetten, die schon in dem ersten, nach Angaben des Königs von Stallmeister Hornig skizzierten Grundriß vom 30. September 1870 für die Erweiterung des ›Königshäuschens‹ vorgesehen sind, sollten jedoch wenigstens die auch in den Separatvorstellungen immer wieder auftretenden Gestalten des französischen Hofes in Pastellbildnissen gegenwärtig sein. »Bieten Sie alles auf, um ein Bild der Marquise de Créqui zu erhalten ... ich brauche notwendig ein Pastellbild von ihr für den Linderhof, ich lese gegenwärtig in ihren sehr interessanten 7 Bändigen Memoiren«, schreibt der König 1871 an Hofrat Düfflipp. Natürlich durfte in der von Ludwig mehrfach geänderten Reihenfolge der Pastelle auch die Pompadour nicht fehlen, wobei der König dafür zu sorgen befahl, daß der Maler Heigel »das Kleid der Frl. Ziegler aus dem Stück ›Nariß‹ als Muster bekommt und daß es genau auf dem Bilde so ausgeführt wird«. Im Speisezimmer, dessen versenkbares ›Tischlein-deck-dich‹ Ludwig erlaubte, auch während des Essens allein zu bleiben, konnte er sich in Gesellschaft der in den Pastellbildnissen der angrenzenden Kabinette repräsentierten Gestalten glauben. Es ist daher nicht verwunderlich, daß er auch selbst gelegentlich die von Seitz für die Separatvorstellungen entworfenen Kostüme tragen wollte. Der Befehl: »ganz ohne Aufsehen möchten Euer Hochwohlgeboren, nur auf kurze Zeit, aus dem Theater einige Hüte und ein schönes vollständiges Kostüm aus der späteren Periode Ludwig XV. recht bald hierher senden« spricht ebenso für diese Vermutung wie die Tatsache, daß aus seinem Nachlaß ein Prunkgewand Ludwigs XIV. verkauft wurde.

Theaterdirektor Franz Seitz, der Kostümbildner der Münchner Hofbühne, der schon an den 1869 vollendeten Räumen Ludwigs in der Münchner Residenz beteiligt war, lieferte nicht nur die passenden Kostüme für den König, sondern auch eine Reihe von Entwürfen für die Innenausstattung von Linderhof, ebenso der Bühnenmaler Christian Jank, der auch in den Separatvorstellungen Spezialist für Rokoko-Interieurs war. Dieses unter Oberleitung des Architekten Georg Dollmann teilweise von Theatermalern nach Art eines Bühnenbildes entworfene Schloß wurde in der Ausführung eine genauso unverwechselbare Schöpfung des Historismus wie das ebenfalls mit bestimmten Bühnenbildvorstellungen zu verbindende Neuschwanstein. Was hier geplant und in bester handwerklicher Ausführung – Schnitzereien von Bildhauer Philipp Perron, Stukkaturen von Theobald Bechler – verwirklicht wird, ist das durchaus eigenständige, mit dem Wiener Neurokoko nicht verwechselbare Rokoko Ludwigs II., das seine Herkunft von dem in der Volkskunst bis ins 19. Jahrhundert weiterlebenden bayerischen Spätrokoko nicht verleugnet, doch seine verschiedenen Vorbilder in unerschöpflicher Phantastik übersteigert, etwa im Spiegelsaal, der das für den deutschen Schloßbau des 18. Jahrhunderts so charakteristische Motiv des Spiegelkabinetts aufnimmt. Dieser für Ludwig II. entwickelte Stil kann später sogar ganz bestimmte Vorbilder aus dem Rokoko zitieren, ohne sich in bloßer Kopie zu erschöpfen. Beispiele sind der 1885 von Julius Hofmann entworfene Hubertuspavillon bei Linderhof nach dem Vorbild von Cuvilliés' Amalienburg und die letzte Erweiterung des Schlafzimmers von Linderhof, bei dessen Entwurf sich Eugen Drollinger an Cuvilliés' Schlafzimmer in den ›Reichen Zimmern‹ der Residenz halten sollte. Selbst die Vorlagen für die Spiegelrahmen und Leuchter aus der in einer eigenen Rokokotradition arbeitenden Meißener Porzellanmanufaktur mußten in München gezeichnet und vom König genehmigt werden.

Das Hauptthema der Separatvorstellungen, Leben und Kunst am Hof der Bourbonen, spiegelt sich auch im Bildprogramm des Schlosses. Die Ausführung dieses Programms überwachte der König ebenso kritisch wie die gleichzeitigen Entwürfe zu einem für Linderhof bestimmten Porzellanservice mit Szenen aus der Zeit Ludwigs XIV. und Ludwigs XV. In der Randbemerkung auf einem Entwurf Joseph Watters zu einer Kaffeekanne mit der Darstellung ›Louis XIV et Molière‹ heißt es zum Beispiel: »Das Bild soll besser durchgeführt, namentlich das Bett in den Details genauer behandelt, die Gesichter edler gehalten und überhaupt der vorhandene Kupferstich mehr als Vorbild genommen werden.« Immer wieder ist es dabei die Gestalt Ludwigs XIV., der »in seiner Haltung und ganzen persönlichen Erscheinung edler und imponierender dargestellt werden soll«. Aber auch formale Fehler werden bemängelt, wie die Perspektive oder die Farben. Für eigenwillige Maler war also in Linderhof kein Platz und ihre Schöpfungen sind, für sich betrachtet, genauso zweitrangig wie die Gemälde in Neuschwanstein. Doch sie sind nicht zu trennen von dem durch den Willen des Königs geschaffenen Gesamtkunstwerk, das in seinem Bildprogramm wie im Wandel der Raumformen und Farben nicht anders betrachtet sein will als ein Schloß des 18. Jahrhunderts. Dazu gehört auch der bis zum Herbst 1877 von Hofgartendirektor Effner geschaffene Park, zweifellos eine der bedeutendsten Gartenanlagen des 19. Jahrhunderts überhaupt, die von der strengen Stilisierung im Achsenkreuz des Schlosses über einen ausgedehnten Landschaftsgarten in die Bergwälder übergeht. Wie in Neuschwanstein die Natur, ist hier die Gartenanlage bei der Komposition der Fenster berücksichtigt: so kann der König zum Beispiel vom Bett aus auf die Kaskade blicken. Gleich einem mit verschiedenen ›fabriques‹ ausgestatteten Landschaftsgarten des 18. Jahrhunderts erscheinen Linderhof und Neuschwanstein als Hauptstützpunkte in dem riesigen Naturpark des Königs, der mit verschiedenen gebauten oder nur projektierten Anlagen von Garmisch über den Plansee und Füssen bis zum Falkenstein im östlichen Allgäu reichte.

Dieses Reich pflegte der König bei seinen häufigen, meist nächtlichen Fahrten in zum Schloß passenden, von Hoftheaterdirektor Franz Seitz entworfenen und von den Hofwagenfabrikanten Franz Gmelch und Johann Michael Mayer ausgeführten goldenen Prunkwagen und Prunkschlitten zu durchqueren. Die Reitknechte, der Stallmeister und auch der König selbst trugen dabei Kostüme im entsprechenden Stil. Eine Fahrt des Königs in einem seiner Schlitten von Schloß Neuschwanstein über den Schützensteig nach Linderhof hat um 1880 R. Wenig gemalt. In der nächtlichen Schneelandschaft tragen goldene Putten die – dank einer elektrischen Batterie – in magischem Glanz erstrahlende Krone über den König, der auch bei stundenlangen Ausfahrten die Kälte nicht zu spüren schien. Als er bereits den großen Galawagen und den im Winter in einen Schlitten zu verwandelnden kleinen Galawagen besaß, träumte er 1873 von einem neuen Gefährt: »In vergangener Nacht träumten Seine Majestät«, heißt es in dem Bericht eines Lakaien, »von einem schönen Galawagen ... In der Mitte desselben halten Genien die Krone, ebenso war auch vorne am Wagen eine Krone zu sehen, die von Genien getragen wurde. Der ganze Wagen war sehr phantasiereich geschnitzt, Palmen, Genien und Amouretten zierten das Ganze und es sah aus, als wenn der Wagenkasten von Genien getragen würde ...« Von diesem Traum des Königs blieben nur ein Entwurf und ein Modell, das jedoch wie viele spätere Kutschen- und Schlittenprojekte nicht mehr zur Ausführung kam.

Doch einen anderen Traum, den größten seines Lebens, wollte er noch verwirklichen: sein neues Versailles, dessen zunächst für die Gegend von Linderhof bestimmte Planung unter dem Decknamen ›Meicost-Ettal‹ (Anagramm für l'état c'est moi) lief, bis dann nach jahrelangen gründlichen Vorbereitungen 1878 auf der Herreninsel im Chiemsee der Grundstein zum Neuen Schloß gelegt werden konnte. Schon wenn im Vestibul von Linderhof die Kopie eines Reiterstandbildes Ludwigs XIV. steht, ist dies für Ludwig mehr als eine historische Reminiszenz. Denn er kann sogar seinen Namen auf die Bourbonen zurückführen: sein Taufpate war sein Großvater König Ludwig I. und dessen Taufpate wiederum kein anderer als Ludwig XVI. von Frankreich. Wie seine Reise in das geschlagene Frankreich 1874 mochten auch die Pläne eines neuen Versailles aus der deutschnationalen Perspektive des von Ludwig selbst gegen seinen Willen mitbegründeten Bismarckschen Kaiserreichs zu politischen Fehldeutungen Anlaß geben. Doch der König plante ›Meicost-Ettal‹ nur als Monument des ihm durch Patenschaft verwandten Ludwigs XIV., weniger als Monument eines französischen Königs, sondern als Monument des Schöpfers und der einmaligen Verkörperung eines absoluten Königtums, das durch den von Ludwig II. immer als besonders erschütternd empfundenen Tod Ludwigs XVI. und Marie Antoinettes in Frage gestellt worden war. Während die ›Königliche Villa‹ Linderhof in ihren verhältnismäßig bescheidenen Ausmaßen nur als Wohnung des Königs geplant war, soll sich in dem in der Planung Georg Dollmanns immer größere Dimensionen annehmenden ›Meicost-Ettal‹ eine Art Wiedergeburt des absoluten Königtums vollziehen, das Ludwig versagt ist, an das er sich aber in den von keiner Hofgesellschaft erfüllten Räumen ›erinnern‹ kann, um in dieser Erinnerung fern der bürgerlichen Welt des 19. Jahrhunderts als echter König zu leben.

Nach der endgültigen Idee Ludwigs II. sollte Herrenchiemsee Versailles in seiner ganzen Größe darstellen. Der König wollte also nicht nur wie in Linderhof einen bestimmten Stil kopieren, sondern ein bestimmtes Gebäude. Er beabsichtigte eine Kopie in derart gewaltigen Ausmaßen, wie sie selbst im kopiefreudigen 19. Jahrhundert ohne Parallele ist, ein einzigartiger Versuch, an dem sich beispielhaft alle Möglichkeiten der Architekturkopie ablesen lassen – auch die ihr im Gegensatz zu der vielfach angewendeten Plastik- und Malereikopie gesetzten Grenzen. Denn das Vorbild der Kopie muß als einheitliches Ganzes verstanden werden, obwohl das uneinheitliche Bild des von Ludwig XIII. begonnenen, von Ludwig XIV. in mehreren Etappen ausgebauten und bis ins 19. Jahrhundert hinein immer wieder veränderten Versailles mit dem Bild Ludwigs II. von einem Versailles Ludwigs XIV. oft nur schwer in Einklang zu bringen war. Dies zwingt zu eigenen Schöpfungen »im Geiste des Styles«, der jedoch selbst in den wenigen scheinbar getreu kopierten Partien nie den Geist des 19. Jahrhunderts verleugnet. Das oft mühsam festgestellte historische Vorbild wird dann in der Ausführung im allgemeinen nur Ausgangspunkt einer sich nach eigenen Gesetzen entwickelnden Planung, denn der Gesamtgrundriß nähert sich zunächst dem Versailler Vorbild immer mehr, reguliert ihn aber gleichzeitig im Sinne des 19. Jahrhunderts in strenger Symmetrie. Für den Außenbau kann der König von Dollmann nur eine genaue Kopie der berühmten Versailler Gartenfassade verlangen, während die auf das Schloß Ludwigs XIII. zurückgehende Versailler Hoffassade im Stil Ludwigs XIV. neu erfunden werden muß. Auch der mit dem Begriff Versailles untrennbar verbundene Park soll nicht einfach nach den bestehenden Anlagen kopiert werden, sondern in seinem ursprünglichen Glanz wiedererstehen und erhält seinen besonderen Reiz durch die einzigartige Insellage mit dem in den See mündenden Großen Kanal. Schloß und Park von Versailles – samt einem wirklich mit Wasser betriebenen Latonabrunnen – hat Ludwig schon lange vor der Grundsteinlegung von Herrenchiemsee in dem nach seinen Angaben von Schneegans für die Separatvorstellung geschriebenen Stück ›Der Weg zum Frieden‹ (Premiere 6. Mai 1874) realisieren lassen, dazu als weitere Bühnenbilder den ›Salon de l'œil de bœuf‹, das Schlafzimmer, das Beratungszimmer und die Spiegelgalerie. Daß der König auch noch das gebaute Schloß als eine Art Bühnenbild, als Kulisse empfand, beweist sein Befehl, aus den Fenstern des gerade erst im Rohbau fertiggestellten nördlichen Seitenflügels historisch bedeutende Persönlichkeiten vom Hof Ludwigs XIV. »in getreu nachgemachten Kostümen portraitähnlich« herausschauen zu lassen.

Wie der Sängersaal mit Neuschwanstein, waren mit der Planung von Herrenchiemsee von Anfang an zwei Räume verbunden, um derentwillen das Schloß gebaut werden mußte: Paradeschlafzimmer und Spiegelgalerie. Von dem ersten Entwurf eines kleinen, zu einem einzigen Flügel zusammengezogenen Versailles, bis zum dreiflügeligen Projekt, bleibt die ›Chambre de Parade‹ unverändert auf der Ostseite in der auch für Versailles charakteristischen Verbindung mit der Spiegelgalerie auf der Westseite. Beide zusammen bilden die Mittelachse, die sich über die Ostwestachse des Gartens bis in den Kanal fortsetzt. Dieser durch das Hofzeremoniell des absoluten Königtums als Allerheiligstes ausgezeichnete Ort kann hier nicht mehr wie in Linderhof als Schlafzimmer Ludwigs II. dienen – er bleibt Schlafzimmer Ludwigs XIV., und als solches erscheint der Raum dem spätgeborenen Bayernkönig gleichsam als ein »Menetekel für das Unerfüllte seines eigenen Königtums«. Dabei ist das Paradeschlafzimmer alles andere als eine Kopie der wesentlich bescheideneren ›Chambre de Parade‹ in Versailles. Von den älteren noch von Franz Seitz stammenden Entwürfen bis zur endgültigen von Julius Hofmann ausgearbeiteten Fassung steigern sich die Wünsche des Königs nach einer prunkvollen Ausstattung (Kosten mehr als 384000 Gulden), die selbst im späteren 19. Jahrhundert ohne Beispiel ist. Die kostbaren Textilien des Paradeschlafzimmers wurden schon 1875 in Auftrag gegeben – drei Jahre vor der Grundsteinlegung des Schlosses. Allein an den Vorhängen des Prunkbettes arbeiteten die Münchner Ateliers Jörres und Bornhauser sieben Jahre lang.

Wie das Paradeschlafzimmer war auch die Spiegelgalerie für den König zuerst auf der Bühne dargestellt worden. Während es ihm auf der Bühne jedoch nur auf die vollendete Illusion ankam, verlangte der König für Herrenchiemsee eine maßstabgetreue Kopie einschließlich der dazugehörigen Eckräume, Friedenssaal und Kriegssaal, und er tadelt anläßlich einer in der Gesamtlänge nur um acht Fuß differenzierenden Maßangabe, Dollmann solle sich ja »keine eigene Willkürlichkeit zuschulden kommen lassen«. Der Plafond, eine Kopie ungeheuren Ausmaßes, konnte nur von einer ganzen Gruppe von »gewissenhaften Malern« bewältigt werden, die 1879 alle nach Versailles geschickt wurden, um »den Charakter der dortigen Malerei fest in sich aufzunehmen«. Als der König die vollendete Galerie Ende September 1881 besichtigt hatte, mußte er später anhand der Kupferstiche feststellen, daß zwei Bilder vertauscht worden waren: »Da nun aber bei zwei von den Bildern eine Verwechslung vorkam, so nehmen S. M. an, daß es bei mehreren der Fall sei, dies wäre S. M. etwas schreckliches und könnten Allerhöchstdieselbe nie verzeihen.« Auch mit den Farben der Spiegelgalerie zeigte sich der König nicht ganz zufrieden. Da er meist die Nacht zum Tage machte, erlebte er seine Räume im allgemeinen in nächtlicher Beleuchtung und liebte überraschende Beleuchtungseffekte wie auf dem Theater. Vor allem in seiner Lieblingsfarbe Blau, die ihm die Mutter schon als Kind zugeteilt hatte – Rot war die Farbe seines Bruders Otto –, aber auch in Rot und Grün verlangte er kräftige, leuchtende Töne, während er Gelb im allgemeinen überhaupt ablehnte. »Das Colorit in der großen Galerie, im Saal des Krieges und des Friedens sei viel zu blaß«, heißt es in dem Bericht an Hofrat Bürkel, »Seine Majestät hätten schon im Voraus gesagt, daß Allerhöchstdieselbe die hellen Töne nicht ausstehen könne«.

Zur Spiegelgalerie kamen bis 1883 die übrigen Paradezimmer, deren Auftakt das Treppenhaus des Südflügels bildet, eine Kopie nach der 1752 abgebrochenen Versailler ›Éscalier des Ambassadeurs‹. Diese Rekonstruktion nach zeitgenössischen Stichen wird jedoch durch das moderne Glasdach, das die lebhaften Farben des Marmors und das Weiß des Stucks in gleichmäßig grelles Licht taucht, zu einem typischen Werk des 19. Jahrhunderts. Es paßt zu den Gemälden im Stil der Makart-Zeit, daß das Treppenhaus während der Anwesenheit des Königs durch Tausende von Blumen in einen Lilien- und Rosenhag verwandelt wurde. Neben dem großen Appartement im Stil Louis-XIV wurde noch ein kleines Appartement im

Stil Louis-xv eingerichtet, das ganz in der Tradition des für Ludwig II. in Linderhof entwickelten Rokokos steht und mit dem entsprechenden Appartement Ludwigs xv. im Obergeschoß des Nordflügels von Versailles wenig gemein hat. Zu den von Eugen Drollinger entworfenen originellsten Räumen dieses Appartements gehören der Hellblaue Salon und der Rosa Salon, deren Spiegel die mit Blumengehängen und Vögeln durchsetzten Schnitzereien in eine unendliche Folge von Laubengängen verwandeln. Das im Gegensatz zum roten Paradeschlafzimmer Ludwig II. vorbehaltene kleine Schlafzimmer ist, wie die Schlafzimmer von Neuschwanstein und Linderhof, in der Lieblingsfarbe des Königs gehalten. Otto Stoeger, der Illuminator der Grotte von Linderhof, experimentierte eineinhalb Jahre, bis der König mit der Beleuchtung zufrieden war: eine blaue Kugel, die den Raum in gleichmäßig blaues Licht tauchen sollte.

Als die Arbeiten 1885 eingestellt werden mußten, stand der 1907 wieder abgebrochene nördliche Seitenflügel erst im Rohbau und der südliche Seitenflügel war nicht über die Fundamente hinausgekommen. Trotzdem ist Herrenchiemsee kein ›unvollendeter Traum‹ geblieben. Ludwigs Vorstellung von Versailles umfaßte ja nur bestimmte Raumgruppen, die fast alle vollendet werden konnten, eingebettet in ungeheure Höhlen aus Rohmauerwerk, die in der Vision des Königs keine Rolle spielten und daher in der Planung offen gelassen wurden. Ludwig beklagte sich bei seinem ersten Besuch 1881 über das rohe Mauerwerk, das man in den an das Schlafzimmer anschließenden Räumen wenigstens provisorisch hätte verkleiden sollen. Dem heutigen Besucher dagegen, der aus dem Prunk der Schauräume in das unvollendete nördliche Treppenhaus kommt, erscheint das Rohmauerwerk so reizvoll wie dem Zuschauer, der zum erstenmal die Welt hinter den Kulissen des Theaters betritt. Die einzigen Besucher, die meines Wissens zu Lebzeiten des Königs 1883 die Erlaubnis erhielten, das Schloß zu besichtigen, waren Prinz und Prinzessin Ludwig Ferdinand. Im Bericht Hofrat Bürkels über ihren Besuch heißt es unter anderem: »Schon am Sonntag konnten ihre königlichen Hoheiten Höchstihre Sehnsucht nicht mehr unterdrücken und besuchten um $1/2$ 9 Uhr das beleuchtete Schloß. Bei dieser $2^{1}/_{2}$ Stunden währenden Besichtigung rief Ihre Königliche Hoheit, die Frau Prinzessin unaufhörlich: ›Oh, wie ist das schön, wie prächtig, wie erhebend‹ und Seine Königliche Hoheit Prinz Ludwig Ferdinand geruhten zu bemerken, daß Höchstihm hiegegen das Schloß von Versailles wie eine halbe Ruine mit verblichenem Glanze, mit vom Rauch und Staub geschwängerten Gemälden vorkäme.«

Im Vestibül von Herrenchiemsee wie im Maurischen Kiosk von Linderhof ist der Pfau dargestellt, das Lieblingstier Ludwigs, das im Reich des Schwanes, des anderen Lieblingstieres, nur am Rande, als Symbol der Seligkeit und Unsterblichkeit, in den Bogenleibungen des Sängersaales auftritt. Der Pfau verbindet die beiden neben Wagner und dem Mittelalter sein Weltbild bestimmenden Stoffkreise, das Zeitalter der Bourbonen und die ihm aus seinen Büchern vertraute Welt des Orients, die für den König wie für viele seiner Zeitgenossen etwas ungeheuer Anziehendes hatte. Auch unter den dem König von Archivar Löher vorgeschlagenen möglichen Herrschaftsgebieten erscheinen, neben den Tälern des Hindukusch, nicht zufällig Ägypten und Afghanistan am annehmbarsten, »hauptsächlich aus dem Grunde ... weil bei diesen Ländern allein die Entfaltung eines größeren Herrscherglanzes möglich erscheint«. Selbst Wagner plante eine Oper nach einem orientalischen Stoff, ›Die Sieger‹, deren Verwirklichung der König vergebens erhoffte: »In einem sehr fesselnden Werke über Indien, den Brahmanismus und Buddhismus fand ich zu meinem freudigen Erstaunen jene so einfache und daher so erschütternde und tief rührende Erzählung, die Sie als Stoff zu den ›Siegern‹ benützen wollten. ... Es wird zu den herrlichsten Ihrer Werke dereinst zu zählen sein, glauben Sie mir. Indien und der Buddhismus haben etwas für mich unaussprechlich anziehendes, Sehnsucht und selige Wonnen erweckendes.«

In Indien spielt auch die durch ihren großen Erfolg während der Pariser Weltausstellung bekannt gewordene Oper Jules Massenets ›Der König von Lahore‹, von der der König 1879 nach der Generalprobe zunächst zwei Separatvorstellungen verlangte. Ebenso reich statteten Jank, Döll und Quaglio die in den folgenden Jahren in die Separatvorstellungen aufgenommenen Opern mit orientalischen Themen aus, darunter Mozarts ›Zauberflöte‹ (1879), Karl Goldmarks ›Die Königin von Saba‹ (1880) und Webers ›Oberon‹ (1881), den der König durch Franz Wüllner eigens neu bearbeiten ließ. Besonderen Gefallen fand er an den Dekorationen zu Davids ›Lala Rookh‹. Für diese Oper ließ er 1876 das in einem Modell erhaltene Kaschmirtal malen, das er zum Auswechseln mit dem Tannhäuserbild sogar in die Linderhofer Grotte übertragen wollte. Auch Kalidasas indisches Drama ›Sakuntala‹ ließ er von Karl Heigel übersetzen und bearbeiten, ebenso ein zweites Werk Kalidasas, das indische Märchen ›Urvasi‹, das bei der letzten Separatvorstellung am 12. Mai 1885 gegeben wurde. Der König hatte befohlen, die Dekoration »nicht nach der Schablone, sondern nach naturgetreuen Bildern des Himalaja-Gebirges« zu entwerfen. Der Bericht des Bühnentechnikers Lautenschläger ist bezeichnend für die Dekorationswünsche des Königs, der auf ›echte‹ Natur so viel Wert legte wie auf ›echte‹ historische Schauplätze: »Der König wünschte, daß dieser Urwald, belebt von Paradiesvögeln, Papageien, Singvögeln, Elefanten und anderen Tiergattungen, vor seinem Auge vorüberziehe. Ich hatte den Plan bereits fertig, die Zeichnung wurde S. M. vorgelegt, als er von einem Ausflug zurückkam, auf welchem er ›weidende Hirsche‹ sah. Das friedliche Bild der weidenden Hirsche wollte nun S. M. auch in dem indischen Urwald sehen, und so wurden denn dem belebten Bilde eines Urwaldes die weidenden Hirsche in der Zeichnung hinzugefügt.« Nach der im übrigen zur allerhöchsten Zufriedenheit ausgefallenen Vorstellung wurde Lautenschläger mitgeteilt, »daß der König die Bemerkung machte: ›Herr Lautenschläger läßt die Tiere in dem indischen Walde hungern. Tiere gehen im Walde nicht bloß spazieren, sie benützen den Aufenthalt, um Atzung zu suchen. Lautenschläger soll bei der zweiten Aufführung die Tiere also nicht mehr bloß spazieren gehen lassen.‹ Ferner müsse die Sonne Indiens, deren Strahlen den Wald beleben, wohl einen stärkeren Ausdruck haben und ein anderes, lebhafteres Farbenspiel hervorbringen.«

In die gleiche indische Märchenwelt wollte sich der König auch in seinem seit 1867 über dem Festsaalbau errichteten Wintergarten versetzen. Die den alten Wintergarten seines Vaters Maximilian an der Südostecke der Residenz weit übertreffende, kühne Glas-Eisen-Konstruktion steht in der für die Baukunst des 19. Jahrhunderts so bedeutsamen Tradition der sogenannten Palmenhäuser, zu der auch das eiserne Palmenhaus König Friedrich Wilhelms IV. auf der Pfaueninsel bei Potsdam gehört. Die Freude Ludwigs an der tropischen Vegetation, die Hofgartendirektor Effner vor dem Hintergrund des von Christian Jank an die Rückwand gemalten Himalaja um einen See gruppierte, war keineswegs ungewöhnlich zu einer Zeit, in der tropische Pflanzenarrangements und ›orientalische‹ Einrichtungen allgemein beliebt waren und der bekannte ›Makart-Strauß‹ schon die Wohnungen der besseren Bürger schmückte. Schon früh begann der König auch verschiedene ›orientalische‹ Bauwerke, an denen er seit seinem Besuch der Pariser Weltausstellung von 1867 Geschmack gefunden hatte, in die sich gelegentlich in seiner Vorstellung in das Tal von Kaschmir mit dem Himalaja verwandelnden bayerischen Berge zu übertragen. Sein erstes Bauprojekt im orientalischen Stil war das 1870 errichtete Jagdhaus auf dem Schachen, äußerlich eine in einfacher Holzbauweise errichtete Berghütte, innerlich ein mit verschwenderischer Pracht ausgestatteter türkischer Saal. »Hier saß in türkischer Tracht Ludwig II. lesend«, berichtet Louise von Kobell, »während der Troß seiner Dienerschaft als Moslems gekleidet, auf Teppichen und Kissen herumlagerte, Tabak rauchend und Mokka schlürfend, wie der königliche Herr befohlen hatte, der dann häufig überlegen lächelnd die Blicke über den Rand des Buches hinweg auf die stilvolle Gruppe schweifen ließ. Dabei dufteten Räucherpfannen und wurden große Pfauenfächer durch die Luft geschwenkt, um die Illusion täuschender zu machen.« Obwohl er schon in seinem Wintergarten und in Schloß Berg ähnliche Kioske besaß, ließ er 1876 in Linderhof den aus Schloß Zbirow in Böhmen erworbenen Maurischen Kiosk aufstellen, mit dem nach seinen Angaben von Franz Seitz entworfenen und in Paris ausgeführten Pfauenthron im Mittelpunkt. Zur Weltausstellung von 1878 wurde Architekt Dollmann nach Paris geschickt, um über die damals in ganz Europa Mode gewordenen verschiedenen orientalischen Häuser zu berichten – das Haus aus Algier, das Persische, Ägyptische und Chinesische Haus – und schließlich für den König das schönste, das Marokkanische Haus, auszuwählen. Es wurde noch im gleichen Jahr bei Linderhof aufgestellt, wo »S. M. dasselbe nur um einige Stunden ungestört darin zu lesen« benützen wollte. Weitere orientalische Projekte, wie ein Maurischer Saal im Schloß Neuschwanstein, kamen nicht zur Ausführung. Nachdem sich der König verschiedene Ansichten des kaiserlichen Winterpalastes von Peking verschafft hatte, entwarf Julius Hofmann 1886 noch ein ›chinesisches‹ Schloß. Es sollte am einsamen Plansee erbaut werden. Dort hätte sich der König, der am chinesischen Hofzeremoniell interessiert war, zum letzten Mal das Leben eines unumschränkten Herrschers vorspielen lassen.

In der langen Reihe der Wittelsbacher war Ludwig II. der bedeutendste Theaterfürst und einer der größten Bauherrn, dessen Werke durch die Wechselbeziehungen zum Theater – von Neuschwanstein zu den Opern Wagners, von Linderhof, Herrenchiemsee und den orientalischen Bauten zu den Separatvorstellungen – ihre besondere Note erhalten. Anders als ein Bauherr des 18. Jahrhunderts bestimmt er im Zeitalter des Historismus nicht nur den Standort und das Thema, sondern auch den Stil. So fügte er den von seinem Vater und Großvater gepflegten Stilen den Neubarock und ein zweites Rokoko hinzu, wie es in Deutschland seit der Einrichtung des Wiener Palais Liechtenstein und in Frankreich seit dem Stil Louis-Philippe auftritt, wandte sich von der Neugotik seines Vaters der Neuromanik von Neuschwanstein zu und teilte die seit der Romantik aufgekommene Vorliebe für alles Orientalische. Die Griechenland- und Italienbegeisterung seines Großvaters war Ludwig, der kein einziges Mal nach Italien gereist ist, völlig fremd – »die von der glühenden Sonne versengten Gefilde Hellas denke ich mir eher abstoßend denn anziehend«, schreibt er einmal an Wagner. Er baute eine Architekturkopie nach Versailles, keine Architekturkopien nach griechischen und italienischen Vorbildern wie sein Großvater. Auch Ludwig I. hat dabei oft höchst eigenwillige Vorstellungen gegen den Widerstand seiner Architekten durchzusetzen gewußt. Ludwig I. suchte jedoch den Dialog mit den Künstlern, an dessen Stelle bei seinem Enkel in einsamer Überlegung auf Grund der eigenen geistigen Konzeption gefaßte und über den Hofsekretär an die Künstler weitergegebene Befehle treten, Befehle, die oft bis ins kleinste Detail der Form und des Inhalts gehen. In diesem Sinn ist Ludwig II. Bauherr und Schöpfer zugleich, der keine Eigenwilligkeit seiner oft nur geschickten, aber wenig bedeutenden Maler, Bildhauer und Dichter dulden konnte. Nur Wagner fand in Ludwig, gerade weil er von Musik, die er nur gefühlsmäßig genoß, wenig verstand und auch seinen Dichtungen in kritikloser Bewunderung gegenüberstand, einen idealen Mäzen und auch Semper verstand es, den jungen König für seine Konzeption des Festspielhauses zu gewinnen – zweifellos das bedeutendste Theaterprojekt der zweiten Hälfte des 19. Jahrhunderts, das weniger am Widerstand der Umgebung des Königs als an der zwiespältigen Haltung Wagners gescheitert ist.

Gerade die Kunst Ludwigs II., eines der größten Bauherrn des Historismus, dessen erste Forderung immer die auf Grund eigener wissenschaftlicher und literarischer Studien erkannte historische Wahrheit war, zeigt immer wieder die unverkennbaren selbständigen Leistungen des Historismus, selbst dort, wo nach dem Willen des Königs nur kopiert werden soll. Der beabsichtigte Stil Louis-xv zum Beispiel verwandelt sich in den die Ausführung oft noch übertreffenden Entwürfen in das unverwechselbare Rokoko Ludwigs II. Es ist bezeichnend, daß hier in Verbindung mit dem dem 19. Jahrhundert eigenen Naturalismus gelegentlich verblüffende Vorboten des Jugendstils auftreten, nicht nur in den auch durch ihre eigentümliche Farbigkeit ausgezeichneten kunstgewerblichen Entwürfen Adolph Seders und Franz Brochiers – genauso in für Neuschwanstein entworfenem Gerät, in den ›romanischen‹ Kandelabern des Thronsaals, in den erstaunlichen Arkadenentwürfen Janks von 1870 für das Ritterhaus von Neuschwanstein. Während in den Schlössern immer die neuesten technischen Errungenschaften zur Anwendung kamen, zum Beispiel der Metallguß für Zieraten und Figuren der Dachaufbauten, und selbst – immer um der Illusion willen – so erstaunlich ›moderne‹ Lösungen wie die sprossenlosen Fensterflächen und die aus einer einzigen Glasscheibe bestehende Schiebetür des Wintergartens von Neuschwanstein gefunden wurden, blieben zugleich durch Ludwigs Bauten in Bayern wie nirgends in Deutschland die handwerklichen Traditionen des 18. Jahrhunderts bewahrt: Franz Seitz' Sohn und Mitarbeiter Rudolf Seitz wurde der erste Leiter der Restaurierungswerkstätte, aus der das heutige Landesamt für Denkmalpflege hervorging. Die bedeutenden Aufträge des Königs an die Hofmöbelfabrik Pössenbacher, an die Stickereien Jörres und Bornhauser, die Hofsilberarbeiter Harrach und Wollenweber, an die Juweliere Merk und Rath, die Kunstschlosser Kölbel und Moradelli, an die Zettlersche Hof-Glasanstalt, die Mayersche Hof-Kunstanstalt und an viele andere machten München zugleich zu einer europäischen Metropole des Kunstgewerbes, die sich neben Wien und Paris, wohin der König ebenfalls Aufträge vergab, behaupten konnte.

Während Maximilian II. und Ludwig I. vor allem für die Öffentlichkeit bauten, waren die Schlösser Ludwigs II. so ausschließlich dem König vorbehalten, daß er daran denken konnte, sie nach seinem Tod vernichten zu lassen. Seit 1870, als einmal die Weisung ergeht, »nicht mehr von Politik zu sprechen, ohne daß Majestät um etwas fragen«, hatte der in seinen Anfängen auch hohe politische Begabung zeigende König mehr und mehr das Interesse an der Politik verloren, während er für seine Kunst eine ungeheure Aktivität entfaltete. Denn seine Bühnenvorstellungen und seine Schlösser waren mehr als eine Scheinwelt, in die er sich aus Protest gegen eine ihm verständnislos gegenüberstehende bürgerliche Welt zurückzog, sie waren sein Leben, in dem Traum und Wirklichkeit eins waren und die Geschichte nicht nur auf dem Theater zur Gegenwart wurde. Hier ging der König, der mit seinen Unternehmungen keineswegs, wie oft behauptet wird, die Staatskasse ruiniert hat, sondern alles aus seiner Kabinettskasse bestritt, mit äußerstem Geschick und einer Energie vor, die er in politischen Fragen gänzlich vermissen ließ. Mit der durch die Verschuldung der Kabinettskasse erzwungenen Einstellung der Bauten aber hatte das Leben des Königs seinen Sinn verloren. So ist der am Beruf eines Monarchen in einer konstitutionellen Monarchie verzweifelte König, den Verlaine in seinem Sonett von 1886 den »einzigen wahren König des Jahrhunderts« genannt hat, letztlich darüber zugrunde gegangen, daß er allein in »ideal-monarchisch-poetischer Einsamkeit« als Bühne seines Lebens die seinem vielschichtigen Weltbild entsprechende Kunst schaffen wollte.

Entwurf von Julius Hofmann, 1886, für einen chinesischen Palast in der Nähe von Linderhof

GENEALOGISCHE ÜBERSICHT
DER BAYERISCHEN KÖNIGSFAMILIE

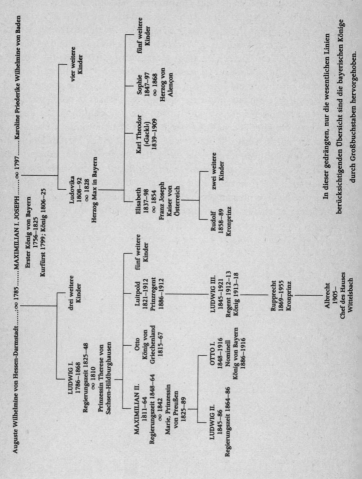

Auguste Wilhelmine von Hessen-Darmstadt .... ∞ 1785 .... MAXIMILIAN I. JOSEPH .... ∞ 1797 .... Karoline Friederike Wilhelmine von Baden
Erster König von Bayern
1756–1825
Kurfürst 1799; König 1806–25

drei weitere Kinder

LUDWIG I.
1786–1868
Regierungszeit 1825–48
∞ 1810
Prinzessin Therese von Sachsen-Hildburghausen

Ludovika
1808–92
∞ 1828
Herzog Max in Bayern

vier weitere Kinder

MAXIMILIAN II.
1811–64
Regierungszeit 1848–64
∞ 1842
Marie, Prinzessin von Preußen
1825–89

Otto
König von Griechenland
1815–67

Luitpold
1821–1912
Prinzregent
1886–1912

fünf weitere Kinder

Elisabeth
1837–98
∞ 1854
Franz Joseph
Kaiser von Österreich

Karl Theodor (Gackl)
1839–1909

Sophie
1847–97
∞ 1868
Herzog von Alençon

fünf weitere Kinder

LUDWIG II.
1845–86
Regierungszeit 1864–86

OTTO I.
1848–1916
Nominell
König von Bayern
1886–1916

LUDWIG III.
1845–1921
Regent 1912–13
König 1913–18

Rudolf
1858–89
Kronprinz

zwei weitere Kinder

Rupprecht
1869–1955
Kronprinz

Albrecht
1905–
Chef des Hauses Wittelsbach

In dieser gedrängten, nur die wesentlichen Linien berücksichtigenden Übersicht sind die bayerischen Könige durch Großbuchstaben hervorgehoben.

ZEITTAFEL

1845 25. August: Ludwig, als ältester Sohn des Kronprinzen Max II. und seiner Gattin Marie, Tochter des Prinzen Friedrich Wilhelm Karl von Preußen, in München-Nymphenburg geboren.

1848 Märzrevolution. Lola-Montez-Skandal und Abdankung König Ludwigs I. Regierungsantritt König Maximilians II.

1861 Ludwig besucht erstmals eine Wagneroper, die Aufführung des »Lohengrin«.

1864 10. März: Tod Maximilians II., Ludwig Thronnachfolger.
27. März: Eröffnung des Landtages, der seit 1863 vertagt war. Einladung sämtlicher Abgeordneter zur königlichen Tafel. Generalamnestie für alle, die an den Unruhen von 1848/49 beteiligt waren.
4. Mai: Erste Begegnung Ludwigs mit Richard Wagner.
Oktober: Wagner bezieht ein vom König gemietetes Haus in der Brienner Straße 21 in München.

1865 10. Juni: Uraufführung des »Tristan« in München. Nach einer Aufführung des »Tell« in München besucht Ludwig die Stätten der Tellsage in der Schweiz.
Dezember: Von allen Parteien gedrängt, muß der König Wagner entlassen, der dann München verläßt.

1866 Einmarsch Preußens in Holstein und Austritt aus dem Deutschen Bund. Kriegserklärung des Bundes. Bayern auf seiten des Bundes in der schleswig-holsteinischen Frage.
27. Mai: Ludwig eröffnet den Landtag und ordnet die Mobilisierung der Armee gegen Preußen an.
3. Juli: Sieg der Preußen bei Königgrätz.
22. August: Abschluß des Berliner Friedens. Kriegsentschädigung und Grenzgebiete an Preußen. Geheimer Allianzvertrag zwischen Bayern und Preußen, ein Trutz- und Schutzbündnis.

1867 1. Januar: Verlobung Ludwigs mit seiner Kusine, der Herzogin Sophie, Tochter des Herzogs Max von Bayern. Im Herbst wird die Verlobung aus unbekannten Gründen aufgehoben.
Juli: Ludwig besucht die Weltausstellung in Paris. Gespräche mit Napoleon III. Ludwig lehnt ein süddeutsches Bündnis mit Frankreich aus nationaler Gesinnung ab.

1868 21. Juni: Uraufführung der »Meistersinger« in München.
Erste Pläne für Neuschwanstein.

1869 Energisches Auftreten Ludwigs gegenüber dem Landtag. Trotz der dem Ministerium ungünstigen Wahlergebnisse entläßt er die Regierung nicht, sondern beruft lediglich einen neuen Kultusminister, der seinen unbeliebten Vorgänger ersetzt. Überparteiliche Stellung des Königs.
5. September: Grundsteinlegung zu Neuschwanstein.
22. September: Uraufführung des »Rheingold« in München.

1870 17. Januar: Eröffnung des neuen Landtages. Ludwig schwört Preußen Bündnistreue.

7. März: Ministerpräsident Hohenlohe muß seinen Abschied nehmen. Berufung des Grafen Bray.

26. Juni: Uraufführung der »Walküre« in München.

16. Juli: Ohne Vorwissen Brays verlangt Ludwig, über die Ereignisse in Ems unterrichtet, die Mobilmachung der Armee.

19. Juli: Kriegserklärung Frankreichs an Preußen. Kronprinz Wilhelm übernimmt das Kommando der bayerischen Truppen.

1. September: Schlacht bei Sedan. Niederlage der Franzosen.

30. September: Erste Pläne für Linderhof.

23. November: Versailler Vertrag. Bayern tritt dem neuen deutschen Bund bei und erhält Zugeständnisse in der Frage der föderativen Sonderregelungen.

30. November: Kaiserbrief Ludwigs an König Wilhelm I. von Preußen. Überreichung durch den Prinzen Luitpold.

1871   18. Januar: König Wilhelm I. zum Deutschen Kaiser in Versailles ausgerufen.

10. Mai: Friede von Frankfurt a. M.

16. Juli: Siegesparade in München. Zusammentreffen Ludwigs mit dem Kronprinzen.

1872   22. Mai: Grundsteinlegung zum Bayreuther Festspielhaus.

1873   Ludwig erwirbt die Herreninsel im Chiemsee.

1874   Reise Ludwigs nach Paris.

1875   Reise nach Reims wegen seines Interesses an der Geschichte der Jungfrau von Orléans.

1876   6./8. August: »Der Ring des Nibelungen« in Bayreuth uraufgeführt. Besuche Ludwigs in Bayreuth.

1878   21. Mai: Grundsteinlegung zu Schloß Herrenchiemsee.

1880   22. August: Letzte Proklamation des Königs an das bayerische Volk.

1881   Reise mit dem Schauspieler Josef Kainz in die Schweiz.

1882   26. Juli: Uraufführung des »Parsifal« in Bayreuth.

1883   13. Februar: Wagner stirbt in Venedig.

1886   8. Juni: Das Gutachten der vier von der bayerischen Regierung eidlich vernommenen Sachverständigen erklärt Ludwig für geisteskrank im fortgeschrittenen Stadium. Eine Staatskommission wird gebildet und beauftragt, dem König seine Absetzung mitzuteilen.

9. Juni: Prinz Luitpold wird zum Regenten ausgerufen.

12. Juni: Nach einem vergeblichen Versuch der Staatskommission, den König festzunehmen, gelingt es dem Irrenarzt Obermedizinalrat von Gudden, Ludwig von Neuschwanstein nach Schloß Berg am Starnberger See zu bringen.

13. Juni: Abendspaziergang Guddens mit Ludwig im Park des Schlosses. Fluchtversuch des Königs; Ringen mit dem Arzt endet im See, wo beide ertrinken.

LITERATURVERZEICHNIS

Das Standardwerk über Ludwig II. ist Gottfried von Böhms ›Ludwig II.
König von Bayern‹, eine beispielhafte und umfangreiche, gut siebenhundert
Seiten starke Arbeit, die von allen, die bislang über dieses Thema schrieben,
mehr oder weniger herangezogen worden ist. Eine neuere ausgezeichnete
Biographie stammt von Werner Richter; sie wurde von William S. Schlamm
unter dem Titel ›The Mad Monarch‹ 1954 bei Henry Regnery in Chicago
herausgebracht. Das Buch ist inzwischen vergriffen und scheint auch in
der British Museum Library nicht vorhanden zu sein, es ist mir auch nie
gelungen, es zu Gesicht zu bekommen. Rupert Hackers Anthologie und vor
allem Otto Strobels fünfbändiger Briefwechsel zwischen Ludwig und Wagner waren ebenfalls von unschätzbarem Wert für mich. Die Literatur über
Ludwig ist sehr umfangreich, und die nachstehend aufgeführte Bibliogra-
phie umfaßt bei weitem nicht alle Werke, die ich benützt habe; ausführliche Literaturnachweise finden sich bei Richter, Hacker und Petzet.

Es ist höchst bedauerlich, daß Ernest Newman nie die Zeit fand, um das
Leben auch von Wagners Freund und Mäzen darzustellen. Aber die letzten
beiden Bände seiner großartigen Wagnerbiographie sind auch für alle, die
sich mit der Gestalt Ludwigs beschäftigen, unentbehrlich; ebenso entwirft
Henry Channon in seinem ›The Ludwigs of Bavaria‹ ein zwar kurzes, aber
hinreißendes Bild des kranken Königs. Chapman-Hustons Buch, obwohl
nicht immer zuverlässig und Ludwigs Homosexualität übermäßig betonend,
enthält wichtiges Material aus dem Wittelsbacher Geheimen Hausarchiv.
Reiches Bildmaterial bieten Sailer, Petzet und Rall-Petzet.

Alexander, L., The commitment and sui-
cide of König Ludwig II of Bavaria.
In: The American Journal of Psychiatry
111, (1954), Nr. 2, S. 100–107.

Anex, G., Châteaux magiques de Louis II.
In: Nouvelle revue française. 12ième
année, (1964), Nr. 137, S. 946–951.

Bainville, J., Louis II de Bavière. 2. Aufl.
Paris 1964.

Bayern, K. v., Schloß Berg und Ludwig
II. In: Merian. 14. Jg., (1961), H. 7,
S. 16–20.

Bertram, W., Der einsame König. Erinnerungen an Ludwig II. von Bayern.
München 1950.

Birkenhead, Prince in the dark forest.
In: Time and Tide 36, (1955), Nr. 17,
S. 532–534.

Channon, H., The Ludwigs of Bavaria.
2. Aufl. London 1952.

Chapman-Huston, D., Bavarian Fantasy:
The Story of Ludwig II. New York
1956.

Gathmann, E., Wahnsinn oder Verbrechen? Hinter den Kulissen der Tragödie
Ludwigs II. von Bayern. Pähl 1952.

Gérard, W., Le châtelain des nuées. Louis
II de Bavière. Brüssel 1964.

Gollner, W., Psychopathologische Entwicklung und Kosmogramm. In: Kosmo-
biologisches Jahrbuch. 29. Jg., (1958),
S. 36–50.

Grunwald, C. de, Die Geschichte des Mär-
chenkönigs. (Louis II, le roi romanti-
que). München 1970.

Gutman, R., Richard Wagner: The Man, His Mind and His Music. London/New York 1968.

Hacker, R. (Hrsg.), Ludwig II. von Bayern in Augenzeugenberichten. (=dtv 844) München 1972.

Hausner, H. (Hrsg.), Ludwig II. König von Bayern. Berichte der letzten Augenzeugen. Gedenkschrift zum 75. Todestag am 13. 6. 61. 2. Aufl. München/Salzburg 1962.

Heider, J., Der König und sein getreuer Wachtmeister. Ein amtlicher Bericht über die letzten Tage König Ludwigs II. In: Zeitschrift für bayerische Landesgeschichte 31, H. 1, (1968), S. 298–307.

Helmensdorfer, E., Legenden um Ludwig. In: Die Zeit. 20. Jg., (1965), Nr. 37, S. 15.

Hohenemser, H., Das Kreuz im Starnberger See. Ein Versuch über Romantik und Psychoanalyse. In: Die Kunst und das schöne Heim. 65. Jg., (1966/67), H. 7, S. 334–336.

Hubensteiner, B., Bayerische Geschichte. Staat und Volk. Kunst und Kultur. 5. Aufl. München 1967.

Hubensteiner, B., Welt und Wirklichkeit Ludwigs II. In: Bayerische Symphonie. Bd. 1, Hrsg. v. H. Schindler, (1967), S. 460–478.

Huber, H., Ein Dokument zur bayerischen Königstragödie von 1886. In: Oberbayerisches Archiv für vaterländische Geschichte 67, (1950), S. 80.

Jullian, P., Une visite à Louis II. In: Revue de Paris, 73ième année, (1966), Nr. 5, S. 97–102.

Kaltenstadler, W., König Ludwig II. von Bayern und Bismarck. In: Zeitschrift für bayerische Landesgeschichte 34, H. 2, (1971), S. 715–728.

Keller, H., (Hrsg.), Der König. Beiträge zur Ludwigsforschung. Festschrift zur Enthüllung des Münchener Ludwigsdenkmals. München 1967.

Kolb, A., König Ludwig II. von Bayern und Richard Wagner. Frankfurt/M. 1963.

Kreisel, H., Die Schlösser Ludwigs II. von Bayern. München 1954.

Kreisel, H., Ludwig II. als Bauherr. Die geistigen Grundlagen seiner Bauten. In: Oberbayerisches Archiv für vaterländische Geschichte 87, (1965), S. 69–88.

Lange, K., (Hrsg.), Was war Ludwig II. für Bayern? In: Unser Bayern: Heimatbeilage der Bayerischen Staatszeitung. Jg. 15, (1966), Nr. 9, S. 65–66.

Lieb, N., Ludwig II. und die Kunst. München 1968.

Müller, K. von, König Ludwig II. (=Bilder aus der bayerischen Geschichte. Hrsg. v. A. Fink). Nürnberg 1953.

Müller, K. von, Unterm weißblauen Himmel. Stuttgart 1962.

Petzet, D. u. M., Die Richard-Wagner-Bühne Ludwigs II. München 1970.

Philippi, H., König Ludwig II. von Bayern und der Welfenfond. In: Zeitschrift für bayerische Landesgeschichte 23, (1960), S. 66–111.

Rall, H., Das Altarsakrament im Schicksal König Ludwigs II. von Bayern. In: Eucharistische Frömmigkeit in Bayern. 2. erg. u. verm. Aufl. der Festgabe des Vereins für Diözesangeschichte von München und Freising zum Münchener Eucharistischen Weltkongreß 1960 in Verb. mit M. J. Hufnagel u. hrsg. v. A. W. Ziegler. München 1963.

Rall, H., Ausblicke auf Weltentwicklung und Religion im Kreise Max' II. und Ludwigs II. In: Zeitschrift für bayerische Landesgeschichte 27, (1964), S. 488–522.

Rall, H., König Ludwig II. von Bayern. In: Bayerland. 68. Jg., (1966), H. 1, S. 1–14.

Rall, H. u. Petzet, M., König Ludwig II. Eine Bildbiographie. 2. Aufl. 1970.

Rattelmüller, P., Schlösser Ludwigs II. München 1948.

Richter, W., Ludwig II., König von Bayern. 7. Aufl. München 1970.

Robin, G., Louis de Bavière vu par un psychiatre. Psychoanalyse de Louis II. Paris 1960.

Roesle, E., Die Geisteskrankheit der bayerischen Könige Ludwig II. und Otto in der Sicht neuer genealogisch-erbbiologischer Methoden. In: Genealogisches Jahrbuch 2, (1962), S. 101–111.

Russer, H., Wagner et Louis II de Bavière. In: Revue des deux mondes. (1960), Nr. 19, S. 478–486.

Sailer, A., Bayerns Märchenkönig. Das Leben Ludwigs II. in Bildern. München 1961.

Sayn-Wittgenstein, F. zu, The castles of Louis II. In: Apollo 65, (1957), S. 281–285.

Sexau, R., Die Brautschaft König Ludwigs II. von Bayern. In: Bavaria.

Münchener Hefte für Kultur und Heimat. 1. Teil, 1. Jg., (1949), H. 3, S. 25–29 und 2. Teil, H. 4, S. 23–28.

Sexau, R., Ludwig II. und Bismarck. Bayerns Sorge um ein Gesamtdeutschland auf dem Boden des Rechts. In: Neues Abendland 7, (1952), S. 468 bis 476.

Sexau, R., Die Tragödie König Ludwigs II. Regensburg 1958.

Syberberg, H. (Hrsg.), Theodor Hiernies. Ein Mundkoch erinnert sich an Ludwig II. München 1972.

Schlüssler, W., Das Geheimnis des Kaiserbriefes Ludwigs II. In: Geschichtliche Kräfte und Entscheidungen. Festschrift zum 65. Geburtstage von Otto Becker. Hrsg. v. M. Göhring u. A. Scharff. Wiesbaden 1954, S. 206–209.

REGISTER